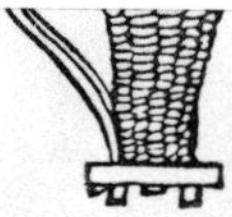

SOZIOLOGIE DER GEISTESKRANKHEITEN

STUDIEN-BIBLIOTHEK

Roger Bastide

Soziologie der Geisteskrankheiten

Studien - Bibliothek
Kiepenheuer & Witsch

Titel der Originalausgabe
SOCIOLOGIE DES MALADIES MENTALES

Aus dem Französischen von Gisela Zimmermann
Gesamtherstellung Butzon & Bercker Kevelaer
Printed in Germany 1973
Leinen ISBN 3 462 00920 6
Broschiert ISBN 3 462 00927 3

Inhalt

Übersicht über Illustrationen und Tabellen

Einleitung

In den letzten Jahren hat sich der Forschung ein neues Gebiet aufgetan, das man allgemein Sozialpsychiatrie nennt. Es ist natürlich sehr verlockend, auf kaum geebneten Wegen vorzudringen, Wege zu den noch unbestimmten Grenzen zwischen zwei Wissenschaften, der Psychiatrie und der Soziologie, zu bahnen. Dabei sind auch die Irrtümer kostbar, weil jeder Irrtum eine Eroberung verspricht. Denn wenn man sich verirrt, stößt man immer auf unbekanntes Gebiet. Doch einmal kommt der Augenblick, von dem an die an sich fruchtbare Unordnung der Forschung nicht mehr von Nutzen ist. Dieser Zeitpunkt ist eingetreten. Jeder Forscher hat sich nun ein bestimmtes Gebiet abgesteckt, untersucht und definiert es als den einzigen wesentlichen Bereich der Sozialpsychiatrie. Diese einzelnen Bereiche überschneiden sich partiell. Aus dem wilden Dschungel des Anfangs ist ein Chaos bebauter Felder mit schlecht gezogenen Grenzen geworden. Es herrscht eine heillose Unordnung. Wir müssen für diese Felder ein Kataster aufstellen. Das ist keine leichte Aufgabe.

Wenn man ein Buch über Sozialpsychiatrie aufschlägt, bemerkt man schon nach kurzer Zeit, wie vage die gegebenen Definitionen sind. Oder, genauer gesagt, man begegnet so vielen oder fast so vielen Definitionen, wie es Autoren gibt. Doch es kommt noch schlimmer: Manche Autoren geben ein und demselben Forschungskomplex verschiedene Namen. Kommen wir auf den Vergleich mit dem Dschungel zurück: Sie eignen sich ein Stück Land davon an, nennen es »Schloß X«, ohne zu ahnen, daß ein anderer das gleiche getan und dasselbe Gebiet »Villa Y« genannt hat. In diesem Sinne könnte man ein ganzes Buch über Sozialpsychiatrie schreiben. A. L. Kroeber und Clyde Kluckhohn haben das für den Begriff und die Definitionen des Terminus »Kultur« getan. Sie sammelten die verschiedenen Bedeutungen und versuchten, sie in großen Kategorien nach Ländern und nach den verschiedenen Anwendungsrichtungen des Terminus zu klassifizieren[1]. Wir wollen uns für den Begriff der Sozialpsychiatrie auf die wesentlichen Kategorien beschränken. In ihrer ersten Bedeutung besteht die Hauptaufgabe der Sozialpsychiatrie darin, Mittel und Maßnahmen zu untersuchen, mit denen die Gesellschaft gegen die Geisteskrankheiten kämpft. Diese Wissenschaft hätte zur Aufgabe, Psychosen und Neurosen ebenso wie Kriminalität, Streik und Scheidung als »soziales Problem«[2] zu untersuchen. Die Ausbreitung der Geisteskrankheiten ist nach Ansicht derer, die an eine Zunahme der Geisteskrankheiten glauben, eine Folge der wirtschaftlichen Krisen

1. *Culture, a critical review of concepts and definitions,* New York, 1963.

2. Zum Beispiel E. M. Gruenberg und S. S. Bellin »The Impact of Mental Disease on Society« in A. H. Leighton, J. A. Clauser und R. N. Wilson, Hrsg., *Explorations of Social Psychiatry,* New York, 1957.

und der Weltkriege. Nach Ansicht derer, die davon ausgehen, daß die Anzahl der Kranken sich nicht merklich verändert, ist die Ausbreitung der Geisteskrankheiten einfach eine Folge der Veränderungen der Sozialstruktur und der sozialen Werte. Sie wird damit in Zusammenhang gebracht, daß die Familien ihre Kranken heute nicht mehr bei sich behalten, sondern sie in Asyle und Kliniken zur Pflege geben. Die Regierungen werden vor schwierige Aufgaben gestellt: Heilung und Präventivmaßnahmen, Isolierung oder Reedukation, geistige Hygiene, Berechnung der Kosten dieser verschiedenen Maßnahmen. So gesehen, ist die Sozialpsychiatrie gleichzeitig ein Kapitel der Sozialpathologie, wie die Nordamerikaner sie definieren, und ein Teil der angewandten Soziologie. Mit dem zunehmenden Interesse für die Entwicklungsländer und die Probleme der »Weltgesundheit« wächst auch die Zahl derer, die in dieser Richtung weiterforschen. Man beschäftigt sich heute vor allen Dingen mit den Widerständen, auf die eine Politik geistiger Hygiene trifft. Und man führt Untersuchungen durch mit dem Ziel, die Taktiken herauszufinden, die am besten geeignet sind, diese Widerstände zu überwinden.

Eine zweite Bedeutung geben z. B. H. M. Adler[3] oder S. W. Hartwell[4] dem Begriff Sozialpsychiatrie. Sie ist ebenfalls pragmatisch, steht der ersten nahe und ist doch anders. Sie verstehen darunter die Ausbildung von Sozialarbeitern auf dem Gebiet der Psychiatrie. Natürlich ist eine psychiatrische Klinik kein Krankenhaus im üblichen Sinne. Im Krankenhaus versorgt man Kranke, die wohl in Betten liegen, aber immer noch der Gesellschaft angehören. Die psychiatrische Klinik ist eine »Gemeinschaft«, in der der Kranke den Anschluß an das soziale Leben wieder neu gewinnen soll, wo er moralisches Verantwortungsgefühl und das Bewußtsein seiner Autonomie zurückgewinnen soll. Die Krankenpfleger und die Sozialhelfer haben hier also spezifische Aufgaben, die eine differenzierte Ausbildung voraussetzen. Und der Begriff Sozialpsychiatrie, d. h. soziale Pflege mit dem Ziel, den Kranken wieder in die Gesellschaft zu integrieren, ist eine sehr passende Bezeichnung für diese Therapie.

Wir finden den Begriff »Sozialpsychiatrie« noch in einer dritten Bedeutung. Sie steht der zweiten nahe, überlagert sich sogar teilweise mit ihr. Wir finden sie zum Beispiel bei Maxwell Jones[5]. Nach seiner Auffassung ist die Sozialpsychiatrie die Untersuchung von Methoden zur Behandlung psychischer Krankheiten. Er versteht darunter Heilung durch Bildung von Gemeinschaften, durch Wiederherstellung der Interrelationen, durch Sozialisierung der »Isolierten«, ganz besonders durch Gruppen- und Arbeitstherapie. Die Sozialpsychiatrie würde also die verschiedenen Techniken untersuchen, die dazu dienen, das soziale Leben wieder neu zu erlernen, wie etwa das Psychodrama von Moreno oder die Gruppendynamik bis hin zu Spiel- oder Arbeitsgruppen.

3. H. M. Adler »The relation between psychiatry and social science« (Am. J. of Psychia, VI, 1927).
4. S. W. Hartwell, *Social Psychiatry. Our taskora new profession* (*idem*, XIX, 1940).
5. Maxwell Jones, *Social Psychiatry, a study of therapeutic Communities*, Tavistock Publication, 1952.

Wie wir gesehen haben, erscheint die Sozialpsychiatrie in allen diesen Definitionen mehr als praktische denn als theoretische Wissenschaft. Es ist so verständlich, daß solche Definitionen eher von Psychiatern als von Soziologen stammen. In diesen Definitionen spiegelt sich ein immer stärker werdendes Gefühl dafür wider, daß eine Gesellschaft, die sich gegen jede Störung wehrt, auch Pflichten gegenüber den Geisteskranken hat. Es zeigt sich die Einsicht, daß man die Suche nach Heilmethoden nicht dem immer wieder irrenden Zufall überlassen darf. Immer mehr tritt Planung an die Stelle von Empirismus. Und nach unserem Dafürhalten braucht die Sozialpsychiatrie in den drei Bedeutungen, die wir soeben besprochen haben, eine Planung für ihr Arbeitsgebiet, den Kampf gegen die Geisteskrankheiten.

Aber jeder praktischen Wissenschaft geht eine theoretische Wissenschaft voraus. Und diese theoretische Wissenschaft wird um so fruchtbarer sein, je mehr sie sich darum bemüht, die praktische Anwendbarkeit ihrer Ergebnisse zu vergessen. Sie darf sich nicht von Gefühlen, Idealen oder Werten einer sozialen Schicht beeinflussen lassen. Sie muß vor allem um Objektivität bemüht sein. Gewiß hat uns die Erkenntnissoziologie an den Gedanken gewöhnt, daß auch der um Objektivität bemühte Wissenschaftler den Vorurteilen seiner Klasse oder seines Volkes unterliegt. Le Guillant fragte sich in Frankreich, ob die Weigerung der französischen Psychiater, die Sozialpsychiatrie zu akzeptieren, nicht dem Wunsch des Bürgertums entsprach, zu vergessen, daß die Gesellschaft eine Verpflichtung hat, die Ursachen der Geisteskrankheiten zu erforschen. Verschließt man nicht absichtlich die Augen vor den Verpflichtungen, die man als Mitglied der Gesellschaft hat, wenn man nur neurologische oder biologische Ursachen für Geisteskrankheiten in Betracht zieht? Wie dem auch sei, wir können dieser Frage hier nicht nachgehen, wir begegnen jetzt einer neuen Reihe von Definitionen der Sozialpsychiatrie, die alle theoretischer, nicht praktischer Art sind. Wir wollen sie schnell überprüfen.

Die Sozialpsychiatrie ist für einige Forscher die Untersuchung der Bedeutung und der Rolle, die soziale Faktoren für die Ätiologie der Geisteskrankheiten haben. Es ist das Verdienst der Sozialpsychologie gewesen, aufzuzeigen, daß das Individuum nicht außerhalb der Gesellschaft lebt, daß die Persönlichkeit sich nur durch Gruppen und in Gruppen formt, daß die Entwicklung des »ego« parallel zu der Entwicklung des »alter« verläuft, daß es zwischen dem Individuellen und dem Sozialen eine enge Wechselbeziehung gibt. Die Sozialpsychiatrie wäre dann die Übertragung dieser Einsichten vom normalen auf den anormalen Menschen. Zweifellos kann man, wie Dr. Ey in Frankreich das tut, die Sozialpsychologie anerkennen, der Sozialpsychiatrie aber seine Anerkennung verweigern. Zweifellos schließt die Behauptung, daß es soziale Faktoren für die Entstehung von Geisteskrankheiten gibt, nicht aus, daß auch physiologische Faktoren wie Vererbung, Konstitution, Hirnverletzungen usw. eine Rolle spielen. Auch soll sich die Therapie nicht nur auf psychische oder sozialtherapeutische Behandlungsmethoden beschränken, sondern auch physikalische oder chemische Praktiken anwenden. Doch in der neuen Bedeutung des Begriffs ist Sozialpsychiatrie die Untersuchung der Einflüsse, die soziale Faktoren, wie Familienkonstellation, Wohnung, wirtschaftliche Stellung und berufliche Spannungen, Religion usw. auf Verhaltensstörungen ausüben. Das ist die von den meisten anerkannte Bedeutung des Begriffs. So definiert z. B. Marvin K. Opler die Sozialpsychiatrie als »Untersuchung der Ursachen und der Dynamik von Geisteskrankheiten in ihrem sozialen und kulturellen Milieu«. Denn man kann, wie er sagt, das menschliche Verhalten nicht isoliert von dem Milieu verstehen, das auf die Psyche und damit auf den Körper wirkt. Pawlow hat das an der Bedeutung der bedingten Reflexe und des Lernens gezeigt. Man muß jedoch ergänzen, daß der Mensch nicht einfachen äußeren Reizen gehorcht, daß er diesen Reizen einen Sinn gibt, daß er im Gegensatz zum Tier auf Symbole, nicht auf Signale reagiert[6].

Sozialpsychiatrie in dieser Bedeutung wird von den meisten Forschern anerkannt und ist vielleicht gerade aus diesem Grund am unklarsten. Einige Forscher wie zum Beispiel Sullivan[7] sind der Ansicht, daß die Persönlichkeit nicht von den interpersonalen Beziehungen, in denen sie lebt, isoliert werden darf, und folglich solle die Psychiatrie auf der Soziologie aufbauen. Andere, wie Masserman[8], meinen, daß die Psychiatrie mit der Soziologie zu einer dynamischen Untersuchung der kranken Persönlichkeit verschmelzen solle. Das Soziale sei nicht von außen wirkende Ursache, es werde von jedem Individuum auf eine bestimmte Weise gelebt und könne nur von innen, von der Psyche her betrachtet werden. Andere, wie M. K. Opler[9], weisen auf die Gefahr hin, die darin liegt, daß man das Soziale vom Kulturellen trennt, und für den Psychiater darin, daß er sich ausschließlich für die Sozialstruktur und die Systeme von Interaktionen interessiert, ohne die kulturelle Komponente menschlichen Verhaltens in Rechnung zu stellen. Die Psychosen und Neurosen sind in den einzelnen Zivilisationen verschieden. Das gilt sowohl für den prozentualen Anteil als auch für die Epidemiologie. Die anormalen Ausdrucksformen haben ebenso wie die normalen ihr »pattern« oder ihren »Standard«. Später wollen wir versuchen, in dieses Gewirr von verschiedenen Bedeutungen etwas Ordnung zu bringen. Einstweilen begnügen wir uns damit, festzustellen, daß Sozialpsychiatrie sehr verschiedene Arbeitsbereiche umfaßt: Es gehören zu ihr die Arbeiten von Faris und Dunham über die Verteilung der Geisteskrankheiten in den ökologischen Zonen von Chicago, die Teil der Soziologie sind[10]. Der Sozialpsychiatrie werden die Arbeiten von Dévereux über die psychischen Störungen der Mohave-Indianer, ethnologische Arbeiten also, zugerechnet[11]. Die Untersuchungen von

6. M. K. Opler, »Social Psychiatry, Evolutionary, Existentialist and Transcultural Findings« (*Psychosomatics*, II, 6) 1961, S. 430–435.

7. H. S. Sullivan, »Psychiatry: Introduction to the study of interpersonal relations« (*Psychiatry*, I, 1938, S. 121–134).

8. Masserman, *Principles of Dynamic Psychiatry*, Philadelphia, 1946.

9. M. K. Opler, *Culture, psychiatry and human values*, Springfeld III, 1956.

10. R. E. L. Faris und H. W. Dunham, *Mental disorders in urban areas*, Chicago, 1939.

11. Dévereux, G., *Reality and dream: the psychopathology of a Plains Indian*, New York, 1951.

Dollard und seinen Mitarbeitern über die Beziehungen zwischen Aggressivität und sozialen Frustrationen wären Teil der Sozialpsychologie[12].

Hinzufügen könnte man noch Untersuchungen, wie Valabrega sie über die therapeutische Beziehung angestellt hat. Das wären Arbeiten auf dem Gebiet der Interpsychologie oder der intermentalen Psychologie, die die Beziehungen zwischen dem Psychiater und seinem Patienten zum Gegenstand haben[13].

Grob schematisch betrachtet, kann man feststellen, daß, je nachdem ob wir es mit Psychiatern oder Soziologen zu tun haben, zwei Bedeutungen in dieser Definition enthalten sind. Der Psychiater interessiert sich nur für die Individuen, folglich ist seine Methode in erster Linie klinisch oder die Ermittlung der Fallgeschichte. Seine Aufgabe besteht darin, die verschiedenen sozialen Faktoren zu ermitteln und abzuwägen, die für die Entstehung der Störungen bei diesem oder jenem Patienten eine Rolle gespielt haben. Im äußersten Fall wird Sozialpsychiatrie auf den Bereich beschränkt, den Dr. Ombredane »medizinische Psychologie« genannt hat oder gar auf den, den man einst, zur Zeit von Ribot, D. Dumas und vieler anderer Forscher als Psychopathologie bezeichnet hat. Der Soziologe dagegen interessiert sich nur für Kollektive. Er wendet meistens die statistische Methode an. Sein Ziel ist es, Korrelationen zwischen der Zahl von Geisteskrankheiten in einer bestimmten Gesellschaft und diesem oder jenem Element dieser Gesellschaft herzustellen. Seine Variablen sind ökologische Zonen, soziale Schichtung, Familientypen, Religionszugehörigkeit.

Neben dieser ersten theoretischen Bedeutung des Begriffes Sozialpsychiatrie findet sich gelegentlich eine andere, die jedoch nicht so verbreitet wie die erste ist. Danach wäre es Aufgabe der Sozialpsychiatrie, kranke Kollektive zu untersuchen. Doch auch hier gibt es bei den verschiedenen Autoren sehr unterschiedliche Auffassungen. Manche Autoren vertreten die Ansicht, daß es kollektive Neurosen gibt. Als Beleg dafür führen sie gern den »Hitlerismus« in Deutschland an. So gesehen, wäre Sozialpsychiatrie die Untersuchung der Krankheiten sozialer Gruppen, im Unterschied zur Psychiatrie, die sich mit den Geisteskrankheiten bei Individuen befaßt. Viele Psychiater jedoch weigern sich anzuerkennen, daß es kollektive Neurosen oder gar Psychosen geben könne. Für sie gibt es nur kranke Individuen. Sie glauben aber, daß eine Ansteckung bei geistigem Wahn und die Entstehung von Epidemien möglich ist. Ein Beispiel sind die berühmten Epidemien mystischen Wahns im Mittelalter. Es wäre also Aufgabe der Sozialpsychiatrie, Gesetze und Verlauf dieser Ansteckung und Verbreitung zu untersuchen, ebenso wie die Formen, in denen dieser Übergang vom Individuellen zum Kollektiven stattfindet, und auch die sozialen Faktoren, die ihn begünstigen. So könnte man also drei verschiedene Formen der Psychiatrie unterscheiden, eine Psychiatrie der Einzelperson, eine Psychiatrie für zwei miteinander in Beziehung stehende Personen (Wahnsinn zu zweit) und eine Psychiatrie für mehr als zwei Personen (multipler Wahnsinn).

12. Dollard, Miller, Doob, Mowrer and Sears, *Frustration und aggression*, New Haven, 1961.

13. J. P. Valabrega, *La relation thérapeutique*, Flammarion, 1962.

Man kann auch, wie es zum Beispiel Baruk tut, ohne von kollektiven Neurosen zu sprechen, in die Sozialpsychiatrie die Untersuchung pathologischer Prozesse einbeziehen, die die Gesellschaft in ihrem Verhalten gegenüber Individuen innerhalb dieser Gesellschaft befallen. Veränderungen wie der Übergang von Gemeinschaft zu Gesellschaft, die insofern als krankhaft erachtet werden, als sich in ihnen der Übergang vom moralischen zum egozentrischen Verhalten offenbart. Zu diesen pathologischen Prozessen gehört auch der Kult der Macht, die inhumane Bürokratisierung, die Zunahme willkürlicher Verhaftungen, die Verachtung, die Kranken und Alten in zunehmendem Maße entgegengebracht wird, schließlich die Vergötzung der Gesellschaft. Die Sozialpsychiatrie ist hier identisch mit der Untersuchung der »Krankheiten der Gesellschaft«, natürlich nicht in dem Sinn einer »Sozialpathologie«, sondern insofern, als Krankheiten Individuen befallen und sie demoralisieren[14].

Schließlich finden wir, immer noch auf theoretischer Ebene, eine letzte Bedeutung von Sozialpsychiatrie, die noch seltener vorkommt. Sie entspricht für die Theorie dem, was in der Praxis die Identifizierung der Sozialpsychiatrie mit der Gruppentherapie war, es wäre die Untersuchung des sozialen Verhaltens von Geisteskranken. Bekanntlich hat in der nordamerikanischen Soziologie die Untersuchung kleiner Gruppen eine große Bedeutung gewonnen. Man kann aber auch kleine Versuchsgruppen von Geisteskranken zusammenstellen. Diese können homogen, so zum Beispiel nur aus Paranoikern zusammengesetzt sein, oder aber heterogen sein. Innerhalb dieser kleinen Gruppen kann man Phänomene wie die Entwicklung von Führern, die Lösung von Spannungen oder die Bildung eines kollektiven Gewissens studieren. Bei diesen Versuchen kann man die Faktoren variieren, angefangen bei äußeren Faktoren, wie Zugehörigkeit der Kranken zu verschiedenen sozialen Klassen, bis zu inneren Faktoren, wie die jeweilige Stellung der Kranken innerhalb der Gruppe (am Tisch, in der Beziehung zum Psychiater) usw.

Wie wir gesehen haben, wagten sich die Forscher, seit die Sozialpsychiatrie als neues Gebiet der Wissenschaft anerkannt worden ist, in die verschiedensten Richtungen. Sie folgten dabei ihren Interessen oder dem Wunsch, etwas Neues zu bearbeiten. Und so ist es dazu gekommen, daß wir schließlich vor den disparatesten Definitionen stehen. Diese Entwicklung ist natürlich nicht reibungslos vonstatten gegangen. Die dabei aufgetretenen Konflikte sind insofern interessant, als sie auf die Notwendigkeit einer Klärung hinweisen. In ihnen zeigt sich bereits der Wille, die Fülle heterogener, ja widersprüchlicher Definitionen ein bißchen zu ordnen. So ist nach Ansicht von G. Deshaies in Frankreich die Untersuchung von Psychosen und kollektiven Neurosen nicht Teil der Sozialpsychiatrie, sondern der Sozialpathologie. Die Sozialpsychiatrie kann nach seiner Auffassung nur dann einen Sinn haben, wenn man darunter den sozialen Aspekt der Geisteskrankheit versteht[15]. Thomas D. Elliot schlägt den Begriff Sozio-Analyse oder psychiatrische Soziologie vor (zur

14. H. Baruk, *La psychiatrie sociale*, P. u. F., Coll. »Que sais-je?« 669, 1955.
15. Gabriel Deshaies, *Psychopathologie générale*, P. U. F., 1959, S. 180.

Abgrenzung von der Sozialpsychiatrie, die für ihn etwas ganz anderes ist), worunter er die für mentale Hygiene angewandten Techniken, die psychiatrische Hilfe und die soziale Ausbildung der Helfer versteht[16]. Diese Konflikte zeigen, daß wir in der Geschichte der Sozialpsychiatrie ein Stadium erreicht haben, in dem es die wichtigste Aufgabe ist, das aufzustellen, was ich zu Anfang meiner Betrachtungen ein Kataster des besetzten Gebietes genannt habe.

Die meisten Forscher jedoch wollen von diesem Reichtum an Definitionen nichts aufgeben. Für sie besteht die beste Methode, hier Ordnung zu schaffen, darin, daß man aus jeder der kurz charakterisierten Arbeitsrichtungen einen besonderen Teil einer umfassenden Wissenschaft macht. So wäre die Sozialpsychiatrie für Dr. Baruk eine zweierlei umfassende Psychopathologie. Sie hätte einerseits die Aufgabe, die sozialen Ursachen des Wahnsinns und die Konsequenzen zu untersuchen, die sich aus den individuellen Neurosen und Psychosen für das soziale Leben ergeben. Andererseits würde zu ihr die Psychopathologie der Individuen gehören (das schlechte Gewissen, das Schuldgefühl, die Überempfindlichkeit des moralischen Bewußtseins bei den Melancholikern, die Labilität des Willens) und die Psychopathologie der Gesellschaft[17]. Für Hans Strotzka ist das Arbeitsgebiet der Sozialpsychiatrie 1. die Untersuchung der sozialen Wiedereingliederung von Geisteskranken durch Arbeit, durch familiäre Betreuung oder durch Behandlung in Krankenhäusern, 2. die Untersuchung der Einflüsse, die soziale Faktoren auf die Entstehung von Geisteskrankheiten haben, 3. die Untersuchung der Gruppentherapie und schließlich die Untersuchung der Bedeutung, welche die kulturelle Komponente für die Epidemienbildung bei Geisteskrankheiten besitzt. Wie wir sehen, werden hier ganz verschiedene Gebiete miteinander verbunden. Auf diesen Gebieten sind bereits Forschungsarbeiten geleistet worden. Strotzka zitiert die Arbeiten von Rennie, Bierer, Maxwell, Erikson und anderen. Doch hat man sich nicht die Frage gestellt, ob und inwieweit diese Gebiete Teile ein und derselben Wissenschaft sind, oder ob es sich um Gebiete aus verschiedenen Wissenschaftszweigen handelt, in die man sie einordnen müßte[18]. R. A. Schermerhorn scheint uns darin viel systematischer zu sein, denn er versucht, die verschiedenen Gebiete logisch zu ordnen, um so der Sozialpsychiatrie eine gewisse Einheit zu geben. Zunächst untersucht er die Rolle, die die soziale und kulturelle Komponente bei Geisteskrankheiten spielt. So gibt es bei der Unterschicht vor allem Verhaltensstörungen, in der Mittelschicht psychosomatische Störungen, die in Zusammenhang mit sozialem Zwang und sozialer Zensur stehen, in der Oberschicht findet man Psychoneurosen und manisch-depressive Psychosen. Dann untersucht Schermerhorn die Therapie insofern, als sie soziale Beziehung ist. Unter diesem Gesichtspunkt betrachtet er alle bereits erforschten Gebiete, so die therapeutische Beziehung zwischen Arzt und Kranken, die Gruppentherapie, jedoch weniger

16. Thomas D. Elliot, »A psychoanalytic interpretation of group formation and behavior«, *Amer. Journ. of Sociol.*, XXVI, 1920.

17. H. Baruk, o. c.

18. Hans Strotzka, »Sozialpsychiatrische Überlegungen« (*Kölner Zeitsch. f. Soziol. und Sozialpsych.*, 3 Köln, 1958).

als praktische Therapie, sondern mehr insofern, als sie die experimentelle Untersuchung kleiner Gruppen ist. Schließlich untersucht er die psychiatrische Klinik in ihrer Eigenschaft als soziale Institution. Charakteristisch für sie ist, daß hier dem Kranken sexuelle und familiäre Beziehungen sowie die berufliche Tätigkeit fehlen, ferner ist charakteristisch, daß er hier in ein neues System zwischenmenschlicher Beziehungen mit Pflegern, Ärzten, Krankenhausverwaltung und der Gesamtheit der verschiedenartigen Geisteskranken eingespannt wird. – Die letzte Aufgabe der Sozialpsychiatrie, ihre praktische Schlußfolgerung, wäre die Erforschung vorbeugender Maßnahmen gegen Geisteskrankheiten sowie die Erarbeitung eines Programmes, mit dessen Hilfe man die psychische Gesundheit in den verschiedenen Formen menschlichen Zusammenwohnens besser schützen kann (städtische, ländliche, unterentwickelte Wohngebiete)[19].

Diese Bemühungen, offensichtlich so weit voneinander entfernte Phänomene wie die Verteilung der Geisteskrankheiten nach sozialen Klassen und die Organisation einer psychiatrischen Klinik auf dieselbe Ebene zu bringen, sind sicher nicht uninteressant. Doch wir sind der Ansicht, daß es beim jetzigen Stand der Forschung besser ist, den Begriff Sozialpsychiatrie aufzulösen, ihn zu zerschlagen, um ihn nicht fortgesetzt von einem Phänomen auf das andere ausdehnen zu müssen.

Wir müssen außerdem feststellen, daß, historisch betrachtet, die Sozialpsychiatrie von verschiedenen Forschern entdeckt worden ist. Sie stammten aus verschiedenen Ländern, kannten einander nicht und gaben dem Begriff sehr unterschiedliche Bedeutungen. Es ist eine sinnlose Spielerei, wenn man nachträglich nach einem gemeinsamen Nenner sucht. Zum zweiten müssen wir feststellen, daß das Wort »sozial« vieldeutig ist und eine ganze Skala von Bedeutungen umfaßt. Sie reicht von Bedeutungen, die ein Werturteil ausdrücken, bis zu solchen, die mit dem Aufkommen einer wissenschaftlichen Soziologie zusammenhängen. Bedeutet sozial in der Bezeichnung »Sozialpsychiatrie« »was die Gesellschaft angeht«, oder aber »soziologischer Natur, von soziologischem Wesen«? Schließlich und vor allem gilt, daß man die verschiedenen Perspektiven der Sozialpsychiater nicht dadurch auf einen Nenner bringen kann, daß man nur von der Psychiatrie ausgeht. Und in der Tat gilt für die Mehrzahl der Untersuchungen, auf die wir angespielt haben, daß sie das Werk von Psychiatern waren, die entweder allein oder zusammen mit Soziologen arbeiteten. Doch in der Bezeichnung »Sozialpsychiatrie« stecken zwei Begriffe: sozial und Psychiatrie. Wenn wir den ersten Begriff ins Auge fassen, müssen wir notwendigerweise an die verschiedenen Wissenschaften denken, die von verschiedenen Gesichtspunkten aus die Geisteskranken untersuchen, an die Sozialpsychologie, die Soziologie und die Ethnologie. Aus welchem Grunde sollte man also den zweiten Teil des Begriffs auf Kosten des ersten bevorzugen? Ist es nicht vielmehr so, daß der erste Teil dem zweiten seinen Sinn, seine spezielle Bedeutung gibt? Wenn der erste Teil aber wichtiger als der zweite ist, täte man dann nicht besser

19. A. M. Rose, Hrsg., *Mental Health and Mental Disorder. A sociological approach*, New York, 1955.

daran, eine Sozialpsychologie, eine Soziologie und eine Ethnologie der Geisteskrankheiten voneinander abzugrenzen, denn wenn sie auch miteinander in Zusammenhang stehen, so verwechselt doch kein Mensch Sozialpsychologie, Soziologie und Ethnologie.

Uns scheint, man könnte sehr viele Unklarheiten, sehr viele unnötige Probleme vermeiden und auch Streitigkeiten zwischen den Forschern verhindern (die amerikanischen Soziologen beklagen sich oft über die »imperialistische« Haltung der Psychiater bei der Zusammenarbeit), wenn man die Gebiete sorgfältig voneinander abgrenzte, wenn man verschiedenen Arbeitsgebieten auch verschiedene Namen gäbe. Es geht uns hier übrigens nicht um eine rein terminologische Frage. Hinter der Terminologie steht die Eigenständigkeit der verschiedenen Wissenschaftszweige des Menschen oder der Gesellschaft. Ein jeder hat seine eigenen Methoden, geht auf eine spezifische Weise an die Wirklichkeit heran, hat seine eigene theoretische Begriffsbildung.

Wir würden vorschlagen, den Namen Sozialpsychiatrie allein der Wissenschaft vorzubehalten, die sich mit dem krankhaften Verhalten von Individuen beschäftigt, die von Geistesstörungen befallen sind. Schon 1933 machte Krout einen im Grunde ähnlichen Vorschlag, als er die Aufgabe der Sozialpsychiatrie als Entdekkung und Kontrolle der sozialen Ursachen der Geisteskrankheiten charakterisierte[20]. Der Akzent liegt dabei mehr auf der Psychopathologie als auf der Soziologie. Wenn man diese Definition akzeptiert, wird die Sozialpsychiatrie ein besonderer Teil der Sozialpsychologie. Aufgabe der Sozialpsychologie wäre die Untersuchung der normalen Persönlichkeit, Aufgabe der Sozialpsychiatrie die der anormalen Persönlichkeit. Die eine würde sich mit der Sozialisation des Individuums, die andere mit seiner Desozialisation beschäftigen. Es ist übrigens nicht verwunderlich, daß die sozialpsychologischen Abhandlungen der Amerikaner immer zumindest ein Kapitel über »die pathologischen Formen des Gewissens« (L. L. Bernard)[21] oder die soziale Psychopathologie (Klineberg)[22] enthalten, in denen sich die wichtigsten Schlußfolgerungen der Sozialpsychiatrie finden.

Davon trennen würden wir allerdings das, was wir die Soziologie der Geisteskrankheiten nennen wollen, denn diese beschäftigt sich lediglich mit Kollektiven und Gruppen. Indem A. Comte den Ärzten vorwirft, sie seien nur Veterinäre des menschlichen Körpers und ließen außer acht, daß der Mensch zugleich ein biologisches und soziales Wesen ist, liefert er das Fundament der Sozialpsychiatrie. Sein Schüler Audiffrend stellte später fest, daß die Auflösung der Persönlichkeit einhergeht mit der Auflösung der Gesellschaft, so daß man organische Perioden mit einem Minimum an geistigen Störungen und Perioden mit einem Maximum an Krisen voneinander unterscheiden kann. Mit dieser Einsicht schafft er die Grundlagen der Soziologie der Geisteskrankheiten. Um ein paar Beispiele zu nennen:

20. *Journ. Ab. and Soc. Psych.*, XXVIII, 1933.
21. L. L. Bernard, *Social Psychology*, 1926 (Kap. XIII).
22. O. Klineberg, *Introduçao a psicologia social,* S. Paulo, 1946.

Wie die Sozialpsychiatrie von Krout uns auf die Sozialpsychologie zurückführt, so führt uns die von Dunham, Brown und Felson mitten in die Soziologie. Ganz nebenbei sei bemerkt, daß diese Unterscheidung uns erlaubt, zumindest eine Unklarheit zu beseitigen. Die Sozialpsychiatrie schlägt sich oft mit der Frage herum, ob es reaktionelle Psychosen gibt. Es geht darum, Bedeutung und Rolle der sozialen Faktoren, der sozialen Ursachen abzuwägen. Der Soziologe kann das Problem der Ätiologie umgehen. Er stellt zwischen gewissen Fakten und gewissen Krankheiten Korrelationen her, ohne aber damit zu behaupten, daß diese Korrelationen normalerweise kausale Gesetze wären. Eine von der Sozialpsychiatrie losgelöste Psychologie der Geisteskrankheiten wird sowohl für ihre Methode als auch für ihren Aufbau von der Soziologie eine wichtige Unterstützung erhalten.

Wir haben eben versucht, den Begriff Sozialpsychiatrie im engeren Sinne in die Nähe des Begriffs Psychopathologie zu rücken. Müssen wir nun entsprechend das, was wir Soziologie der Geisteskrankheiten genannt haben, der Sozialpathologie annähern? Wenn Psychiater wie Dr. Baruk oder Dr. Veil, um willkürlich zwei ganz verschiedene Wissenschaftler herauszugreifen, Fakten aus dem Bereich der Sozialpathologie studieren, so tun sie es selbstverständlich unter ganz anderen geistigen Voraussetzungen als die Soziologen und bereichern die Soziologie durch neue Elemente. Mir scheint aber, daß die Soziologie der Geisteskrankheiten nur ein Teil dieser Sozialpathologie sein kann. Dazu gehören noch viele andere, wie z. B. die Kriminologie, die Auflösung der Familie, die Anomie. Andererseits kann die Sozialpathologie sich nicht auf die Sozialpsychiatrie beschränken oder gar nur ein Teil davon sein. Wir würden also vorschlagen, die Soziologie der Geisteskrankheiten eher als besonderen Zweig der Soziologie anzusehen. Wir würden sie in der Nähe der sogenannten medizinischen Soziologie ansiedeln, die ähnliche Probleme untersucht bei anderen Krankheitsformen, als da sind venerische Krankheiten, Tuberkulose, epidemische Krankheiten und allgemeine Gesundheitsprobleme.

Dieser Soziologie der Geisteskrankheiten würden wir auch zwei andere Problemkomplexe zuordnen, die im wesentlichen Probleme der Soziologie sind, aber an andere Gebiete der traditionellen Soziologie anknüpfen. Es handelt sich hierbei um die Gruppentherapie insoweit, als bei ihr der theoretische Aspekt gegenüber dem praktischen dominiert, um das also, was die Nordamerikaner die Soziologie der kleinen Gruppen nennen. Zweitens geht es um den Komplex von Untersuchungen über psychiatrische Kliniken, ihre Organisation, um die Struktur der Beziehungen zwischen Verwaltung, Ärzten, Dienstpersonal und Kranken. Sicherlich hat eine psychiatrische Klinik ihre Besonderheiten, die Kranken werden hier nicht wie andere Kranke behandelt. Und doch gehören diese Kliniken als besonderer Fall zur Gesamtheit der Kliniken, die die Soziologen in immer stärkerem Maße interessieren. Und so kann man diese Untersuchungen in die der Soziologie der Institutionen einordnen, die von der Ecole de Le Play mit Monographien über Unternehmen begonnen worden ist.

Schließlich haben wir die Ethnologie der Geisteskrankheiten, die wir als Ethnopsychiatrie bezeichnen wollen (das ist nicht ein Zweig der normalen und der pathologischen Ethno-Psychologie, sondern der Ethnologie). Hier muß man eine Reihe von Differenzierungen vornehmen. Wenn man die kulturelle Komponente in ihrem Zusammenhang mit auftretenden geistigen Störungen untersucht, so betreibt man pathologische Ethnopsychologie, und folglich befinden wir uns damit, gemäß unseren gegebenen Definitionen, im Bereich der Sozialpsychiatrie. Wenn man aber Korrelationen herstellt zwischen bestimmten ethnischen Gegebenheiten (wie Zusammensetzung und Struktur der Familie, Formen der Schichtenbildung, Stellung oder Funktion der Religion und der Magie in der Gesellschaft, Altersklassen usw.) und den Typen der Geisteskrankheiten (oder den besonderen Symptomen, mit denen sie auftreten), dann befindet man sich auf dem klassischen Terrain der Ethnologie. Es gibt jedoch einen anderen Aspekt der Ethnospychiatrie. Dieser ist für den Ethnologen noch interessanter oder, wenn man so will, noch reiner ethnologisch. Damit meine ich, daß man, wie Dévereux sagt, »textbooks« von der Psychiatrie der Eingeborenen herstellt. Darunter ist zu verstehen, daß man nicht die Begriffe der Eingeborenen mit Hilfe unserer abendländischen Psychiatrie neu durchdenkt oder die Korrelationen herstellt, von denen eben die Rede war, sondern daß man die originalen Klassifikationen wiedergibt, die die Eingeborenen von ihren geistigen Störungen herstellen, ebenso wie die besondere Ätiologie und die Methoden, mit denen sie diese Krankheiten behandeln und heilen[23].

Für diese drei theoretischen Wissenschaften gibt es natürlich entsprechende Praktiken der Anwendung. Wir können dafür den Begriff verwenden, den Thomas D. Elliot vorgeschlagen hat. Er spricht von psychiatrischer Soziologie. Diese Bezeichnung finde ich nicht sehr gut, jedenfalls müßte man die Bezeichnung »angewandte« hinzufügen[24]. Hierzu würden alle Untersuchungen von der Gruppentherapie bis zu Programmierungen mentaler Hygiene gehören, ein Teil würde mehr die Sozialpsychiatrie betreffen (die Gruppentherapie, die Wiedereingliederung von Geisteskranken nach der Behandlung in das berufliche und soziale Leben, die Reorganisierung des Krankenhaussystems), ein weiterer Teil gehört zur Soziologie der Geisteskrankheiten (vorbeugende Maßnahmen, der Bau großer städtischer Wohneinheiten, mentale Hygiene und auch die Reorganisierung des Krankenhaussystems), ein letzter Teil wäre die Ethnologie (Programme für mentale Hygiene in den unterentwickelten Ländern oder in ländlichen Gemeinden).

Zusammenfassend können wir folgendes sagen: Wir schlagen vor, statt einer einzigen Wissenschaft drei Wissenschaften mit ihren praktischen Anwendungsbereichen zu unterscheiden. Denn in dem Begriff Sozialpsychiatrie scheint uns das Wort »sozial« wichtiger als das Wort »Psychiatrie« zu sein. Und außerdem sind in jeder der drei Wissenschaften die erforderlichen Fähigkeiten des Forschers, seine Arbeitsmethoden und seine Begriffsbildung verschieden. Wir unterscheiden also die Sozialpsychiatrie im eigentlichen Sinne oder die Sozialpathologie, die Soziologie der Geisteskrankheiten und die Ethnopsychiatrie. Eine Frage bleibt noch ungelöst:

23. G. Dévereux, *Mohave ethnopsychiatry and suicide,* Washington, 1961
24. T. D. Elliot, o. c.

Warum klammert man sich so hartnäckig an die Vorstellung, daß es sich um ein einziges Arbeitsgebiet handelt? Für diese Vorstellung reicht jedenfalls die Tatsache nicht aus, daß historisch Berührungen stattgefunden haben, ebensowenig wie die Tatsache, daß Psychiater auf diesen drei Wissensgebieten mit Sozialpsychologen, Soziologen oder Ethnologen zusammenarbeiten. Nach dieser Trennung müssen wir zum Schluß versuchen, zwischen den drei verschiedenen Zweigen ein Netz von Verbindungen herzustellen. Die Aufstellung des Katasters verhindert nicht Beziehungen guter Nachbarschaft und Kooperation, sie erleichtert sie im Gegenteil. Wir haben uns für die interdisziplinäre Forschung so sehr eingesetzt, daß der Aufbau eines Netzes von Verbindungen unser ausdrücklicher Wunsch ist.

Ob die Sozialpsychiatrie nach Sullivan die Grundgedanken der Soziologie zur Anwendung bringt oder ob sie diese einbezieht, wie es die Schule der dynamischen Psychiatrie tut, fest steht, daß eine Soziologie der Geisteskrankheiten die Voraussetzung der Sozialpsychiatrie ist. Der Ethnologe seinerseits hilft dem Psychiater, die Bedeutung der kulturellen Komponente für die kranke Persönlichkeit zu erfassen. Er zeigt ihm, daß die geistigen Störungen unauflöslich mit der Welt der Werte (oder nach Horney mit dem Konflikt der Werte) ebenso wie mit der Welt der Symbole verbunden sind. Umgekehrt kann der Soziologe, der die Geisteskrankheiten untersucht, nicht auf die Hilfsmittel der Sozialpsychiatrie verzichten. Denn die statistische Methode kann nur dann zu fruchtbaren Ergebnissen führen, wenn sie durch Fallgeschichten ergänzt wird. Wenn sie uns zum Beispiel zeigt, daß Schizophrene sich in Hotelzimmer oder möblierte Zimmer zurückziehen, so kann sie uns darüber Aufschluß geben, ob der Schizophrene Orte aufsucht, wo er sich isolieren kann, weil seine geistige Gesundheit angegriffen ist, oder ob im Gegenteil das umgebende Milieu die Auflösung der Persönlichkeit bewirkt und beeinflußt hat. Analoges könnten wir für den Ethnopsychiater bemerken: der Psychiater, der außerhalb unserer abendländischen Gesellschaft arbeitet, soll Sitten, Normen und die sozialen Strukturen der Länder kennen, in denen er lebt. Die Formen der Übertragung beim therapeutischen Dialog werden verschieden sein, je nachdem ob die Autorität dem Vater oder dem Onkel mütterlicherseits gehört. In den archaischen Kulturen sind die paranoischen Tendenzen durch magische Riten verborgen. Folglich ist es schwierig, sie daran zu erkennen, daß sie von dem als normal geltenden Verhalten abweichen. (Denn der Kranke ist dort nicht wie bei uns ein Verrückter, ein der Gesellschaft Entfremdeter, sondern bleibt auch als Kranker Teil der Gesellschaft.) Umgekehrt muß der Ethnologe die Arbeiten der Sozialpsychiatrie kennen. Und wir kennen die Rolle, die letztere für die Entstehung der Schule gespielt hat, die sich mit den Beziehungen zwischen »Kultur und Persönlichkeit« beschäftigt. So ist die Unterscheidung zwischen den »Kulturen der Scham« und den »Kulturen der Schuld«, die auf Veräußerlichung oder Verinnerlichung der sozialen Kontrolle beruhen, für einen Ethnologen wie für den Psychiater von grundlegender Bedeutung. Eine Zusammenarbeit der drei Wissenschaften ist also unerläßlich.

Das folgende Buch will sich nur mit einer dieser drei Wissenschaften beschäftigen, mit der Soziologie der Geisteskrankheiten. Doch da zwischen dieser Soziologie, so wie wir sie definiert haben, einerseits, der Sozialpsychiatrie und der Ethnopsychiatrie andererseits, Interrelationen bestehen, müssen wir wohl die Wege aufzeigen, auf denen man unmerklich von einem Gebiet auf ein anderes gerät (zum Beispiel wenn man von den Korrelationen zur Kausalität, also von der Soziologie zur Sozialpsychiatrie gleitet, oder wenn man die kulturelle Komponente bei unseren psychischen Störungen betont, wenn man also die Postulate der Ethnopsychiatrie verallgemeinernd auf die abendländische Gesellschaft anwendet.). Wir jedoch wollen, soweit sich das machen läßt, uns darauf beschränken, diese Wege aufzuzeigen, ohne ihnen zu folgen.

Das Werk zerfällt in drei große Teile. Wir beginnen zunächst mit den allgemeinen Fragen, die sich für Theorie und Methoden der Soziologie der Geisteskrankheiten stellen. Dann werden wir über die verschiedenen emprischen Forschungen berichten, die von Wissenschaftlern auf dem Gebiet dieser Soziologie durchgeführt worden sind. Schließlich wollen wir eine »strukturelle« Abhandlung bringen. Sie soll ein Beitrag sein zu einer besseren theoretischen Fundierung dieser Wissenschaft, die heute einen ungeheuren Aufschwung genommen hat.

Erstes Kapitel

Entstehung und Entwicklung einer Soziologie der Geisteskrankheiten

Man stellt sich gelegentlich vor, daß die Soziologie der Geisteskrankheiten eine verhältnismäßig junge Wissenschaft sei. Tatsächlich ist sie so alt wie die Soziologie. Denn Comte hat beide Wissenschaften begründet.

Comte hat gegenüber den Ärzten die gleiche Strenge wie gegenüber den Advokaten gezeigt – denn sie »untersuchen in uns nur das Tier, nicht den Menschen«. Aus diesem Grunde sollten sie eher Veterinäre, nicht Ärzte genannt werden. Er ist in einem doppelten Sinn Vorläufer der psychosomatischen Medizin, zunächst einmal insofern, als er die Wechselbeziehung zwischen dem Physischen und dem Seelischen betont: »Da der Mensch das unteilbarste aller Lebewesen ist, kann jemand, der nicht Körper und Seele gleichzeitig untersucht, nur falsche oder oberflächliche Begriffe bilden«. Zum zweiten ist er Vorläufer der psychosomatischen Medizin auch dadurch, daß er die Medizin mit dem Priesteramt und folglich mit der Religion der Menschheit[1] in Verbindung bringt. Man wird sich darüber wundern, daß Comte den Begriff Seele verwendet, denn er ist ja ein Gegner der Psychologie gewesen. Comte hat die Psychologie in zwei Bereiche aufgeteilt. Den einen weist er der Biologie, den anderen der Soziologie zu. Ein Arzt, der den Menschen nur als Körper sieht, ist nichts als ein Veterinär. Wer aber Körper und Seele gleichzeitig betrachten will, kann das nur mit Hilfe der Soziologie tun. Welchen Beitrag leistet nun die Soziologie für das Gebiet, das uns beschäftigt, für die Erforschung der Geisteskrankheiten?

Die Elemente dieser Soziologie treten in Comtes Werk nur vereinzelt auf. Erst sein Schüler, Dr. Audiffrend, sammelt sie, ordnet sie und bietet uns ein zusammenhängendes Bild der geistigen Strömungen, wie der Positivismus sie sieht. Grob gesehen, könnte man sagen, ist für die Geisteskrankheit eine doppelte »Subjektivität« charakteristisch, eine logische und eine soziale. Auf das Erkenntnisvermögen bezogen, handelt es sich bei dieser »Subjektivität« – wie auch beim Traum und bei der Träumerei – um Gedanken ohne Objekt im Gegensatz zur Wissenschaft (die den positiven Zustand definiert), die Unterwerfung unter das Objekt ist. Für den sozialen Bereich handelt es sich hier, auch wieder wie beim Traum und bei der Träumerei, um den Gedanken, der von der Kontrolle durch die Kollektivität gelöst, sich selbst, der Immoralität des Innenlebens, dem Drängen der Begierden ausgeliefert ist. Kurz, in der Sprache Comtes ausgedrückt, ist der Wahnsinn »egoistisches Denken«, die Revolte des Individuums gegen die Menschheit. Beide Formen der Revolte, die

1. Texte als Anmerkung zitiert, Seite 83 von L. Lacroix, *La sociologie d'Auguste Comte*, P. U. F., 1956.

gegen die objektive Realität und die gegen den Altruismus, sind im Grunde nicht verschieden. Sie entstehen aus ein und derselben Revolte, der eines Wesens, das sich seiner »Subjektivität« ausliefert.

Nun ist dieses Sichausliefern charakteristisch für gewisse Momente der Geschichte. Das soll nicht heißen, daß es nicht immer Verrückte geben würde, doch ihre Anzahl ist in den einzelnen Epochen unterschiedlich groß. So finden wir bei Comte nicht nur eine soziologische Definition des Wahnsinns, sondern darüber hinaus eine Untersuchung der soziologischen Voraussetzungen für das Auftreten des Wahnsinns. Der Positivismus unterscheidet tatsächlich organische Perioden und Krisenperioden, je nachdem, ob das Zusammenleben zwischen den Individuen geordnet ist oder ob es in Auflösung begriffen ist. So ist zum Beispiel das Mittelalter eine organische Periode, ebenso wie der Positivismus. Doch zwischen den organischen Perioden gibt es notwendigerweise Perioden des Übergangs, in denen eine Organisation, die nicht mehr den Bedürfnissen des Menschen entspricht, zusammenbricht und eine neue Organisation sich noch nicht gebildet hat. In solchen Krisenperioden wie der protestantischen Reformation oder der Französischen Revolution revoltiert das Individuum und gibt sich als Rechtssubjekt aus. Dann sprengt die Subjektivität, die sonst der doppelten Kontrolle durch Realität und Gesellschaft unterworfen ist, ihre Fesseln. So häufen sich Fälle von Wahnsinn beim Übergang von einer organischen zu einer Krisenperiode. Parallel dazu entwickelt sich aus denselben Gründen der »Individualismus«[2].

Selbstverständlich enthält Comtes Theorie wertvolle Elemente. Sie wurden von Audiffrend wieder aufgenommen und auf den Bereich der Psychiatrie übertragen. Wir werden noch wiederholt auf sie zurückkommen, so zum Beispiel in Zusammenhang mit Charles Blondel. Sie ist jedoch fehlerhaft durch die Verwechslung der Begriffe Subjektivität und Individualismus. Denn Individualismus ist weit davon entfernt, das Kriterium für ein Fehlen von Zusammenleben zu sein, er bezeichnet im Gegenteil einen anderen Typ des Zusammenlebens. Seit den Arbeiten von Tönnies in Deutschland und von Durkheim in Frankreich ist dieses Problem geklärt. Was Durkheim »das organische Zusammenleben« nennt, das sich auf die Anerkennung der individuellen Rechte gründet, ist zweifellos viel verwundbarer als sein Gegenstück, »das mechanische Zusammenleben«. Und doch kann man den Individualismus nicht für das Auftreten von Geisteskrankheiten verantwortlich machen. Der Individualismus zwingt im Gegenteil zum Zusammenleben. Er bedeutet das Fehlen einer Reglementierung dieses neuen Zusammenlebens. Seit Durkheim stellt sich die Frage nach den soziologischen Ursprüngen des Wahnsinns in neuen Begriffen, in den Begriffen der sozialen Anomie. Wir werden auf diese Frage wieder zurückkommen.

Der Antipode von Comte und Audiffrend ist Morel. In seinem *Traité des dégénérescences de l'espèce humaine* (Abhandlung über die Degenerationserscheinungen beim Menschengeschlecht) stellt er eine Parallele her zwischen dem Anwachsen

2. *Cours de philosophie positive* (von Bd. IV ab), *Discours sur l'esprit positif*, 1844, *Catéchisme positiviste*, 1849.

der Kriminalität, einem Phänomen der Sozialpathologie, und der Zunahme von Geisteskrankheiten, einem Phänomen der Nervenpathologie. Er schließt daraus nun nicht, daß alle Kriminellen degeneriert wären, nimmt aber an, daß zwischen beiden Erscheinungen eine Beziehung besteht. Das menschliche Nervensystem bildet den schwächsten Teil des Organismus und kann durch Malaria, Bleivergiftungen, Alkohol leicht vergiftet werden, wodurch es zu Geisteskrankheiten kommen kann. Da aber die Gesellschaft aus Individuen zusammengesetzt ist, kann es durch die Vergiftung der Nervenzentren zum Kretinismus, zur Sterilität, zur Kriminalität, kurz gesagt, durch die Degeneration des Individuums zur Degeneration der Rasse kommen und, als Grenzfall, zum Untergang der Kulturen. Die Völker, die man früher »wilde Völker« nannte, sind im Grunde Völker, die in ihrem Fortschritt aufgehalten worden sind oder sich rückschrittlich entwickelt haben. Die Entwicklung ist deshalb so verlaufen, weil sie in einer ungesunden Umgebung leben und gesundheitliche Schäden erlitten. Wie wir sehen, nimmt Morel die Gegenposition zu Comte ein. Comte zeigte vor allem den Einfluß auf, den soziale Faktoren auf die Geisteskrankheiten ausüben, und begründete das, was wir heute die Soziogenese nennen. Morel dagegen zeigte, welche Wirkungen Geisteskrankheiten oder ganz allgemein Krankheiten auf die Gesellschaft ausüben. Er begründete eine Biogenese der Sozialpathologie. Doch Morel hat vor dem Erscheinen des Darwinschen Werkes geschrieben, und seiner Theorie von der Degeneration hat er das Dogma von der Beständigkeit der Gattungen zugrundegelegt. Für ihn gab es einen normalen Typus Mensch, der jedoch krank werden und dadurch entarten konnte. Die Zerstörung der Nervenstränge wurde so der Grund für die Auflösung der sozialen Bindungen.

Nach Darwin konnte die Lehre von der Degeneration nur dadurch aufrechterhalten werden, daß sie umgeformt wurde. Der Begriff der Degeneration wurde ersetzt durch den der Regression. Die Auflösung der geistigen Funktionen findet in umgekehrter Richtung wie die Evolution statt, d. h. die am höchsten entwickelten Modalitäten werden zuerst, die automatischsten zuletzt davon befallen (Jackson in der Psychiatrie, Ribot in der pathologischen Psychologie). G. Richard zog daraus die soziologischen Konsequenzen in einer Reihe von Vorträgen, die nicht veröffentlicht worden sind. Die Krankheiten der Gesellschaft sind die Folgen der Regressionen oder Krankheiten des Willens und der Persönlichkeit, denn die Zunahme von »Amorphen« oder »Labilen«, wie Ribot sie nennt, ist unvereinbar mit der Organisation der Gesellschaft, die in immer stärkerem Maße den aktiven Einsatz des Willens zur Voraussetzung macht. Wir sehen also, daß bereits in den Anfängen der Soziologie zwei Thesen aufeinanderprallen. Auch heute noch bekämpfen sich diese gegenläufigen Strömungen. Die eine, die auf Comte zurückgeht, sucht die sozialen Faktoren der Geisteskrankheiten herauszufinden, die andere, die von Morel begründet wurde, erkennt die Bedeutung dieser Faktoren für die Entstehung von Geisteskrankheiten nicht an. Sie bemüht sich vielmehr darum, die Folgen darzustellen, die die Zunahme der Geisteskrankheiten für das soziale Leben hat.

*

Nach Comte begann für die französische Soziologie eine Krise. Erst mit Durkheim und Lévy-Bruhl erhält sie neue Impulse. Mit ihnen hört die Soziologie auf, eine mehr oder weniger philosophische Lehre zu sein. Sie wird Wissenschaft. Welchen Beitrag nun leistet diese Wissenschaft für unser Problem?

Beginnen wir mit Lévy-Bruhl. Dieser hatte zwei Mentalitäten unterschieden, erstens die vorlogische Mentalität, die für die primitiven Gesellschaften, zweitens die logische Mentalität, die für unsere Gesellschaft charakterisitisch sei. War diese Unterscheidung nicht geeignet, dem Psychiater eine fruchtbare Hypothese zu liefern? Lévy-Bruhl war bei der Untersuchung der geistigen Funktionen in den primitiven Gesellschaften auf eine Schwierigkeit gestoßen, nämlich auf das Unvermögen, Wahrnehmungen, Urteile und Handlungen der Primitiven mit Hilfe unserer eigenen Fühl- und Denkweise zu erklären. Eine Lösung dieses Problems sah er darin, daß er an die Stelle einer streng objektiven Untersuchung der primitiven Mentalität ihre Interpretation mit Hilfe der eigenen Mentalität setzte. Der Psychiater begegnet bei der Untersuchung der Phänomene des »kranken Bewußtseins« einer analogen Schwierigkeit, der Fremdheit eines heterogenen Denkens. Die Lösung des Problems muß also entsprechend sein. Das kranke Bewußtsein muß untersucht werden »als originale psychologische Realität«, die sich nicht auf die von uns erfahrene zurückführen läßt und die wir deshalb nicht erfassen können, indem wir vom normalen Bewußtsein, seinen Zuständen und seinem Verhalten ausgehen[3]«. Diesen Versuch unternimmt Charles Blondel, und er kommt im Gegensatz zu Ribot etwa zu dem Schluß, daß es zwischen dem Normalen und dem Pathologischen nicht einen Grad-, sondern einen Wesensunterschied gibt. Das kranke Bewußtsein ist nicht ein deformiertes normales Bewußtsein, sondern etwas völlig anderes. Das normale Bewußtsein ist das mit begrifflichem Denken ausgestattete und damit sozial gewordene Bewußtsein. Das pathologische Bewußtsein dagegen ist nicht in der Lage, sich selbst nach den Regeln unserer Logik zu organisieren, seine koinästhopathische Unruhe in den Formen der jeweiligen Sprache auszudrücken. Es ist, kurz gesagt, ein desozialisiertes Bewußtsein.

Blondel kommt so wieder auf Comte zurück. Die Geisteskrankheit ist der Triumph der reinen Subjektivität, in der doppelten Form der Abwendung von der Wirklichkeit und vom Sozialen. Doch Blondel geht viel weiter als Comte. Seine Theorie gipfelt in einer methodologischen Regel, nach der es unmöglich ist, das Pathologische, vom Normalen her, zu erklären. Man hat Blondel zum Vorwurf gemacht, seine Theorie nur für ganz spezielle Typen von Geisteskrankheiten aufgestellt zu haben, und zwar für die Krankheiten, für die Angstzustände charakteristisch sind. Doch diese Kritik stört uns nicht. Denn Blondel hat wichtige Phänomene wie die Begriffbildung und Sprache der Geisteskranken geklärt. Im letzten Teil dieses Werkes werden wir diesen bedeutenden Beitrag behandeln. Einstweilen wollen wir uns damit begnügen, auf den paradoxen Charakter dieser soziologischen Perspektive hinzuweisen. Denn letzten Endes läuft sie darauf hinaus, die Möglichkeit einer Soziologie der Geisteskrankheiten ad absurdum zu führen.

3. Ch. Blondel, *La conscience morbide*, Alcan, 1914, S. 247.

Im Gegensatz zu Lévy-Bruhl und in Übereinstimmung mit Blondel erkannte Durkheim, welcher Gefährdung die Soziologie dadurch ausgesetzt wurde, daß man eine so strenge Teilung in sie einführte. Sein Funktionalismus veranlaßte ihn, auch für so eindeutig pathologische Handlungen wie Verbrechen »nützliche« Funktionen zu suchen, um so das Anormale in die Grundstrukturen der Gesellschaft einzubeziehen. Man findet bei ihm jedoch keine Soziogenese der Geisteskrankheiten. Er stellt im Gegenteil den Selbstmord, der von sozialen Faktoren abhängt, den Geisteskrankheiten gegenüber, die aus einer »organisch-psychischen« Kausalität hervorgehen. Er weist statistisch für die verschiedensten Länder nach, daß zwischen der Anzahl der Selbstmorde und der der Geisteskrankheiten keine Korrelation besteht. Und doch sollte Durkheim der Soziologie der Geisteskrankheiten einen ihrer fruchtbarsten und zumindest in den Vereinigten Staaten am meisten verwendeten Begriffe geben, den der *Anomie*. Bekanntlich findet man in Durkheims Werk zwei verschiedene Definitionen der Anomie. Sie sind verschieden, ergänzen einander aber. Eine objektive und eine subjektive Definition. In *La Division du Travail social* finden wir die erste Definition. Charakteristisch für die Anomie ist das Fehlen verbindlicher Regelungen, folglich das Fehlen von Festigkeit und Regelmäßigkeit in den Beziehungen zwischen den verschiedenen sozialen »Funktionen«. Daher Konflikte zwischen, theoretisch gesehen, gegenseitig verantwortlichen Organen. Die zweite Definition finden wir in *Le Suicide*. Hier wird Anomie charakterisiert als fehlende Kontrolle über die Leidenschaften, als Herrschaft der Begierden, Ungeduld gegenüber jeder Regel, Gereiztheit und Ekel, je nachdem ob es sich um Phasen des Wohlergehens oder des Elends handelt. Kurz, in dieser Definition finden wir, was der objektive Tatbestand, das Fehlen einer festen Regel, für das individuelle Bewußtsein bedeutet. Zum Verständnis des Selbstmords muß man natürlich vom objektiven Aspekt der Anomie zum subjektiven übergehen, denn hierbei wirkt der soziale Faktor im individuellen Bewußtsein mit. Um es noch einmal zu sagen; Durkheim hat den Begriff der Anomie auf die Untersuchung der Geisteskrankheiten nicht angewendet. Denn er vertrat die Ansicht, daß sie durch rein physiologische Faktoren hervorgerufen wird. Es ist jedoch eigenartig, daß die französischen Psychiater und Soziologen dem Begriff der Anomie nicht größere Aufmerksamkeit geschenkt haben. Erst die Amerikaner haben ihn aufgegriffen, um ihn in den Mittelpunkt ihrer Arbeiten über die Soziogenese der geistigen Störungen zu stellen.

Ungefähr zur gleichen Zeit beschäftigte sich Pierre Janet mit seinen Untersuchungen, die ihn im Laufe der Zeit immer mehr von der Psychiatrie weg- und zur Soziologie hinführten. Es gibt also am Ende des 19. und zu Anfang des 20. Jahrhunderts zwei Strömungen; die eine kommt von der Soziologie und führt zur Psychiatrie, die andere geht den umgekehrten Weg. Aber beide kommen zu dem Schluß, daß es eine soziale Dimension bei den Geisteskrankheiten gibt. Pierre Janet hat auf den Begriff der psychischen Spannung hingewiesen. Er definiert ihn quantitativ, als Reichtum an psychischer Kraft, und qualitativ, als stufenweise Steigerung der Handlungen, die wir zu tun fähig sind. Niedrige Spannkraft kann bedingt sein durch die Konstitution, dadurch, daß wir von Haus aus »arm« sind, oder aber dadurch, daß wir durch Überanstrengung erschöpft sind (Vorbereitung auf eine Prüfung an der Universität, Konflikte im Familienleben, die ständig vor neue Probleme stellen)[4]. Schon hier finden wir einen ersten Beitrag zur Soziogenese, zumindest für gewisse Krankheiten wie die Psychasthenie. Doch darüber hinaus bemerkt Janet, daß die moderne Gesellschaft jedem von uns immer mehr psychische Energie abverlangt. Die Menschen, sogar die Mitglieder unserer Familie und unsere Freunde, reagieren nicht immer unseren Erwartungen entsprechend. Die Verhältnisse ändern sich schnell. Und die immer wieder notwendige Anpassung unserer Handlungen an die neuen Situationen in ihrer besonderen Eigenart setzt eine erhöhte Spannkraft voraus. Unsere Zivilisation ist aufreibend. Die Kranken sind Menschen ohne psychische Reserven, die sich entweder in die Einsamkeit zurückziehen oder wie Madeleine eine Scheinwelt aufbauen, in der imaginäre Personen genauso handeln, wie wir es wünschen[5]. Es ist nicht unsere Aufgabe, jetzt näher auf die klinischen Fakten einzugehen, die Janet gesammelt hat, um zu zeigen, wie das Absinken der Spannkraft eine Lähmung der wichtigsten Funktionen des Geistes (Wahrnehmung, Sprechvermögen, Aufmerksamkeit usw.) nach sich zieht und gleichzeitig Derivationserscheinungen (Unruhe, Automatismus usw.) hervorruft. Wichtig ist, daß Janet die Ursache für die Zunahme der Neurosen und Psychasthenien in der ständig wachsenden Kompliziertheit des sozialen Lebens sieht. Solange die Gesellschaft die zu psychischen Störungen neigenden Personen nicht vor schwierige Probleme stellt und ihnen nicht zu anstrengende Handlungen abverlangt, sind diese gefährdeten Menschen in der Lage, sich anzupassen und ein normales Leben zu führen. In homogenen und traditionsgebundenen Gemeinschaften, wie etwa ländlichen Gemeinden, ist das der Fall. Die Konkurrenzsituation dagegen, der Kampf um die Verbesserung des Lebensstandards oder des sozialen Status, die heterogene und fortschrittsbesessene Großstadt erzwingt einen schnellen Verschleiß unserer letzten seelischen Reserven.

*

Die zweite große soziologische Strömung, die in eine Soziologie der Geisteskrankheiten einmündet, ist der Marxismus. Hier begegnen wir zwei verschiedenen Tendenzen. Die eine geht aus von den Begriffen des Klassenkampfes und der Entfremdung und bemüht sich, die Frage nach der pathogenen Rolle der wirtschaftlichen Lebensbedingungen zu klären. Die andere Tendenz, die der orthodoxen sowjetischen Psychiatrie, geht vom Pawlowismus und der Theorie der bedingten Reflexe aus. Ein französischer Vertreter der ersten Tendenz ist Le Guillant[6]. Er lehnt es

4. Pierre Janet, *L'évolution psychologique de la personnalité,* Maloine, 1929, und »La tension psychologique et ses oscillations« in *Traité de psychologie du Dr. Dumas,* Alcan, 1923.

5. Pierre Janet, *De l'Angoisse à l'Extase,* Band I, Alcan, 1926.

6. Le Guillant, »Introduction à une psychopathologie sociale«, (*Evolution psychiatrique,* 1, 1954, S. 1–52).

ab, die Erklärung von Geisteskrankheiten aus Fakten wie Elendsquartiere, niedrige Löhne, Streik oder Trunksucht als marxistisch anzuerkennen. Diese Faktoren wirken natürlich auf die Individuen ein. Zwischen diesen Fakten und den reaktionellen Psychosen eine kausale Beziehung herzustellen, wäre jedoch einfältig. Man muß die besonderen sozialen Faktoren im Zusammenhang mit den allgemeineren Bedingungen sehen: den Widersprüchen der kapitalistischen Gesellschaft und des Bewußtseins, das die Individuen davon haben. Die dialektische Methode von Marx hat gezeigt, daß kein einziges Phänomen, also auch nicht das Phänomen der Anormalität, wo immer es auch auftreten mag, losgelöst von der Umgebung, in der es auftritt, betrachtet werden kann. Doch darf man diese Umgebung nicht mit kurzsichtigen Augen beobachten, die von den Details hypnotisiert werden. Die allgemeinen Gegebenheiten der Realität, die Spaltungen und Widersprüche der Gesellschaft müssen ins Auge gefaßt werden. Nicht die zufälligen Ereignisse, Krieg, Revolution oder Streik, so spektakulär sie auch immer sein mögen, sind aufschlußreich, sondern die technischen, materiellen oder moralischen Veränderungen, die den Menschen vor schwierige oder unlösbare Probleme stellen. Die pathogenen Konflikte des Individuums sind Reflex und Echo der allgemeinen Konflikte der kapitalistischen Gesellschaft in einem Individuum. Bemerkenswert ist, daß Le Guillant den moralischen Veränderungen einen Platz neben den materiellen einräumt. Durch einen Ausspruch von Mao Tse-Tung inspiriert, erklärt er, man solle nicht nur die grundlegenden Konflikte zwischen den Produktivkräften und dem Produktionsgewinn berücksichtigen, sondern alle dazu gehörigen ideologischen, politischen und kulturellen Widersprüche.

Daraus resultiert, daß die Therapie in erster Linie beim sozialen Milieu und bei den Lebensbedingungen anzusetzen hat. Beide müssen verändert und verbessert werden. Wenn wir von den Psychosen absehen, für deren Entstehung soziale Störungen nur eine sekundäre Rolle spielen, so müßten jedenfalls mit dem Übergang von der kapitalistischen zur kommunistischen Gesellschaft die Neurosen verschwinden, da ja letztere die Widersprüche der ersten zur Aufhebung bringt. In der Tat sieht so aus, als gäbe es in der sowjetischen Gesellschaft keine Neurosen mehr. Man hört allerdings, daß sie außerhalb der Statistik der Geisteskranken weiter existieren. Nur werden sie nicht in psychiatrischen Kliniken, sondern in allgemeinmedizinischen Krankenhäusern behandelt. Letzten Endes sehen wir hier eine Verlagerung der Symptome vom Psychischen zum Somatischen, wobei der Konflikt sich in den Organen niederschlägt und deren Funktionen stört. Wir kommen so bei der Untersuchung der Geisteskrankheiten zu einer neuen Dimension, der kulturellen, die nicht mehr rein soziologisch ist. Wir werden später darauf zurückkommen.

Bekanntlich gründet die sowjetische Psychiatrie auf dem Pawlowismus. Doch wendet sie nicht paradoxerweise dem Marxismus als soziologischer Lehre den Rücken, um zu einer rein organizistischen Konzeption der Geisteskrankheiten zurückzukehren? Dieser Auffassung sind einige Marxisten wie zum Beispiel Gabel: »Wenn man darauf besteht, im Pawlowismus die marxistische Psychiatrie par excellence zu sehen, kommt man zu einem Paradox, das kaum zu vermeiden ist: das normale Bewußtsein des Menschen ist durch sein soziales Sein bestimmt, das kranke Bewußtsein ist im Gegensatz dazu außersozial und von Faktoren bestimmt, die ihrem Wesen nach biologisch sind[7].« Wir kommen hier der Theorie von Ch. Blondel sehr nahe, über deren paradoxen Charakter wir weiter oben bereits gesprochen haben. Doch bleiben wir noch einen Moment bei Pawlow. Indem Pawlow auf die Reflexe bei der Nahrungsaufnahme und bei der Verteidigung hinweist, weist er gleichzeitig auf das Rationale und das Soziale hin. Mit der Erkenntnis, daß beim Tier (bei den experimentellen Neurosen) und in stärkerem Maße noch beim Menschen zwei Reflexe unter gewissen Bedingungen miteinander in Konflikt geraten können, was die Aufhebung beider zur Folge hat, kommt Pawlow zu der Erkenntnis, welche bedeutende Rolle der Bedingtheit und damit der Einwirkung der Gesellschaft zukommen. Indem er weiter verfolgt, wie kompliziert diese Bedingtheit wird, wenn man vom Tier zum Menschen übergeht und Sprache, Kultur und Moral einbezieht, kommt auch er zur Soziologie: Geisteskrankheiten entstehen entweder durch erblich bedingte Schwäche oder durch den Einfluß eines Milieus, das das Individuum gefährdet, seine Nervenkraft aufzehrt, die Kontrolle durch das zentrale Nervensystem verhindert und die subcortikalen oder neurovegetativen Systeme freimacht. Die entsprechende Therapie wäre also soziologischer und nicht biologischer Natur, letztere wäre nur dann passend, wenn der Pawlowismus ein reiner »Organizismus« wäre. Die Therapie bestünde dann in einer Kräftigung des zentralen Nervensystems, die dadurch herbeigeführt werden könnte, daß man ein Milieu schafft, in dem der Mensch sich geborgen fühlt. Andererseits kann man dadurch, daß man für die Nahrungs- und Verteidigungsreflexe immer bessere Bedingungen schafft, die Kanalisierung des sexuellen Reflexes erleichtern und ihn zu sozialen Gefühlen sublimieren[8].

Pawlowismus und Soziologismus sind also nicht Widersprüche in sich. Sie bilden zwei verschiedene Tendenzen, die sich jedoch ergänzen können. Der Marxismus ist weit davon entfernt, nur in den beiden Strömungen aufzutreten, die wir eben kurz untersucht haben. Wir haben soeben J. Gabel genannt. Gabel ist nicht nur unzufrieden mit den unter Berufung auf Marx erstellten Theorien, die ihm zu sehr simplifizieren, sondern auch mit dem Pawlowismus, in dem er einen Rückschritt zum Organizismus sieht. Beiden Strömungen wirft er vor, anstelle einer dialektischen Erklärung, der großen Entdeckung von Marx, mechanistische Erklärungen zu bringen. Er geht so weit, daß er Binswangers Werk trotz seiner idealistischen Terminologie, für marxistischer als die sogenannte marxistische Psychiatrie hält, weil dieses Werk uns in jedem Augenblick konkrete Beispiele für »den vom Sein determinierten wahnsinnigen Gedanken« bietet. »Wenn Binswanger von der dialektischen Einheit von Ich und Welt spricht, wenn er »die enge funktionale Korrelativität von Gnosis und Praxis« herausstellt oder ganz allgemein die Bedeutung der

7. Joseph Gabel, *La Réification*, Ed. de Minuit, 1962, S. 235.
8. Joseph Wortis, *Psychiatrie soviétique*, P. U. F., 1953.

Praxis unterstreicht, so läßt sich schwer sagen, worin er von der offenen Form des Marxismus abweicht«. Gabel hat sich die Aufgabe gestellt, eine Formel der sozialen Entfremdung zu finden, die konkret zumindest einen Sektor der psychiatrischen Entfremdung, die Schizophrenie, umfaßt. Diese Formel glaubt er bei Lukács in seinen Definitionen der Ideologie und des falschen Bewußtseins zu finden, die er als Entartung der dialektischen Erfassung der Wirklichkeit, das heißt als Konkretismus interpretiert. Diese Entartung der Dialektik und Konkretismus kommen dem kranken Rationalismus sehr nahe, der für die Schizophrenie charakteristisch ist. Im Anschluß an die Arbeiten von Minkowski und anderen Psychiatern definiert Gabel das schizophrene Denken als Verräumlichung der Dauer, als Auseinanderbrechen der Ganzheiten, als eine Logik der reinen Identität. So ist der Marxismus als Theorie des falschen Bewußtseins im wesentlichen die kritische Theorie einer Form wahnsinnigen Denkens, und darüber hinaus liefert er »eine Terminologie, die ein halbes Jahrhundert lang durch die ideologische Kritik abgeschliffen worden ist«[9].

Den anderen Aspekt von Gabels Theorie, der eine Ergänzung des ersten ist, wollen wir nicht näher betrachten. Er versucht, die politischen Ideologien durch die Strukturen des schizophrenen Denkens zu erhellen. Halten wir zum Schluß folgendes fest: 1. Gabel entwickelt nur eine Soziologie der Schizophrenie, er dehnt sie nicht auf andere Formen von Geisteskrankheiten wie etwa Paranoia aus. 2. Er klammert die organischen Pathogenien nicht a priori aus. »Da das dialektische Denken eine anstrengende intellektuelle Technik ist, darf man annehmen, daß ein durch organisches Leiden geschwächtes Ich bei der psychologischen Erfassung des Realen das bequeme nicht-dialektische Denken bevorzugt[10].« Schließlich, und das halten wir für besonders wichtig, führt er, wenn wir das recht verstehen, die marxistische Soziologie von der Soziogenese zur soziologischen Beschreibung der kranken Strukturen. Das gilt sowohl für die sozialen als auch für die individuellen Strukturen. Gabels Theorie bietet den Kritikern viele Ansatzpunkte: die Anwendung der Fakten aus der Sozialpathologie auf die Schizophrenie, die Interpretation der Schizophrenie. Doch in diesem Zusammenhang, dem historischen Überblick über die verschiedenen Lehren, interessiert uns diese Veränderung der marxistischen Soziologie von der Soziogenese zum Strukturalismus.

*

Die Psychoanalyse hat sowohl für die Psychiatrie als auch für die Soziologie einen bedeutenden Beitrag geleistet. Die Psychiatrie betrifft uns nicht, der Soziologie haben wir ein ganzes Buch gewidmet[11]. Das einzige, was uns in diesem Kapitel beschäftigt, ist die Frage, ob die Psychoanalyse durch ihre soziologischen Untersuchungen der Soziologie der Geisteskrankheiten eine eigenständige Theorie geliefert hat.

9. Gabel, o. c.
10. Idem, S. 73.
11. Bastide, *Sociologie et Psychanalyse*, P. U. F., 1950.

Auf den ersten Blick könnte man sagen, nein. Tatsächlich negiert Freud im Gegensatz zum Marxismus, den wir soeben betrachtet haben, die Rolle der sozioökonomischen Faktoren, besonders des Klassenkampfes, und schreibt die entscheidende Rolle den biologischen Faktoren, vor allem den sexuellen zu. Allerdings haben später die Ethnologen in ihrer Kritik an der Universalität des Ödipuskomplexes versucht, in die psychoanalytischen Interpretationen ein kulturelles Element einzuführen[12]. Roheim hat dagegen Einspruch erhoben und darauf hingewiesen, daß der Ödipuskomplex bei der menschlichen Rasse eine Folge dessen ist, daß der menschliche Organismus nur langsam reift[13]. Ferner liefert uns die Psychoanalyse eine »Geschichte«, und zwar eine Geschichte, nach der das ganze menschliche Schicksal in den ersten Kindheitsjahren besiegelt wird. Das hat zur Folge, daß man einerseits die sozialen Faktoren mit ihrem Einfluß auf den Lebenslauf unterbewertet, und zudem die Soziologie, die die Erforschung des Allgemeinen ist, ersetzt durch die Geschichte, die eine Folge von individuellen und zufälligen Ereignissen ist.

Andererseits lehrte uns die Psychoanalyse, den Wert der Soziologie zu erkennen. 1. Indem sie die Konstellationen in der Kindheit betonte und ihre Untersuchungen gegenwärtiger Situationen auf die ursprünglichen zurückführte, indem sie den Patienten zu seiner Mutter, seinem Vater, seinen Brüdern und Schwestern erneut in Beziehung stellte, hat die Psychoanalyse die Aufmerksamkeit der Psychiater und der Soziologen bzw. der Soziologen-Psychiater auf die Bedeutung der familiären Faktoren für die Entstehung der psychischen Störungen gelenkt. 2. Diese Störungen entstehen jedoch nur zum Teil aus traumatischen Erlebnissen in der ersten Kindheit. Ein Gesichtspunkt, der oft vernachlässigt wird, scheint uns hier wesentlich zu sein, die Notwendigkeit nämlich, daß diese traumatischen Situationen durch die sozialen Situationen, in denen das Individuum lebt, erst wieder aktualisiert werden müssen. Das heißt, diese Störungen entstehen nicht aus einem einzigen, sondern aus einem doppelten Trauma. So ist der Psychoanalytiker gezwungen, neben familiären Faktoren andere in Erwägung zu ziehen und auch soziologische Untersuchungen vorzunehmen.

3. Da die Psychoanalyse ein Dialog zwischen dem Patienten und dem Psychoanalytiker ist, wurde das Interesse auf das Problem der Kommunikation gelenkt, das in erster Linie ein soziologisches Problem, zumindest ein Vorfeld der Soziologie ist. 4. Schließlich hat die Psychoanalyse sich im Lauf der Zeit verändert und eine Entwicklung im Sinne einer immer stärker werdenden Soziologisierung der Theorie durchlaufen. Karen Horney schreibt darüber schon 1939 in ihren New Ways *in Psychoanalysis:* »Die soziologische Betrachtungsweise beginnt über die anatomisch-physiologische zu dominieren.« Die zeitgenössische Psychoanalyse, die mehr die »Verteidigungsmechanismen« als die Libido in den Vordergrund stellt, gesteht der Soziologie eine größere Bedeutung zu als die frühere Psychoanalyse.

12. Idem, S. 90–95.

13. R. Bastide, »Sociologie et Psychanalyse«, in *Traité de Sociologie de G. Gurvitch,* Bd. II, P. U. F., 1960, S. 406–408.

Unter diesen Umständen überrascht es nicht, wenn die Soziologie der Geisteskrankheiten oft die Techniken, die theoretischen Anregungen und das Vokabular der Analyse benutzt. Die Psychoanalyse ist zunächst ein Heilmittel gegen die Manie der Statistiker gewesen, und zwar insofern, als sie an die Notwendigkeit erinnert hat, die Fallgeschichten aufzuzeichnen und eine positivistische Soziologie durch eine verstehende Soziologie zu ergänzen. Wie wir im nächsten Kapitel sehen werden, hat sie sogar dem Statistiker zu einer nützlichen Verfeinerung seiner Methode verholfen. Denn sie hat ihn dazu gezwungen, in seine Berechnung die familiären Variablen, die oft von ihm unberücksichtigt blieben, aufzunehmen. Außerdem ist es der Psychoanalyse zu verdanken, daß die Psychiatrie von Typologien der Art, wie sie von Kraepelin aufgestellt wurden, befreit worden ist. Die Folge davon war eine gewisse Verwirrung in der Soziologie der Geisteskrankheiten, die daran gewöhnt war, zwischen verschiedenen Krankheitstypen und bestimmten sozialen Elementen Korrelationen herzustellen. Der Einfluß der Psychoanalse hatte bei der Soziologie eine dynamischere Betrachtungsweise zur Folge, die es erlaubte, das organische und das »symbolische« Funktionieren der Persönlichkeit miteinander zu verbinden. Mit dem symbolischen Funktionieren öffnet uns die Lehre von Freud viele neue Wege. Neben diesen methodologischen Beiträgen der Psychoanalyse müssen wir den sprachlichen Beitrag nennen. Sie hat in das soziologische Vokabular viele neue Worte und Begriffe eingeführt, die so häufig gebraucht werden, daß man manchmal ihre Herkunft vergißt. Es handelt sich hier um Begriffe wie Minderwertigkeitskomplex, Frustration, Sündenbock, seelischer Konflikt, Rationalisierung, Verdrängung und Enthemmung, Sublimierung, Widerstand, Übertragung.

In diesem Zusammenhang können wir natürlich nicht alle Forschungsarbeiten auf dem Gebiet der Geisteskrankheiten nennen, die die Techniken, das Vokabular oder die theoretischen Anregungen der Psychoanalyse verwenden. Einigen werden wir in diesem Buch begegnen. Wir weisen nur mit Parsons darauf hin, daß die Kluft zwischen dem Individuum und den sozialen Normen, welche den Geisteskranken kennzeichnet, sich auf drei verschiedenen Ebenen zeigt: der Familie, der Gemeinschaft und der Gesamtgesellschaft. Der Psychoanalytiker neigt nun immer, selbst dann, wenn er von der Ebene der Gesamtgesellschaft ausgeht, dazu, die ersten Faktoren für die psychische Verwirrung innerhalb der Familie zu suchen. Denn nach seiner Auffassung werden die Normen immer durch die kleinen Gruppen, die Gemeinschaft oder die Familie verinnerlicht. Das Kind verinnerlicht bereits psychisch verwirrte Eltern, oder familiäre Konflikte werden die Ursache der Verwirrung[14].

Die Verdienste der psychoanalytischen Theorie sind unbestritten. Von einem Soziologen jedoch, der sich für Psychiatrie interessiert, kann sie nur in dem Bewußtsein angewendet werden, daß es sich bei ihr um einen Teilaspekt des uns interessierenden Problems handelt. Die Erfahrungen innerhalb der Familie sind zwar wich-

14. E. V. Schneider, »Sociological concepts and psychiatric research«, in *Interrelations between the social environment and psychiatric disorders,* Milbank Memorial Fund, New York, 1953.

tig, doch man darf über ihrer Analyse nicht das Faktum übersehen, daß von außen ökonomische und soziale Kräfte auf die Familie und über die Familie auf die Erfahrungen des Kindes innerhalb der Familie Einfluß nehmen. Darin liegt eine ganze Dialektik, die in ihrer endlosen Verflochtenheit zu verfolgen Aufgabe der Soziologie der Geisteskrankheiten ist. Die zum Arbeiten gezwungene Witwe zum Beispiel, die ihr Kind vernachlässigt, die schwarze Mutter, die ihr hellhäutiges Kind dem dunkelhäutigen vorzieht, weil es dem arischen Ideal näherkommt, das die Gesellschaft in ihr verinnerlicht hat; der krankfeiernde Vater, der durch seine moralische Degradierung die Bildung des Über-Ichs bei seinem Sohn hemmt; die durch den Mythos der nationalen Produktivität geförderte Entwicklung der Frauenarbeit in den Fabriken, alle diese Fakten und viele andere verweisen uns von der Familie auf die Gesamtgesellschaft[15]. Andererseits haben die Psychoanalytiker die Aufmerksamkeit der Soziologen auf die Bedeutung der Sozialisationsmechanismen in der ersten Kindheit gelenkt. Die Soziologen aber haben bemerkt, daß die den Kindern zugewandte Pflege in den einzelnen sozialen Klassen verschieden ist, je nachdem ob es sich um bäuerliche oder städtische oder in der Stadt um die Arbeiter- oder die Mittelklasse handelt. Jede Klasse hat ihre eigene »Subkultur«, und wie wir soeben über die kindlichen Erfahrungen auf die Gesamtgesellschaft kamen, so verweisen uns jetzt die innerhalb der Familie gemachten Erfahrungen auf die Gruppensoziologie.

Bevor wir diesen Abschnitt zu Ende führen, müssen wir noch über die Sozioanalyse, eine Weiterführung der Psychoanalyse sprechen. Sie tritt in sehr verschiedenen Formen auf. Zunächst einmal als Gruppenanalyse, die durch die traumatischen Kriegserlebnisse notwendig geworden war, die so zahlreich vorkamen, daß individuelle Analysen gar nicht möglich waren. Ferner wird die Sozioanalyse als Soziodrama von Moreno und als Soziometrie von der französischen Gruppe um Herrn und Frau van Bockstaele betrieben. Die Gruppenanalyse vervielfältigt nur die Übertragungen, fügt also dem nichts hinzu, was die Psychoanalyse einer Soziologie der psychischen Störungen schon geliefert hat. Moreno hat sich mit dem Problem der sozialen Anpassung befaßt und nicht nur mit der Anpassung des Individuums an seine Gruppe, sondern darüber hinaus, und das führt uns unmittelbar in die Soziologie hinein, mit der Anpassung der Gruppen aneinander. Das eigentliche Thema des Soziodramas ist also die kranke Gruppe, mit ihren internen Problemen, die einer anderen Gruppe gegenübersteht, die von Therapeuten und seinen Hilfs-Egos, manchmal dem Publikum des soziometrischen Theaters, gebildet wird. Es kann sich auch um externe Probleme handeln, wie zum Beispiel in den Vereinigten Staaten[16] um die Beziehungen zwischen der weißen und der schwarzen Gruppe.

15. Siehe die Studie von L. S. Kubie in A. H. Leighton, J. A. Clausen und R. N. Wilson, Hrsg., *Explorations in Social Psychiatry*, Basic Books, New York, 1952.

16. Für den französischen Leser, der einen ersten Eindruck vom Soziodrama gewinnen möchte, eignet sich Moreno, *Fondements de la Sociométrie,* P. U. F., 1954. Doch der wesentliche Text ist »The concept of Sociodrama« (*Psychodrama Monograph,* nr. 1, Beacon House, 1943).

Dadurch, daß das Wort weitgehend durch Spiel ersetzt wird, entfernen wir uns mit dem Psychodrama von der orthodoxen Psychoanalyse. Und doch haben die auf der Bühne spielenden Gruppen eine »Geschichte«. In dem Gegensatz Geschichte – Soziologie haben wir ja eine der Schwierigkeiten für die Nutzung der Soziologie durch die Psychoanalytiker gesehen. In der »soziometrischen Gesellschaft Frankreichs« dagegen, die von der Gruppendynamik ebenso wie von der Psychoanalyse ausgeht, wird die Geschichte eliminiert. Die beiden miteinander in Kontakt tretenden Gruppen, die Patientengruppe und die Analytikergruppe, befinden sich in einer ahistorischen Situation. Die Gruppe wurde in einem Augenblick »t« gegründet. Wenn auch die Individuen ihre Geschichte haben, so ist es doch nicht die der Gruppe, deren Anonymität im übrigen hemmt oder verhindert, daß »Geschichtliches« sich in die Interkommunikationen einschleicht. Wenn also die Patientengruppe nicht von sich selber, sondern nur über die Analytikergruppe sprechen darf, über die sie nur wenige Informationen besitzt, so bekommen die Konflikte und Widerstände der Patientengruppe rein soziologischen Charakter.

*

Der Übergang von Europa zu den Vereinigten Staaten bedeutet offenbar den Übergang von großen systematischen Theorien zu einer einfachen Anhäufung begrenzter empirischer Forschungen. Dieser Schein trügt nicht, und ein Beweis dafür ist, daß die Amerikaner an den verallgemeinernden europäischen Theorien kritisiert haben, sie hielten sich nicht eng genug an die Fakten, obgleich sie selbst Begriffe übernehmen, die von europäischen Soziologen entwickelt worden sind. Wir haben zum Beispiel oben auf den großen Erfolg hingewiesen, den der Begriff Anomie jenseits des Atlantiks gehabt hat. Doch genügt es natürlich nicht, von Anomie zu sprechen. Man muß genau erforschen, welche spezifischen Formen die Anomie je nach Ort und Zeit annehmen kann. Der marxistische Begriff der Entfremdung ist nur unter der Bedingung wertvoll, daß man ihn nicht auf die allgemeine Vorstellung eines in einer feindlichen Welt entfremdeten Individuums beschränkt. Um es kurz zu sagen, man muß die Begriffe Anomie und Entfremdung in den verschiedenen Zusammenhängen, in denen sie auftreten, konkret untersuchen, je nachdem ob es sich um Anpassungsprozeß, sozialen Wandel oder um eine ökonomische Krise handelt[18]. Man kann jedenfalls heute in der Gegenüberstellung von allgemeiner Theorie und empirischer Forschung keinen Gegensatz zwischen Europa und den Vereinigten Staaten sehen, denn zur Zeit scheint auch in Frankreich die empirische Forschung in der Soziologie der Geisteskrankheiten zu dominieren. Es handelt sich also um eine allgemeine, nicht eigentlich europäische Bewegung, deren Wurzeln in dem ständig zunehmenden Bemühen liegen, die Wissenschaften vom Menschen immer mehr an den Naturwissenschaften zu orientieren, vor allem deren Präzision und Genauigkeit zu übernehmen.

Wie dem auch sei, in der Geschichte dessen, was die Amerikaner Sozialpsychiatrie

18. Marvin K. Opler, *Culture, Psychiatry and Human Values,* Springfield, III, 1956.

nennen, können wir zwei große Perioden unterscheiden. Wir werden davon natürlich nur das behandeln, was sich auf unser begrenztes Thema bezieht. In einer ersten Periode entdeckten außerhalb der Psychiatrie arbeitende Soziologen eine Reihe von Phänomenen, mit denen die Psychiater arbeiteten: Veblen zum Beispiel mit dem Bestattungskonsum der Oberschicht (dieser wird von der Mittelschicht imitiert und schafft Spannungen und Probleme in der Unterschicht); McDougall erklärt die Arbeiterrevolten mit den Begriffen der Frustration und des Sündenbocks, usw. Doch zunächst lieferte die Soziologie für die Forschung nur Anregungen. Erst Thomas zeigte in seiner Untersuchung über die in die Vereinigten Staaten eingewanderten Polen, daß die soziale Bindungslosigkeit des Einwanderers in seinem neuen Milieu sich auf die Kriminalität und den Prozentsatz der Geisteskrankheiten auswirkt, der höher ist als im Herkunftsland. Seitdem vervielfältigen sich die Forschungen, wobei es allerdings nicht immer möglich ist zu unterscheiden, ob es sich um im eigentlichen Sinne sozialpsychiatrische Forschungen oder um Forschungen auf dem Gebiet der Soziologie der Geisteskrankheiten handelt. Hier wären zu nennen: Burrow, Kimball Young, H. Adolphus Miller, Elton Mayo und andere. Im Jahre 1929 führte Thomas in die Amerikanische Gesellschaft für Soziologie eine neue Abteilung »Soziologie und Psychiatrie«[19] ein, deren Bedeutung immer größer wird.

Diese neue Abteilung machte es möglich, daß sich Soziologen und Psychiater, die bisher getrennt gearbeitet und nur die Arbeiten der anderen genutzt hatten, näherkamen. Die Forschungsarbeiten vervielfältigten sich. Einige davon werden wir in den folgenden Kapiteln untersuchen. Man kann drei große Kategorien unterscheiden. Zunächst die Arbeiten über die sozialen und kulturellen Dimensionen der Geisteskrankheiten, dann die Arbeiten über die sozialen Beziehungen bei der Therapie, schließlich die Arbeiten, die in vorbeugenden Maßnahmen eine soziale Aufgabe sehen. Bei letzteren handelt es sich wohlgemerkt nicht um normative Verfahren zur Behandlung von Geisteskranken, sondern um Experimente mit dem Ziel, theoretische Hypothesen aufzustellen[20].

Auf jedem dieser großen Gebiete, vor allem auf dem ersten, gibt es zahlreiche Forschungsarbeiten, die verschiedenartig und manchmal sogar widersprüchlich sind und deren Systematisierung schwierig erscheint. Man ginge jedoch fehl in der Annahme, daß die Soziologie der Geisteskrankheiten nur ein Chaos rein empirischer, völlig ungeordneter Forschungen wäre. Sie stehen alle in Zusammenhang miteinander.

Zunächst einmal insofern, als sie alle in ihrer Auffassung von den Geisteskrankheiten die Gestalttheorie zur Voraussetzung haben: Die Kultur, das soziale System und die Persönlichkeit sind funktionale, voneinander abhängige und miteinander verbundene Variable.

19. Arnold M. Rose, Hrsg., *Mental Health and Mental Disorder: a sociological approach*, New York, 1955 (Kapitel von T. D. Elliot).
20. Siehe in demselben Werk den Artikel von R. A. Schermerhorn.

Zweitens sind alle drei Gebiete deshalb miteinander verbunden, weil sie »konzeptualisiert« sind und das Begriffssystem es erlaubt, die vereinzelten Untersuchungen miteinander zu verbinden, in ein Gesamtbild zu integrieren, um so vom Konkreten zum Theoretischen überzugehen. Frau Rocheblave-Spenlé hat uns vor kurzem in einem Kapitel ihres Buches über *La notion de rôle en psychologie sociale*[21], (Der Begriff der Rolle und die Verhaltensstörungen) ein ausgezeichnetes Beispiel für diese integrierende Konzeptualisierung zahlreicher und vielseitiger Forschungsergebnisse geliefert. Wenn man aber dieses Kapitel mit Gewinn lesen will, darf man nicht vergessen, daß der Begriff der Rolle uns auf zwei andere Begriffe verweist, den der sozialen Norm, denn die Rolle einer Person ist ja die Verkörperung der Verhaltensweisen, die von den anderen erwartet werden und die in Übereinstimmung mit den Regeln des sozialen Lebens stehen sollen – und den der Kommunikation. Denn die Rolle ist ein Code zur Aufschlüsselung der Masse von Botschaften, der Verzerrungen, die jedesmal dann entstehen, wenn das Codesystem des Empfängers nicht mehr mit dem des Senders übereinstimmt. Hinzuzufügen wäre, daß die sozialen Normen uns ihrerseits auf das System der kollektiven Werte verweisen. So ergibt sich schließlich, daß die Soziologie der Geisteskrankheiten aus einem »System von Beziehungen« der vier Begriffe Rolle, Norm, Wert und Kommunikation besteht. Einige Forscher wie Cameron zum Beispiel messen den Begriffen Rolle und Norm zweifellos eine besondere Bedeutung bei, indem sie von den Rollen der Geisteskranken sprechen, die wie die normalen Rollen Antworten des Individuums auf den Nächsten, Versuche der Anpassung an die Realität und »verhältnismäßig fixierte und kristallisierte ... Verhaltensmodelle« sind[22]. Andere, wie K. Horney zum Beispiel, betonen die Welt der kollektiven Werte, sehen die Quelle der Neurosen in dem Konflikt, der sich daraus ergibt, daß unsere Ideologie Brüderlichkeit und Opfer zu Werten erhebt, die Normen der kapitalistischen Gesellschaft aber auf der wirtschaftlichen Konkurrenz und dem Kampf um den sozialen Status beruhen. Natürlich ist dieser Konflikt der Werte auch ein Konflikt der Rollen. Denn das Individuum wird gezwungen, einander ausschließende Rollen zu spielen. Die eine lernt es während seiner Erziehung in der Familie, zu der anderen wird es durch den sozialen Wettstreit gezwungen. Die Verinnerlichung dieses äußeren Konflikts der sozialen Rollen zerreißt das Individuum[23]. Andere Forscher schließlich weisen auf die Schwierigkeiten bei der Kommunikation hin. Sehen wir, wie Frau Rocheblave-Spenlé zum Beispiel die Theorie von Newcomb zusammenfaßt[24]:

»Meistens denkt das von psychischen Störungen befallene Individuum, daß die anderen begreifen, was es ihnen mitteilen will: Wenn der Kranke also die Rolle des

21. P. U. F., 1962.
22. N. Cameron, *The Psychology of Behavior Disorders: a biosocial interpretation*, Boston, 1947.
23. Karen Horney, *The Neurotic Personality of Our Time*, New York, 1937. Dtsch.: *Der neurotische Mensch unserer Zeit*, Stuttgart 1951.
24. T. M. Newcomb, *Social Psychology*, New York, 1950.

Präsidenten der Vereinigten Staaten spielt, so glaubt er eine von anderen anerkannte Stellung einzunehmen und nach akzeptierten Normen zu handeln. Da die Position, die er sich zuschreibt, aber nicht der Realität entspricht und die anderen seinen Glauben nicht teilen, stellen seine Handlungen in der Rolle keine Kommunikation her, sondern schließen ihn im Gegenteil von der Kommunikation aus. Er jedoch ist davon überzeugt, daß der Bruch der Kommunikation sich bei seinem Partner vollzieht, der seine Botschaften schlecht empfange und die eigenen schlecht formuliere. Kurz gesagt, er klagt den anderen an, verrückt zu sein. Wenn die Kommunikation zwischen zwei Individuen gestört ist, mag es zunächst schwierig erscheinen, festzustellen, wer von beiden nun tatsächlich verrückt ist.«

Wenn man den Geisteskranken vom gesunden Menschen unterscheiden will, muß man sich auf ein äußeres Kriterium berufen und zwar auf den Konsensus in den Verhaltensweisen, die der gesunde Mensch mit den anderen Gliedern der Gruppe teilt[25].

So liefert das soziologische Bezugssystem den verschiedenen empirischen Forschungen eine Reihe gemeinsamer Begriffe, die zu Hoffnungen auf eine spätere Synthese berechtigen. Doch wäre es falsch zu glauben, daß in den Vereinigten Staaten noch keine allgemeinen Theorien entwickelt worden sind. Einige von ihnen sind für die europäische Soziologie kein bedeutender Beitrag. Wenn zum Beispiel A. H. Leighton feststellt, daß in den nicht-integrierten Gesellschaftschichten mehr psychische Störungen auftreten als in den integrierten, so kommt er wieder auf die alte Theorie von A. Comte zurück, die wir zu Anfang dieses Kapitels zusammengefaßt haben. Nur bemüht er sich, dieser Theorie mehr Präzision zu geben, und zwar dadurch, daß er ein zweifaches Indiz von Fakten zur Ermittlung sozialer Desintegration vorschlägt und drei Systeme der Desintegration unterscheidet: auf technischer Ebene die schnellen Veränderungen, auf sozialer Ebene die Fakten der Mobilität, und auf ideologischer Ebene oder im System der Werte die Konflikte dieser Systeme. Das heißt, er beschränkt sich nicht auf eine allgemeine Idee, sondern löst sie in Komponenten auf und versucht so, den konkreten Studien der Psychiater-Soziologen näherzukommen. Seine Gedanken sind auch nuanciert: Wenn die Konstitution nicht krank ist, führt die soziale Desintegration nicht unbedingt zur individuellen Desintegration, aber die soziale Desintegration fördert die Entstehung von Geisteskrankheiten durch physische Schäden, die sie dem Individuum zufügt (größere Frequenz traumatischer Erlebnisse, Infektionen, schlechte Ernährung) oder das Erbgut (das sozio-kulturelle Milieu kann über die sexuellen Beziehungen Störungen erzeugen[26]).

Wir können nicht alle Theorien der nordamerikanischen Sozialpsychiater beschreiben. Wir wollen uns auf das Beispiel zweier Denker beschränken, die auf unserem Forschungsgebiet den größten Einfluß ausgeübt haben und denen es gelungen ist, um sich eine lebendige Schule zu sammeln. Es handelt sich um Sullivan, einen Psychiater, und Parsons, einen Soziologen.

25. Mme. Rocheblave-Spenlé, o. c., S. 335.
26. Alexander H. Leighton, *My Name is Legion*, New York, 1959.

Das Individuum wird von Sullivan[27] nicht als ein mit festgelegten Instinkten und Trieben ausgestattetes isoliertes Wesen, sondern als ein soziales Wesen begriffen, das in jedem Augenblick von der Gesellschaft vor Probleme gestellt wird. Das Ich ist für ihn das, was für den Physiker das Elektron ist. Letzterer interessiert sich nur für die Konstellationen der Elektronen, nicht für das Elektron selbst. In der gleichen Weise soll der Psychiater nicht Individuen, sondern interpersonelle Situationen untersuchen. Wenn ich mich selbst definiere, so immer nur durch meine Beziehungen zu anderen, zum Beispiel als Amerikaner, als Glied der westlichen Kultur und der industriellen Zivilisation. Wäre ich Neger, würde ich mich anders definieren. Ich bin nichts anderes als ein Ort, auf dem fortgesetzt Austausch stattfindet, Austausch zwischen meinem Körper und dem umgebenden äußeren Milieu, Austausch zwischen meinem psychischen Sein und den anderen psychischen Wesen. Das Individuum hat zwei Ziele, erstens, seine Bedürfnisse zu befriedigen (biologische Notwendigkeit), und zweitens, Sicherheit zu gewinnen (kulturelle Notwendigkeit). Beide sind übrigens miteinander verbunden, denn das kulturelle Milieu kann gewisse biologische Befriedigungen wie die sexuellen verdammen, und das Bedürfnis nach Sicherheit umfaßt oder integriert die biologische Befriedigung. Neurosen entstehen aber hauptsächlich, wenn das Streben nach Sicherheit nicht erfüllt wird, und da die Sicherheit von der Annahme oder Ablehnung des sozialen Milieus abhängt, können die Neurosen als Störungen der menschlichen Beziehungen definiert werden. Daraus ergeben sich zwei Konsequenzen: Das Wichtigste für den Psychiater ist nicht, die Gesamtgesellschaft, ihre Organisation in Klassen oder Kasten zu untersuchen, sondern die formativen Beziehungen, die Art und Weise, in der die Sozialisation sich in den Jahren des Lernens vollzogen hat (für Sullivan sind diese Jahre selbstverständlich nicht wie für die Psychoanalyse mit der Auflösung des Ödipus-Komplexes beendet, sondern sie umfassen das ganze Jugendalter). Die Therapie wird darin bestehen, die unterbrochenen Kommunikationen wieder herzustellen und die verzerrten Interrelationen zu korrigieren. Zweitens, und zu diesem Punkt hat Sullivan nach unserer Meinung die scharfsinnigsten Analysen geliefert, ist die psychiatrische Beobachtung keine rein objektive Beobachtung, bei der der Arzt aus sich selbst heraustritt, um ein außerhalb seiner selbst existierendes Wesen zu beschreiben. Sie ist auch eine interpersonelle Situation, denn sie umfaßt gleichzeitig das Verhalten des Kranken und die Erfahrung des Beobachters. Sullivan hat auf die nordamerikanische Psychiatrie einen sehr großen Einfluß ausgeübt, und eine ganze Schule hat sich um ihn gebildet[28]. Für die Soziologie allerdings hat diese Schule keine große Bedeutung. Denn sie postuliert einen gewissen soziologischen Nominalismus, wenn auch einen Nominalismus der Beziehungen.

27. Harry Stack Sullivan, »Psychiatry: Introduction to the study of interpersonal relations« (*Psychiatry*, IX, S. 121, 134); »Conception of Modern Psychiatry« (*idem*, S. 1–117); »A note on the implication of psychiatry for investigations in Social sciences« (*Am. Journ. of Sociol.*, 1937, S. 848–861) usw.

28. Einige Mitglieder dieser Schule haben ihre Beiträge zur Sozialpsychiatrie in dem von Patrick Mullahy herausgegebenen Band, *A Study of Interpersonal Relations*, New York, 1949, gesammelt.

Parsons dagegen ist Soziologe und zwar einer der Soziologen, die in den Vereinigten Staaten am meisten Beachtung und Anklang finden. Doch gleichzeitig hat er immer großes Interesse für die Probleme der Medizin und der Psychiatrie gezeigt. Deshalb wollen wir unsere Ausführungen über die großen Theorien der psychiatrischen Soziologie mit ihm abschließen[29]. Wir müssen hier von der Theorie der »Abweichung« ausgehen. Unter diesem Begriff fassen wir alle die Verhaltensformen zusammen, die sich von den Verhaltensweisen, die die Gesellschaft vorschreibt, entfernen und deshalb in Gegensatz zu den konformen Verhaltensweisen stehen, die soziales Leben möglich machen. Parsons ordnet die Phänomene der Abweichung durch die Achse Konformität-Entfremdung, hier finden wir also die Fakten der Flucht aus dem Sozialen oder, im Gegensatz dazu, die Fakten des übertriebenen Konformismus, der strengen Befolgung der Normen – und durch die Achse Passivität-Aktivität, hier finden wir dann die Unempfindlichkeit gegenüber Strafen und Belohnungen, durch die das Individuum an den Rand der Gesellschaft gestoßen wird (die Gammler), oder aber die Handlungen offener Rebellion. Zu dieser soziologischen Theorie der Abweichung gehört die Theorie der Geisteskrankheit. Auch hier findet sich eine Kluft zwischen dem individuellen Verhalten und den Erwartungen der anderen Individuen, eine Kluft zwischen dem realen Verhalten und den sozialen Normen. Doch wenn der Psychiater diese Kluft in einem Individuum untersucht, handelt es sich um einen Konflikt, der verinnerlicht wurde, der also von außen kam, wodurch er dann notwendigerweise auf den Soziologen verwiesen wird: das System der Persönlichkeit ist nichts anderes als die Übertragung eines Wesens des sozialen Systems in das Innere. Parsons unterscheidet hierbei drei Fälle: 1. das System der Persönlichkeit, das gegenüber dem sozialen System idiosynkratisch ist, das heißt, es handelt sich hier nicht um eine zerfallende Persönlichkeit, sondern um eine, die sich nicht der Gesamtheit der Normen, Rollen und Werte verschreibt, durch die das soziale System bestimmt wird; 2. das Individuum ist von dem Sozialen so absorbiert, daß die eigene Persönlichkeit zerstört wird (wie es bei allen zwanghaften, phobie- und angstbestimmten Verhaltensweisen der Fall ist); 3. das soziale System ist desorganisiert, und der Kranke verinnerlicht diesen Zerfall. Die »Wertorientierungen«, die ein soziales System vereinheitlichen und seine Integration erlauben, bilden bekanntlich eines der wichtigsten Elemente von Parsons Soziologie. Von hier ab lassen sich also auch die Geisteskrankheiten im Rahmen der Soziologie untersuchen.

Der Handelnde steht immer vor einem Dilemma und ist gezwungen zu wählen. Die Wertorientierungen stellen »Variable« dar, mit deren Hilfe man die Handlungen beschreibt.

Die erste Variable besteht in dem Dilemma zwischen Universalismus und Parti-

29. Siehe Talcott Parsons, *Eléments pour une sociologie de l'action*, frz. Übers., Plon, 1955, besonders die Einführung von Bourricaud und das Kap. V (Kap. X von *The Social System*, The Free Press, 1951). Viel benutzt haben wir auch den Text von Parsons in *Interrelations between social environment and psychiatric disorders*, Milbank Memorial Fund, New York, 1953

kularismus. Es kann nämlich in unseren städtischen und von der Industrie geprägten Gesellschaftsformen zu einem Konflikt zwischen zwei Rollen kommen, zwischen der des Vaters und Gatten und der mehr partikularistischen beruflichen Rolle, die uns aufgezwungen wurde. Ein Beispiel dafür ist der Gegensatz zwischen affektiver Bindung an die Familie und formalistischer Bindung an die Bürokratie. So kommt es nicht von ungefährt, daß die Bürokratie einen großen Prozentsatz von Geisteskranken liefert. Die zweite Variable besteht in dem Dilemma zwischen Affektivität und Neutralität. Dieser Konflikt entwickelt sich zwischen den mit Affektivität geladenen Rollen, in denen sich die Persönlichkeit geformt hat, und den neutralen Rollen nach der Adoleszenz. Die dritte Variable besteht in dem Dilemma zwischen der Orientierung an dem Kollektiv und der Orientierung an sich selbst. Wenn es dem personalen System in unseren Industriegesellschaften nicht gelingt, die kollektiven Forderungen den individuellen anzupassen, stellen sich bald psychische Störungen ein. Von daher läßt sich auch verstehen, daß in bestimmten Schichten der Bevölkerung mehr Geisteskrankheiten als in anderen auftreten. Das System der Befriedigungen (Vergütung und Entzug) ist eine vierte Variable. Wenn wir unsere Rolle gut spielen, so gereicht uns das zum Vorteil, wir haben Freude, wirtschaftlichen Erfolg, verbessern unseren Status. Da es jedoch Wünsche geben kann, die von einem bestimmten sozialen System nicht erfüllt werden können, muß man in jede Soziologie der Geisteskrankheiten das Problem der Frustrationen einbeziehen.

Die letzte der gebräuchlichen Variablen ist das *Kontinuum* der Erweiterung oder Nichterweiterung der Rollen. In Durkheims Theorie der Anomie findet sich ein ausgezeichnetes Beispiel für die Nichterweiterung. Die Rollen können nur einen kleinen Teil der Persönlichkeit ausfüllen. So wird das System der Persönlichkeit blockiert, was sich wieder auf die psychische Gesundheit der Individuen auswirkt.

Wie die psychische Pathologie zu einer soziologischen Theorie der Abweichung gehört, so gehört umgekehrt die Psychotherapie zu einer soziologischen Theorie der sozialen Kontrolle, denn es ist ja die Aufgabe eben dieser Psychotherapie, den Kranken wieder in das soziale System zu integrieren. Die Psychotherapie ist einerseits ein Kontrollmechanismus, der einen großen Wirkungsradius hat und zur allgemeinen Soziologie gehört. Andererseits übt die Gesellschaft über den Psychiater auf den Kranken Druck aus, und der Soziologe muß alle latenten Mechanismen auffinden, die die Abweichung verhindern und das Gleichgewicht Individuum – soziales System wiederherstellen. »Die bewußte Psychotherapie ist ... der Teil des Eisbergs, der aus dem Wasser herausragt. Der weitaus größere Teil liegt unter dem Wasser. Die meisten Psychiater merken nichts von seiner Existenz[30]«. Und aus diesem Grunde ist der soziologische Beitrag von großer Wichtigkeit.

*

Kann man aus dieser langen Geschichte irgendwelche Schlüsse ziehen?

Alle besprochenen Theorien lassen sich im Grunde auf zwei Typen zurückführen. Die einen gehen von der Psychiatrie aus und führen zur Soziologie. Das gilt

30. Parsons, o. c., S. 253.

für Morel, die Psychoanalyse und Sullivan. Die anderen gehen von der Soziologie aus, um sie auf die Psychiatrie anzuwenden. Das tun Audiffrend und Comte, Blondel und Lévy-Bruhl, Le Guillant und Marx, um nur ein paar Beispiele zu nennen. Doch in beiden Fällen handelt es sich um die Soziologie der Soziologen. Und es erhebt sich die Frage, ob das eine glückliche Entwicklung ist, ob es nicht vielmehr Aufgabe der Psychiater wäre, ihre eigene Soziologie aufzubauen, anstatt eine außerhalb ihres Gebietes liegende Soziologie anzuwenden[31].

Andererseits begegnen alle diese Theorien zwei Schwierigkeiten, die zum einen in ihrer extremen Allgemeinheit, zum anderen in ihrer Spezialisierung bestehen. Zunächst zur Spezialisierung: Sie klären vor allem einen Aspekt, die Desorganisation, die Anomie, die Schwierigkeit der Kommunikation, die Konflikte der Rollen oder der Werte. Nur Parsons vielleicht bemüht sich darum, die Vielfalt dieser Perspektiven ins Auge zu fassen und sie auf eine Vielfalt verschiedener Fälle zurückzuführen. Aber letzten Endes zeigen alle eine Tendenz zur Soziogenese (sogar dann, wenn der physische Aspekt der Krankheit in Betracht gezogen wird). Hier zeigt sich nun der zweite Aspekt dieser Theorien, ihre zu große Allgemeinheit. Man muß selbstverständlich (auch wenn man durch Verletzung oder Infektion bedingte Faktoren ausklammert) die Neurosen von den Psychosen unterscheiden. Es führt nicht weit, wenn man nur von den sozialen Faktoren der psychischen Störungen im allgemeinen spricht. Was wir in diesem Kapitel ausgeführt haben, stimmt offensichtlich für die Neurosen. Doch ist es fraglich, in welchem Maße sie sich auch auf die Psychosen anwenden lassen. Am Ende dieses historischen Überblicks stellen sich also eine ganze Reihe neuer Probleme. Bei dem Aufbau einer Soziologie der Geisteskrankheiten würden sich folgende Begriffe als mögliche Alternativen anbieten: Einheit oder Vielfalt der Faktoren, Soziogenese oder Strukturalismus. In den folgenden Kapiteln werden wir uns nach und nach mit diesen Problemen beschäftigen.

31. Dieser Standpunkt wird vertreten von Zillborg, »Psychiatry as a social science« (*Amer. Journ. of Psychia.*, 99, 1943, S. 585–588).

Zweites Kapitel

Die Methodenprobleme

Die empirischen Forschungen haben sich vervielfältigt, und man verlangt von der Soziologie weniger eine Einheit leitender Ideen als vielmehr eine Sammlung operationaler Begriffe. Parallel dazu verlagerten sich die wichtigsten Probleme von der Theorie auf die Begründung besserer Techniken für weitere Forschungen. Die Methode wurde wichtiger als das System.

Vom methodischen Gesichtspunkt aus scheint es leicht zu sein, die drei in unserer Einleitung genannten Wissenschaften grob zu unterscheiden: die Sozialpsychiatrie, die von der Untersuchung von Fällen – die Soziologie der Geisteskrankheiten, die von der Statistik – und die Ethnopsychiatrie, die von der vergleichenden Methode (cross cultural method) ausgeht. Es würde also genügen, in diesem Kapitel nur über die Techniken mathematischer Forschung zu sprechen. Die Psychiater behaupten, daß die Statistiken für sie von geringem Nutzen sind, denn nur der Psychiater könne die Begriffe der Sozialwissenschaften auflösen und ihnen dadurch für die Forschung Bedeutung geben. Nur er könne die Beziehung Persönlichkeit-Milieu in eine Reihe von Beziehungen auflösen, in Beziehungen zwischen diesem oder jenem besonderen, individualisierten Milieu. Sie formulieren genau den Gegensatz, den ich zwischen der Soziologie der Geisteskrankheiten und der Sozialpsychiatrie im eigentlichen Sinne aufdeckte, und der im Grunde ein Gegensatz der Methoden ist: Statistik – Fallgeschichten. Hieraus darf man nun nicht den Schluß ziehen, daß die Statistik wertlos sei. Sie verliert ihren Sinn nur in der Sozialpsychiatrie im strengen Sinne. Denn das Studium der Fälle betrifft nur Individuen. Selbst, wenn man sie vervielfältigt, führen sie niemals zu signifikanten Reihen. Man deutet den Fall eines Kranken, nicht die Geisteskrankheit. Nur der Statistiker ist in der Lage, signifikante Reihen aufzustellen. Unsere Soziologie bleibt unberührt von der Kritik der Psychiater, aber die Kritik hat einen Sinn, denn sie zeigt, daß jede Wissenschaft ihre eigenen Methoden hat. Das gilt auch für die komparative Methode. Sie wird zweifellos die Methode der Ethnopsychiatrie sein, denn diese will eine Beziehung herstellen zwischen den Variationen der Häufigkeit oder der Symptomatologie der Geisteskrankheiten und der Vielfalt der menschlichen Zivilisationen. Die Soziologie der Geisteskrankheiten dagegen hat ihren Platz in unserer eigenen Gesellschaft und in Situationen, in denen der Psychiater und der Kranke an demselben Wertsystem teilhaben. Ja, grob gesehen, scheint es so zu sein: Der Unterschied der Wissenschaften führt zur Wahl verschiedener Methoden. In Wirklichkeit aber liegen die Dinge nicht so einfach. In diesem Kapitel werden wir uns im Rahmen der Soziologie der Geisteskrankheiten nicht nur mit der Statistik, sondern auch mit anderen Forschungsmethoden beschäftigen.

1. DIE STATISTISCHE METHODE

Die statistische Methode bleibt jedoch grundlegend für unser Vorhaben, und mit ihr wollen wir beginnen. Gewiß ist sie sehr heftig kritisiert worden. Doch zielt die Kritik, wie wir sehen werden, mehr auf die Anwendung als auf die Gültigkeit der statistischen Methode als Grundlage der Soziologie der Geisteskrankheiten. Natürlich bedeutet der Übergang von der noch psychologischen Ebene der Sozialpsychiatrie zur soziologischen den Übergang vom Studium der Fälle zum Studium von Zusammenhängen. Kein Forscher hat sich meines Wissens jemals über diesen Aufstieg vom Mikro zum Makro beklagt, der dem Geist neue Horizonte öffnet. Durkheim hat gezeigt, daß der Selbstmord auf soziologischer Ebene eine Gesetzmäßigkeit besitzt, die in den Schlußfolgerungen der psychopathologischen Forschung analytisch nicht enthalten ist, und daß jeder Selbstmord, der sich sogar vertikal aus den besonderen Bedingungen des Individuums erklärt, auf makroskopischer Ebene mit anderen Phänomenen verbunden ist, die allein die Soziologie mit Hilfe der Statistik erklären kann. Auch in der Geologie leitet man die Gesetze der Sandbank nicht aus der Kinetik oder Dynamik des Sandkorns ab. Auch in der Biologie werden die Evolutionsgesetze außerhalb der genetischen Mechanismen gewonnen, die die Mutationen erklären. Die Soziologie der Geisteskrankheiten kann nicht in einer Synthese aller Forschungsergebnisse bestehen, zu denen vorher die Sozialpsychiater gekommen waren. Denn selbst, wenn die Sozialpsychiatrie vollkommen wäre, bliebe sie im Mikro und könnte keine präzisen Aussagen zu kollektiven Einheiten liefern. Die makroskopische Beobachtung kann von den Elementen abstrahieren, weil sie Gesetzmäßigkeiten von anderer Rangordnung entdeckt, die sich nicht aus der einfachen Addition von Elementen herleiten. Wir müssen uns vor Augen halten, daß die einzige Möglichkeit, aus den ungesicherten Extrapolationen von Resultaten der Sozialpsychiatrie auf die Soziologie herauszukommen, darin besteht, daß man einen »methodologischen Sprung« macht und sich auf die statistische Ebene begibt, die geeignet ist, soziologische Gesetze zum Vorschein zu bringen, die sich auf niedrigerer Ebene nicht zeigen. Wie Heisenberg beweist, kann man, wenn man seine Aufmerksamkeit auf eine bestimmte Ebene fixiert, die Phänomene, die zu einer anderen Beobachtungsebene gehören, nicht sehen: »Es ist unmöglich, sich gleichzeitig auf zwei Ebenen einzustellen, die durch ihre Größenordnung zu stark voneinander abweichen ... Was man auf der einen Ebene an Präzision gewinnt, verliert man auf einer anderen Ebene[1].«

1. In diesem Abschnitt sind einige von François Meyer, *Problématique de l'Evolution*, P. U. F., 1954, und Durkheim, *Le suicide*, Alcan, 1897 entwickelte Ideen zusammengefaßt. Gewiß kritisiert Robinson, »Ecological correlations and the behavior of individuals« (*Am. Soc. Rev.*, 1950, S. 351–357) die statistische Methode, indem er mathematisch zeigt, daß man von den ökologischen Korrelationen nicht zu den individuellen übergehen kann. Die Gruppenmerkmale sind nicht identisch mit denen von Individuen. Wir meinen nichts anderes. Robinson mußte daraus den Schluß ziehen, daß man die Soziologie der Geisteskrankheiten nicht mit der Sozialpsychiatrie verwechseln sollte. Jeder der beiden Disziplinen ihre eigenen Methoden.

Die statistische Methode als Basis der Soziologie der Geisteskrankheiten wird legitimiert durch den Unterschied zwischen zwei Beobachtungsebenen und außerdem durch die Feststellung, die man auf allen Wissenschaftsgebieten der Physik, der Biologie machen kann, daß sich auf makroskopischer Ebene Gesetzmäßigkeiten von anderem Typ ergeben, die man analytisch aus den mikroskopischen Gesetzmäßigkeiten nicht ableiten kann. Doch bisher sind wir nur auf theoretischer Ebene geblieben. In der Praxis begegnet die Statistik der Geisteskrankheiten vielen Schwierigkeiten, die wir noch nennen werden. Da die Anwendung der statistischen Methode jedoch durch die Theorie gerechtfertigt ist, gibt es für die Überwindung der Widerstände nur eine einzige Lösung. Sie besteht darin, daß man die statistischen Methoden immer mehr verfeinert, anstatt sie en bloc abzulehnen, wie eine gewisse Sozialpsychiatrie es verlangt.

Wir gehen sogar noch weiter. Bekanntlich gibt es auch außerhalb der Sozialpsychiatrie noch viele andere Erklärungen der Geisteskrankheiten. Einige Forscher stellen die sozialen Faktoren in den Vordergrund, andere erbliche Stoffwechselstörungen, die anormale Produktion von Diaminen, andere sehen in diesen Krankheiten Formen von Encephalopathie, andere wieder schreiben die Denkstörungen physikalisch-chemischen Veränderungen des Hirngewebes zu. Alle diese Theorien können wir ausklammern, wie Durkheim die Beziehung Selbstmord – Psychopathologie ausgeklammert hat. Denn, um es noch einmal zu sagen: Was auf einer Ebene gültig ist, braucht es nicht auf einer anderen zu sein. Die Tuberkulose und die Syphilis sind organische Krankheiten. Kein Arzt jedoch beklagt sich über die statistischen Untersuchungen des Gesundheitdienstes, die diese Krankheiten in bestimmten Bevölkerungsteilen lokalisieren, oder die Wirkungen ihrer Bekämpfung auf makroskopischer Ebene verfolgen. Die Soziologie der Geisteskrankheiten kann also von organischen oder sozialen Ursachen der geistigen Störungen absehen, um festzustellen, ob es auf einer höheren Ebene der Beobachtung gewisse Regelmäßigkeiten gibt, die auf einer niedrigeren Ebene nicht auftreten. Diese Regelmäßigkeiten können dann nur soziologischer Natur sein. Das gilt selbst dann, wenn diese Regelmäßigkeiten auf niedrigerer Ebene biochemischer, genetischer oder anatomischer Natur waren.

In ihren Untersuchungen verwenden die Statistiker eine Reihe von Maßen, die wir zunächst kurz definieren müssen:

– Mit den Prozentsätzen des »Auftretens« der Geisteskrankheiten wird die Häufigkeit neuer Krankheitsfälle innerhalb eines bestimmten Zeitraumes, gewöhnlich eines Jahres, gemessen (man berücksichtigt nur die Erstaufnahmen in Krankenhäusern, die anderen Fälle werden in eine andere Kategorie, die der Wiederaufnahmen, eingeordnet).

– Mit den Prozentsätzen der »Verbreitung« werden insgesamt alle Kranken in einem bestimmten Zeitraum erfaßt (die innerhalb dieser Periode in das Krankenhaus eingeliefert worden und vor ihrem Ende wieder entlassen worden sind, dann die Kranken, die im Verlauf dieser Periode in das Krankenhaus gekommen und noch in Behandlung sind, die Kranken, die bereits lange vor der untersuchten

Periode im Krankenhaus sind und noch darüber hinaus dort bleiben werden, schließlich die Kranken, die bereits zu Beginn der Periode im Krankenhaus waren und vor ihrer Beendigung entlassen werden). Wenn man zu diesen in öffentlichen oder privaten Krankenhäusern stationär behandelten Kranken die hinzuzählt, die sich nicht behandeln lassen, erreicht man den »wirklichen Prozentsatz der Verbreitung«. Dann wäre der andere eben definierte der »Prozentsatz der Verbreitung der behandelten Personen«.

Der Prozentsatz der Krankheit im Lauf des Lebens, den skandinavische Forscher, die nicht an die Heilbarkeit von Psychosen glauben, untersucht haben, umfaßt auch alle Fälle von Personen, die von Psychosen befallen wurden, aber wieder in das normale Leben zurückkehrten.

– Mit dem Prozentsatz der »Erwartung« schließlich erfaßt man innerhalb einer bestimmten Bevölkerung die Anzahl von Personen, von denen man erwartet, daß sie vor ihrem Tod krank werden[2]. Selbstverständlich ist dieser Prozentsatz abhängig von der Lebenserwartung in den verschiedenen Lebensaltern der ausgewählten Bevölkerung. Bei der Berechnung muß man beide Faktoren aufeinander beziehen.

Wenn man von einigen Ausnahmen unter den Psychiatern absieht, wie Kraepelin, der sich mit der Verteilung der Geisteskranken in verschiedenen sozialen Kategorien oder Völkern[3] beschäftigte, kann man vor allem seit 1930 feststellen, daß sich statistische Untersuchungen entwickeln und vervielfältigen. Leider sind diese Studien nicht immer miteinander vergleichbar, weil die Fakten nach verschiedenen Methoden gesammelt und behandelt werden[4]. Natürlich betrifft dieses Hindernis mehr die Vergangenheit als die Zukunft, denn es ist zu hoffen, daß es internationalen Institutionen gelingt, allen Forschern gemeinsame Normen zu geben, die die Vergleichbarkeit der Fakten ermöglichen. Aber es gibt noch ein zweites, schwierigeres Hindernis. Es besteht darin, daß zwischen den unbearbeiteten Fakten und ihrer mathematischen Behandlung notwendigerweise die Klassifizierung durch den Psychiater steht, die mit der Zeit und den Ländern variiert. So gehört für die Franzosen zum Beispiel die Epilepsie zu den Geisteskrankheiten, für die Nordamerikaner aber nicht. Umgekehrt ist der Begriff der Schizophrenie für die Nordamerikaner weiter gefaßt als für die Franzosen. Die Folge davon ist, daß demselben Begriff verschiedene pathologische Ursachen entsprechen. Bis zu einem gewissen Grade kann man dieses Hindernis noch dadurch überwinden, daß man die angewendeten Begriffe zuvor definiert, indem man zum Beispiel die Kriterien nennt, die in einer bestimmten Studie die Schizophrenie definieren[5]. Schlimmer jedoch ist, daß der

2. Dieser Abschnitt wurde angeregt von der ausgezeichneten Studie von Victor D. Sanua, *The epidemiology and etiology of mental illness and problems of methodology ... a review of literature*, Yeshiva Univ., New York, o. D.

3. Kraepelin, *Psychiatrie*, Leipzig, 1909.

4. Ein gutes Beispiel dafür findet sich in Sanua, o. c., S. 44 (Unvergleichbarkeit der Sterberate bei Geisteskrankheit von Baltimore und Tennessee wegen der unterschiedlichen Methoden bei der Sammlung der Fakten).

5. Zum Beispiel H. B. Murphy., E. D. Wittkower, J. Fried, H. Ellenberger, »A cross-cultural survey of schizophrenic symptomatology« (*Int. J. of Social Pschia.*, IX, 4, 1963).

Wissenschaftler belastet ist mit seinen Ideologien, mit den an der Universität angenommenen Gewohnheiten, mit den Postulaten der Schule, zu der er gehört[6]. So kam La Pousse auf den Gedanken, einer der Hauptgründe für den hohen Prozentsatz von Psychosen in den unteren Klassen im Verhältnis zu den oberen Klassen darin sei zu suchen, daß es den Psychiatern widerstrebe, ihre Patienten als Psychotiker zu betrachten[7].

Bei der Untersuchung statistischer Erhebungen über Geisteskranke in den psychiatrischen Kliniken von Rio de Janeiro waren wir dadurch behindert, daß an den einzelnen Tagen und zu den verschiedenen Stunden nicht derselbe Psychiater Dienst tat und jeder seine eigene Art hatte, die Störungen wahrzunehmen und zu klassifizieren. Die Aktennotizen allerdings waren sich ähnlich.

Obwohl diese Schwierigkeiten bestehen, vervollkommnen die Techniken statistischer Forschung sich laufend und geben Anlaß zu der Hoffnung, daß sich eine Soziologie der Geisteskrankheiten bilden kann. Dafür wollen wir zwei Beispiele geben. Das eine geht aus von der oft gemachten Feststellung, daß, von den Kriegsperioden abgesehen, die Zahl der Geisteskranken dauernd zunimmt. In den Vereinigten Staaten ist sie von 1910 bis 1936 von 204,2 Kranken auf 100 000 Einwohner auf 335,3 angestiegen. Aber haben diese Zahlen irgendeine Bedeutung? Deutsch hat darauf hingewiesen, daß nicht nur die Zahl der Geisteskranken, sondern auch die der Krankenhäuser zugenommen hat, wobei nicht nur die Zahl der behandelten Personen, sondern in gleichem Maße die Zahl der zur Verfügung stehenden Betten angewachsen ist[8]. Außerdem neigen die Leute heute mehr als früher dazu, sich mit ihrer Gesundheit zu beschäftigen, und die Gesellschaft hat eine andere Auffassung von Geisteskrankheit als früher (sie wird nicht mehr wie einst als unheilbar oder als eine Schande für die Familie betrachtet)[9].

Man mußte also das Problem neu überdenken. Goldhamer und Marshall tun das zum Beispiel für die Psychosen. Ihre Untersuchungen beziehen sich auf die Ersteinlieferungen in die öffentlichen Krankenhäuser und Privatkliniken von Massachussets in der Zeit von 1840 bis 1910[10]. Man muß daran eine Reihe von Korrekturen vornehmen. Die ältesten Zahlen sind dadurch überhöht, daß geistig Minderbegabte, Neurotiker, Epileptiker und Alkoholiker den Psychosen zugerechnet wurden. Umgekehrt muß die die heutige Zeit betreffende Zahlenangabe für Alterswahnsinn geändert werden, weil die Lebenserwartung in den letzten hundert Jahren gestiegen ist. Auch die Bevölkerung von Massachussets hat sich vermehrt. Diese Zunahme muß man in Rechnung setzen, indem man die Zahl der Psychosen jeweils in

6. Vgl. Odegard, »Emigration and Insanity« (*Acta Psychiatrica et Neurologica*, supplementum 4, Kopenhagen, 1932).

7. Rema La Pousse, Mary A. Monk und Milton Terris, »The drift hypothesis and socioeconomic differentials in schizophrenia« (*Amer. J. Publ. Health*, 46, 1956, S. 978–986).

8. Diskussion in Schermerhorn, »Social psychiatry«, in A. M. Rose, Hrsg., *Mental Health and Mental Disorders*, o. c.

9. H. B. Adams, »Are mental hospital admission rates a valid measure of the incidence mental illness in the general population?«, 1957, zitiert von Sanua, o. c.

ZAHL DER GEISTESKRANKHEITEN IN FRANKREICH

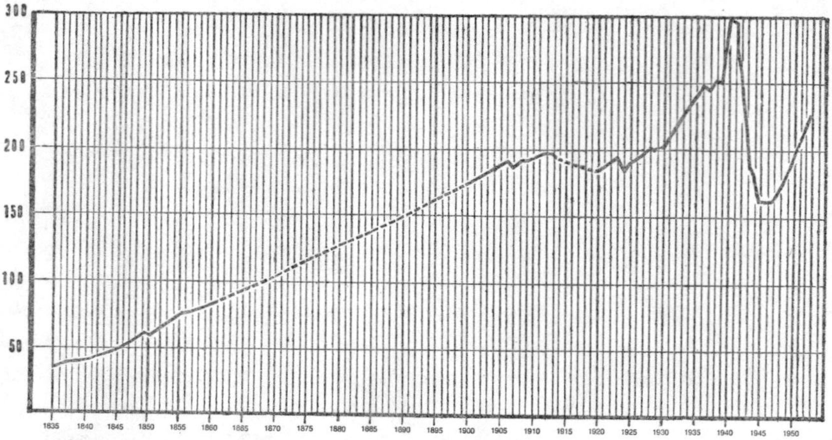

(Auszug aus dem *Aspect démographique* von Henri Duchêne, in Revue *Esprit*, Nr. 12, Dezember 1952, S. 878)

Beziehung zu der Gesamtzahl der Bevölkerung zu derselben Zeit setzt. Wenn man diese Korrekturen vornimmt, ergibt sich, daß die Zahl der Psychosen während des ganzen betrachteten Zeitraums unverändert geblieben ist. Das gilt, obwohl sich in diesem Jahrhundert tiefgehende Veränderungen in der Sozialstruktur vollzogen haben (im Gegensatz zu der Auffassung einer gewissen Sozialpsychiatrie), obwohl sich die Auffassungen über die Gesundheit verändert und die Bedingungen in den Krankenhäusern gebessert haben (im Gegensatz zu der Auffassung von Deutsch). Trotz dieser Feststellung müssen wir, wenn wir es mit verschiedenen Völkern zu tun haben, die Toleranz gegenüber der Geisteskrankheit berücksichtigen. Eine Untersuchung, die vor kurzem in Frankokanada durchgeführt wurde, hatte das Ergebnis, daß der Angelsachse gern ins Krankenhaus geht, um dort vom Psychiater behandelt zu werden. Der Frankokanadier hält die Krankheit für von Gott gesandt und bleibt deshalb in seiner Familie (außer, wenn er gefährlich ist). Der Ire dagegen, der glaubt, daß die Krankheit durch eine Sünde hervorgerufen wurde, versteckt den Kranken[11]. So hängt die jeweilige Zahl ab von den grundsätzlichen Auffassungen, die das ethnische oder kulturelle Milieu gegenüber dem »Wahn« einnimmt. Wenn die in Texas lebenden Amerikaner spanischen Ursprungs einen weniger hohen Anteil als die angelsächsischen Amerikaner haben (40 für die Männer, 45 für die Frauen gegenüber 73 beziehungsweise 87 auf 100 000 Einwohner), so liegt das vielleicht daran, daß die beiden Bevölkerungsgruppen nicht dieselbe Haltung gegenüber der Geisteskrankheit haben, daß die einen lieber selbst ihre Kran-

10. Herbert Goldhamer und Andrew Marshall, *Psychosis and Civilization: Two studies in the frequency of mental illness*, Glencoe, Ill., 1953.

11. Aufsatz von Dr. R. M. Wintrob in unserem Seminar für Sozialpsychiatrie.

ken pflegen, die anderen sie aber in speziellen Einrichtungen behandeln lassen[12]. Selbstverständlich können in einer homogenen Gemeinschaft, in der wir denselben Verhaltenstyp finden, andere Faktoren mitspielen. So können die mehr oder weniger große Entfernung vom Krankenhaus, die mehr oder weniger guten Transportmöglichkeiten oder die Meinung der Leute über die Art der Pflege, die Qualifikation der Psychiater, ja sogar die Sauberkeit der Pflegestätte zu Schwankungen des Anteils führen.

Eine andere Schwierigkeit besteht darin, daß die Untersuchungen über die Häufigkeit der Erstaufnahmen in öffentliche oder private Krankenhäuser im allgemeinen auf einen einzigen Staat oder eine einzige Stadt der Vereinigten Staaten beschränkt sind. So besteht die Gefahr, daß Ortsveränderungen die Untersuchungsergebnisse verfälschen. In dem Bericht des ›National Institute of Mental Health‹ finden wir für das Jahr 1960 die Angabe, daß in Missouri 70,7 auf 100 000 Einwohner, im Distrikt Columbia 938,6 auf 100 000 Einwohner als Geisteskranke stationär in den Krankenhäusern behandelt wurden. Die hohe Zahl für den Distrikt Columbia erklärt sich wahrscheinlich daraus, daß es dort gute Krankenhäuser gibt, wodurch Geisteskranke aus anderen Staaten angezogen werden. Man muß also auch hier Korrekturen vornehmen. Das ermöglichen uns oft die Akten von Geisteskranken. Diese Kontrolle aber ist nicht immer so einfach. Wir selbst sind dieser Schwierigkeit begegnet, als wir die Geisteskrankheiten bei in Frankreich lebenden Antillenbewohnern untersuchten. Die ersten Einlieferungen in Pariser Krankenhäuser konnten wir nicht als Ersteinlieferungen gelten lassen, denn viele Antillenbewohner waren bereits vor ihrer Ankunft in Frankreich in Pflege gewesen. Wieviele aber? Das ist schwierig zu sagen, weil wir ja nur die Aussagen der Patienten kennen, die möglicherweise ihre früheren Störungen verbergen wollen. Alle diese Schwierigkeiten haben die Psychiater dazu veranlaßt, den Prozentsatz der wirklichen Verbreitung durch den Prozentsatz des einfachen Auftretens oder der Verbreitung der behandelten Personen zu ersetzen. Es geht darum, nicht nur die Personen, die in Krankenhäusern gewesen sind, sondern auch die anderen zu entdecken. Wie Brugger und Stromgren kann man sich auf der Suche nach Kranken, die nicht in Kliniken sind, an die praktischen Ärzte, an die Lehrer und an die Geistlichen wenden[13]. Man entdeckt dann viele Fälle geistiger Erkrankungen, die den Statistikern entgangen sind. Man kann auch die Methode von Klemperer benutzen. Sie besteht darin, in einem begrenzten Gebiet den Namen von 1000 Personen zu ermitteln, die zwischen zwei zuvor ausgewählten Jahren geboren sind, und dann festzustellen, welche von ihnen geistig gesund geblieben sind. Die

12. Gartly E. Jaco jedoch, von dem wir diese Fakten übernommen haben, glaubt nicht, daß das Phänomen durch die unterschiedliche Haltung hinreichend erklärt wird. (»Mental Health of the Spanish-American in Texas«, in M. K. Opler, Hrsg., *Culture and Mental Health*, New York, 1959, S. 467–485.)

13. Carl Brugger, »Versuch einer Geisteskrankenzählung«, in Thüringen, *Zeitschr. Ges. Neurol. und Psychia.*, 133, 1931, S. 352–391, und Erik Stromgren, »Beitrag zur psychiatrischen Erblehre« (*Acta Psychia et Neurol.*, suppl. 19, 1938).

Methode ist insofern besser, als die Zahl der notwendigen Besuche feststeht und der Psychiater die Häuser nacheinander suchen kann. Es ist jedoch nicht immer leicht, die Personen, die besucht werden müssen, zu lokalisieren. Klemperer hat nur 70 % der ermittelten Personen lokalisieren können[14]. Aber trotzdem sind die Resultate dieser Methode interessant. So hat sie zum Beispiel Fremming auf die Insel Bornholm angewendet. Er besuchte dort ungefähr 2000 von 5500 Personen, die zwischen 1883 und 1887 geboren waren. Er stellte 15 % Psychotiker fest, von denen nur 3 % in Krankenhäusern waren[15]. Eine andere Methode besteht darin, alle Wehrpflichtigen[16] einem neuropsychiatrischen Examen zu unterwerfen. Man hat dies zum Beispiel im letzten Kriege (induktive statistische Methode) in den Vereinigten Staaten durchgeführt. Natürlich werden durch diese Methode nur die Personen erfaßt, die im Wehrdienstalter sind.

Ideal wäre es, eine ganz kleine, homogene Gruppe zu haben, von der der Psychiater alle Häuser besuchen kann. Eaton und Weil haben das in ihrer glänzenden Studie über die Hutterschen Brüder getan[17]. Doch das ist nur selten möglich, und eine große Gefahr besteht darin, daß die Forscher, die kleine Gemeinschaften untersuchen, diese als repräsentativ für ein größeres Ganzes betrachten und die an einem Ort gefundenen Ergebnisse auf ein ganzes Gebiet übertragen. So gerät man immer tiefer in ausgedehnte interdisziplinäre Untersuchungen hinein, die eine eindrucksvolle Zahl von Fachleuten voraussetzen: wie das Stirly County Project und die Midtown Mental Health Study. Hier begegnen wir dem Verfahren der Aufteilung, das Chancen hat, immer mehr Grundtechnik der Soziologie der Geisteskrankheiten zu werden.

Ein zweites Beispiel, an dem wir die zunehmenden Verfeinerungen der Methode zeigen wollen, ist die Untersuchung der Variablen. Wenn wir die in den verschiedenen Bevölkerungsformen vorgenommenen Untersuchungen miteinander vergleichen wollen, müssen wir sie zuvor homogenisieren. Nun variiert der Anteil der Geschlechter in den verschiedenen Völkern, es gibt junge und alte Völker; die Zahl der Geisteskrankheiten aber unterscheidet sich je nach Geschlecht und Lebensalter. Wenn wir nicht die notwendigen Korrekturen vornehmen, laufen wir Gefahr, bei den Vergleichen schwere Fehler zu begehen. Hollingshead und Redlich haben die Techniken für diese Korrekturen entworfen[18]. Geschlecht und Alter aber sind nicht die einzigen Variablen. Hinzukommen die rassischen oder ethnischen Unterschiede, die Unterschiede der Religion oder der Bildung, der Wohnung oder der sozialen Klasse. Diese Variablen vermischen sich miteinander. Welche ist grund-

14. Sanua, o. c., S. 16.

15. K. H. Fremming, »The expectation of mental uniformity in a sample of the Danish population«, zusammengefaßt von Sanua, o. c., S. 30.

16. R. W. Hyde, L. V. Kingslev und R. M. Chisholm, »Study in Medical Sociology«, III (*New England J. Med.*, 21, 1944, S. 612–618).

17. Joseph W. Eaton und Robert J. Weil, *Culture and Mental Disorders* (besonders die methodologischen Kapitel), Glencoe, Ill., 1955.

18. August B. Hollingshead und Frederick G. Redlich, *Social class and mental illness: a community study,* New York, 1958.

legend, welche untergeordnet? Läuft man nicht Gefahr, wenn man seiner speziellen Forschungsrichtung folgt, sei sie nun ökologisch, ökonomisch oder religiös, die untergeordnete Variable gegenüber der fundamentalen zu privilegieren? Mehl gibt uns ein Beispiel dafür. Ein großer Teil der Einwanderer in den Vereinigten Staaten kommt aus katholischen Ländern, und zumindest in der ersten Generation gehören sie zur Unterschicht. Der an der Variablen Religion interessierte Soziologe wird besonders hervorheben, daß die Katholiken einen höheren Prozentsatz an Schizophrenie als die Unitarier haben. Kann man aber dafür die Religion verantwortlich machen, liegt es nicht vielmehr an den sozialen Bedingungen, daß die Katholiken zur Unterschicht, die Unitarier zur Oberschicht gehören[19]? Der Soziologe muß also anstelle der analytischen Methode, die darin besteht, daß man jede Variable für sich prüft, eine Methode anwenden, die man als synthetische bezeichnen könnte. Hollingshead und Redlich machen den Vorschlag, zwei Differenzierungen zu unterscheiden, eine vertikale (Rasse, Religion, Volk) und eine horizontale (Beruf, Erziehung, Wohnung) und beide zu einer vielschichtigen Struktur zu verbinden. Dann wird jedes Individuum in diese beiden Achsen eingeordnet. Das geschieht mit Hilfe von numerischen Indices, die frei gewählt und gegeneinander abgewogen worden sind[20].

Uns scheint, daß diese »Strukturierung« der Variablen im Verhältnis zu den analytischen Studien, die ihnen vorausgegangen sind, einen großen Fortschritt bedeutet. Mit ihrer Verfeinerung aber werden die Techniken der Forschung immer komplizierter. Deshalb wird eine engere Zusammenarbeit mit den Mathematikern immer notwendiger werden.

Eine andere Methode zur Kontrolle der Variablen verwendet eine Kontrollgruppe neben der Versuchsgruppe. So stellt man zum Beispiel für die Puerto-Ricaner in New York zwei Gruppen auf, die denselben Prozentsatz von männlichen Bürgern, dasselbe Durchschnittsalter, denselben Prozentsatz von Junggesellen, dieselbe Durchschnittszahl von Brüdern oder Schwestern pro Person, denselben Prozentsatz von Katholiken und von Eltern mit Eigentum aufweisen. Man versucht, den ökonomischen Status der beiden Gruppen aneinander anzugleichen. So beträgt der mittlere Eigentumswert in der Versuchsgruppe 7800 $, in der Kontrollgruppe 6500 $. Das Einkommen pro Familie beträgt in der Versuchsgruppe 2010 $, in der Kontrollgruppe 2680 $. Wir wollen aber nicht weiter auf diese Methode eingehen, denn im Vergleich zu den anderen Zweigen der Soziologie bringt sie nichts Neues für die Soziologie der Geisteskrankheiten.

19. V. D. Sanua, o. c., S. 26.
20. Hollingshead und Redlich, o. c.

2. DIE FALLGESCHICHTEN

Wenn die statistische Methode die grundlegende Methode der Soziologie ist, so ist die Methode, die mit Fallgeschichten arbeitet, die Basis der Sozialpsychiatrie. Bedeutet das aber, daß diese zweite Methode auch bis zu einem gewissen Grade den Soziologen interessiert, daß ihr auch der Soziologe bei seinen Forschungen einen gewissen Platz einräumt? Wir werden sehen, daß der Soziologe ihr einen wertvollen Beitrag verdankt, wenn auch ihre Bedeutung in der Sozialpsychiatrie im strengen Sinne und soweit sie Zweig der Sozialpsychologie ist, weitaus umfangreicher ist.

Es ist nicht unsere Aufgabe, hier die Methode der Fälle zu beschreiben und zu kritisieren. Wir wollen nur folgendes in Erinnerung rufen: 1. Es bieten sich uns zwei Methoden an: der Fragebogen für die Geisteskranken (und ihre Umgebung), der drei Reihen von Fragen nach den organischen, physischen und physiologischen Faktoren, nach dem Milieu und schließlich nach den Wechselwirkungen zwischen diesen beiden Faktorengruppen enthält. Das ist die klassische Methode der Psychiatrie[21]. Dann gibt es eine feinere, tiefer gehende Methode, die sich nicht zufrieden gibt mit Antworten auf Fragen, die sich an ein waches Bewußtsein wenden, sondern in das »Verborgene« eindringen will mit Hilfe von Trauminterpretationen oder der Technik der freien Assoziation. 2. Die Methode der Fälle stößt auf gewisse Schwierigkeiten und hat deshalb, was immer auch einige darüber denken mögen, nicht mehr Vorzüge als jede andere Methode. Zuerst stellt sich die Frage: »Was ist ein Fall?« Das heißt, wodurch unterscheidet sich ein gesunder von einem kranken Menschen? Der Psychiater führt in seine Beobachtung von Anfang an die Begriffe normal und pathologisch ein[22]. Auf diesen Punkt von grundlegender Bedeutung werden wir noch zurückkommen. Zweitens: Während in der Statistik die Zahlen eine gewisse Neutralität erzwingen und dem *a priori* der Forscher Widerstände entgegensetzen, kommt es in den Fallgeschichten eher zu einer engen Verbindung zwischen Objekt und Subjekt. Die inneren Tendenzen, die Weltanschauung und die früheren Erfahrungen des Arztes spielen in seine Beobachtungen hinein. Die Beobachtung ist bereits Interpretation. Nicht von ungefähr ist die didaktische Analyse für den Psychoanalytiker obligatorisch. Sie soll die unbewußte Partizipation des Psychiaters am Objekt, das er analysieren soll, korrigieren.

Aber uns kommt es in diesem Buch nicht darauf an, eine Methodologie (die sich schnell mit einem Verhaltenskodex überschneiden würde) der Fallgeschichten aufzustellen. Wir wollen nur ihre Stellung innerhalb einer Soziologie der Geisteskrankheiten sehen. Die Unterscheidung zwischen der positivistischen Soziologie und der Soziologie des Verstehens scheint uns jedoch geeignet, auf diese Frage eine Antwort zu geben. Im ersten Teil dieses Kapitels sind wir von einer Soziologie des Durkheimschen Typs ausgegangen. Diese Soziologie sucht nach dem Warum, nicht nach

21. Vgl. ein Fragebogenmodell in T. G. Andrews, *Méthodes de la Psychologie,* franz. Übs., II, P. U. F., 1952, S. 706–710.

22. Vgl. die Diskussion v. Leighton: »Qu' est-ce qu' un cas«, c' est – à – dire comment peut-on définir le malade?, in *Interrelations . . .,* Milbank Memorial Fund, o. c.

dem Wie, beschränkt sich darauf zu erklären und lehnt es ab zu verstehen. Denn das Verstehen würde notwendigerweise zur Psychologie führen: man versteht nur dadurch, daß man auf seine eigenen Erfahrungen zurückgreift. Seit Dilthey und Max Weber vor allem ist die Soziologie des Verstehens verbreitet, sie hat die Festung Psychiatrie angegriffen. Die Statistiker können uns zwar Korrelationen zwischen gewissen krankhaften Erscheinungen und sozialen Variablen präsentieren, sie sind aber nicht in der Lage, uns verstehen zu lassen. Die Fallgeschichten könnten also ein zweites Kapitel unserer Soziologie bilden, das der Soziologie des Verstehens entsprechen würde.

Leider ist das nicht so. Gewiß verstehen wir, wenn ein Mensch eine depressive Krise erleidet, weil er entdeckt hat, daß seine Frau ihn betrügt oder weil er einen geliebten Menschen verloren hat. Wir sehen ein, daß die so betroffene Person leidet, unter einem Unglück leidet, das bei ihr psychische Störungen ausgelöst hat. Dieses Verstehen aber gibt nicht völligen Aufschluß über seine Depression, seinen Widerwillen gegen alles, die Blockierung seiner Aktivität usw., kurz, über das pathologische Gesamtbild, das die Depression zeigt. »So sehr wir das Erlebnis, die erschütternde Bedeutung desselben und den Inhalt des reaktiven Zustands verstehen, so wenig ist doch die *Umsetzung* in das Pathologische psychologisch verständlich[23].« Wir kennen nur die Gefühle, die wir selbst empfinden können, und man müßte erst einmal wahnsinnig sein, um den Wahnsinnigen verstehen zu können. Er versetzt uns in eine Welt, die anders als unsere ist. Und es ist schwierig, die Tür zu finden, durch die der Eintritt in diese Welt möglich ist. Anstatt den Wahnsinn zu verstehen, rekonstruieren wir ihn nach den Modellen der normalen Psychologie. Eine Anwendung für die Fallgeschichten müssen wir also außerhalb einer Soziologie des Verstehens suchen.

Wir müssen sie offenbar auf den Gebieten finden, die die Anwendung von »Lebensgeschichten« in der allgemeinen Soziologie oder in der Ethnologie begründen[24]. Die Fallgeschichten können dem Soziologen Anregungen zu Hypothesen geben oder ihm erlauben, sie zu kontrollieren oder mit gut gewählten Beispielen zu illustrieren, zuerst also können sie Hypothesen anregen. Die Psychoanalyse zum Beispiel regt den Soziologen dazu an, den kindlichen Erfahrungen bei der Ätiologie von psychischen Störungen eine große Bedeutung beizumessen. Freud und seinen Nachfolgern haben wir es zu verdanken, daß wir über zahlreiche Analysen minuziös beschriebener Fälle verfügen, bei denen sich dieser Einfluß zeigt. Wir haben hier also eine Arbeitshypothese, die der Soziologe unter der Voraussetzung übernehmen kann, daß er ihre Gültigkeit statistisch testet. Und damit ergeben sich Probleme. Denn die analytische Statistik ist gezwungen, die Variablen zu reihen. Grei-

23. Jaspers, K., *Allgemeine Psychopathologie*, Berlin 1966, S. 320.

24. Zu dieser Frage gibt es eine große Bibliographie, nennen wir nur G. W. Allport, *The use of personal documents in psychological science*, New York, 1942; L. Gottschalk, *The use of personal documents in history, anthropology, and sociology*, New York, 1945; eine Zusammenfassung des Problems findet sich bei: P. B. Foreman, »The theory of case studies« (*Social Forces*, 26, 4, 1948).

fen wir die »Praxis« der Kinderpflege heraus, ohne die allgemeine Situation der Eltern-Kinder-Beziehung in Rechnung zu setzen. W. H. Sewell hat bei 162 amerikanischen Landkindern die Wirkungen der Entwöhnung und der Erziehung zur Sauberkeit getestet. Er stellte dabei fest, daß die an der Brust ernährten Kinder und die Kinder, die allmählich entwöhnt worden waren, sich nicht von denen unterschieden, die brutal entwöhnt worden waren. Bei der Erziehung zur Sauberkeit scheint es eine Rolle zu spielen, ob früh oder spät mit ihr begonnen wurde. Aber die Kinder, die im Zusammenhang mit ihr bestraft worden sind, unterscheiden sich nicht von denen, die nicht bestraft worden sind. Das will natürlich nicht heißen, daß die Freudsche Theorie abzulehnen wäre. Wir erhalten aber schon ein objektiv kontrolliertes Element der Antwort: wichtig ist nicht die Praxis, sondern die allgemeine Atmosphäre, in der die kindlichen Erfahrungen sich abspielen[25]. Sie wird bestimmt durch die Beziehungen Vater – Mutter – Kinder.

Mit unserem zweiten Beispiel kommen wir der Sache näher. Arieti hat aufgrund klinischer Beobachtungen erarbeitet, daß die paranoiden Formen der Schizophrenie sich bei Kindern entwickelten, deren Mütter nicht die Handlungen, sondern die schlechten Gedanken schalten, während die katatonen Formen sich bei den Kindern entwickelten, die nicht selbst handeln konnten, weil ihre Eltern alles an ihrer Stelle entschieden. Wir würden also aufgrund zweier verschiedener pathologischer Typen zwei Typen von Interrelationen zwischen Eltern und Kindern finden: die Ablehnung und die Überprotektion[26]. Diese aus dem Studium der Fälle gewonnene Hypothese kann der Soziologe unter der Bedingung annehmen, daß er danach zumindest eine indirekte statistische Kontrolle vornimmt. In der folgenden Übersicht, die einer Studie von V. D. Sanua entnommen ist, finden wir die Verteilung der Ablehnung und Überprotektion bei Schizophrenen in zwei Familiengruppen: Juden und Protestanten.

	Paranoide Juden	*Katatone Juden*	*Paranoide Protestanten*	*Katatone Protestanten*
Ablehnung durch den Vater	10	2	10	11
Ablehnung durch die Mutter	7	7	10	0
Ablehnung durch beide	17	7	15	0
Ablehnung durch den Vater und Überprotektion durch die Mutter .	12	2	6	4
Überprotektion durch den Vater .	2	2	2	4
Überprotektion durch die Mutter .	27	43	16	35
Überprotektion durch beide	2	3	2	4
Andere	23	35	39	37

25. W. H. Sewell, »Infant training and personnality of a child«, in A. M. Rose, o. c.
26. S. Arieti, *Interpretation of Schizophrenia,* New York, 1955.

»Die Analyse zeigt zahlreiche Unterschiede zwischen jüdischen und protestantischen Schizophrenen wie auch zwischen Paranoiden und Katatonen. Die größte Zahl von Ablehnungen findet man in den Familien der schizophrenen Protestanten, die meisten Fälle von Überprotektion in den jüdischen Familien. Beim Vergleich der Zahl der Ablehnungen in den Familien mit Schizophrenen von paranoidem Typ mit den Familien mit Schizophrenen von katatonem Typ ergibt sich eine zwei- bis dreifach größere Häufigkeit in der ersten Gruppe[27]. Wir können daraus schließen, daß die Studien von Fällen zu Hypothesen führen können. Man kann nicht alle direkt oder indirekt testen. Aber in eine Soziologie der Geisteskrankheiten werden sie natürlich nur aufgenommen, nachdem sie zuvor soziologisch behandelt worden sind.

Zum zweiten können die Fallgeschichten uns dazu dienen, gewisse Fragen durch konkrete Beispiele zu illustrieren. Oder aber sie können Instrumente sein, mit denen wir unsere Hypothesen verifizieren. Dafür wollen wir ein Beispiel anführen, das wir in einem späteren Kapitel ausführlicher behandeln werden. Nach Faris und Dunham besteht eine, übrigens auch statistisch nachgewiesene, Beziehung zwischen dem Prozentsatz an Schizophrenie und den Stadtgebieten mit sozialer Desorganisation. Das scheint nahezulegen, daß Isolierung ein kausaler Faktor der Schizophrenie ist. Die Zahlen aber halten nur fest, daß Schizophrene sich mit Vorliebe in gewissen Vierteln ansiedeln, die Zahlen sagen nichts über die Ursachen der Krankheit aus. Hier erlauben uns die Lebensgeschichten, von der Korrelation zur Erklärung überzugehen. In der Tat zeigen uns diese Geschichten, daß in der Mehrzahl der Fälle die Kindheit dieser Psychotiker normal, ohne Symptome von Schizoprenie, verlaufen ist, daß die Krankheit sich erst später in der Isolierung, in den Vierteln mit sozialer Desorganisation entwickelt hat[28].

So kommt es zwischen dem Psychiater und dem Soziologen zu einem fruchtbaren Dialog. Und ihre scheinbar einander entgegengesetzten Methoden, von denen die eine sich auf das Allgemeine, die andere sich auf das Besondere richtet, erweisen sich als komplementär. Ist ein analoger Dialog zwischen dem Ethnologen und dem Soziologen möglich? Darüber wollen wir hier viel kürzer sprechen. Denn wir haben bereits gesagt, daß die grundlegende Methode der Ethnospsychiatrie die vergleichende Methode ist (sie kann unter verschiedenen Formen auftreten, zur Zeit aber vor allem als *cross cultural studies*). Aber die Soziologie der Geisteskrankheiten erlaubt es nicht, einen Kulturkreis zu verlassen. Wir glauben, daß der wichtigste Beitrag der Ethnologie weniger in einer besonderen Forschungstechnik, als in dem methodologischen *Geist* des Ethnologen besteht[29].

27. Victor D. Sanua, *Comparison of Jewish and Protestant Paranoia and Catatonic Patients, Diseases of the Nervous System,* 26, 6, 1962 (1–7).

28. Mehr darüber in Kap. IV. Über diese Dialektik zwischen Fallgeschichten u. Ökologie, Robert E. L. Faris, in J. Mc V. Hunt, Hrsg., *Personality and the Behavior Disorders,* New York, 1944.

29. Über Ethnopsychiatrie siehe R. Bastide, »Ethnologie et Psychiatrie«, in Poirier, *Traité d'ethnologie* (wird bei Gallimard erscheinen) und über die vergleichende Methode siehe John W. M. Whieting, »The cross-cultural method«, in Gordner Lindsey, Hrsg., *Handbook of Social Psychology.*

Den Ethnologen reizt die *Andersartigkeit*. Zweifellos wird er sie bis zu einem gewissen Grad aufheben, denn es gibt ja keinen Vergleich ohne eine »Identität der Basis« oder eine »Äquivalenz der Bedeutungen«. Doch an erster Stelle steht die Feststellung von der Verschiedenheit der Symptomatik in den vielfältigsten Kulturen. Als erste Regel wird er sich deshalb zu eigen machen, gegen seinen Ethnozentrismus anzukämpfen und die Neurosen oder Psychosen der anderen Völker nicht nach den Kategorien der abendländischen Psychiatrie zu beurteilen. In einem anderen Buch haben wir es abgelehnt, das Kind, den Primitiven und den Kranken, zu deren Gleichstellung man in einer noch gar nicht lang zurückliegenden Epoche neigte, auf derselben Stufe zu sehen[30]. Alle drei stellen uns in einer zugespitzten Form vor das Problem der Andersartigkeit. Die Ratschläge des Ethnopsychiaters, der darum bemüht ist, die Originalität jedes Zivilisationstypus zu bewahren, können also für den Psychiater nützlich sein und ihm erlauben, das zu überwinden, was Sullivan sein »kulturelles Handicap« genannt hat. Damit meint er die Tatsache, daß er in einer anderen Welt lebt als sein Patient[31]. Hier aber handelt es sich mehr um Ratschläge als um die Technik. Und diese Ratschläge sind für die Sozialpsychiatrie wichtiger als für die Soziologie der Geisteskrankheiten. Im Grunde wird diese Soziologie mehr die Resultate der Ethnospsychiatrie als ihre Annäherungsmethoden verwenden. Charakteristisch für unser Jahrhundert ist eine ungeheure Vermischung der Menschen und der Völker. Es gibt Auswanderung von Individuen oder Familien, provisorisch oder definitiv, freiwillig oder erzwungen. Die Auswanderer nehmen ihre Gewohnheiten mit und bewahren lange Zeit ihre Empfindungs- oder Denkgewohnheiten, ihre »Basispersönlichkeit«, die vor ihrer Abreise in der Lernzeit der Kindheit und durch die ganzen subtilen Einflüsse geprägt worden ist, die vom kulturellen Milieu auf die Persönlichkeit ausstrahlen. Sie bleiben mit der Welt ihrer Werte verbunden. Wenn der Soziologe die besonderen Mechanismen verstehen will, mit denen diese Auswanderer auf ihre neue Umgebung reagieren, muß er sich notwendigerweise zuerst mit dieser Welt der verinnerlichten Kulturen beschäftigen. Wenn wir mit Dr. Raveau die Neurosen der nach Paris verpflanzten Afrikaner studieren, betreiben wir dann Ethnopsychiatrie oder Soziologie?

3. DIE INTERDISZIPLINÄRE FORSCHUNG

Alles führt uns zu demselben Schluß. Es ist notwendig, eine sehr enge Beziehung herzustellen zwischen dem Psychiater und dem Soziologen und bei gewissen Forschungen zumindest auch eine mit dem Ethnologen. Das heißt, auf einem Gebiet, das so komplex wie das unsere ist, dürfen weder der Psychiater noch der Soziologe isoliert arbeiten. Sie müssen als Team zusammenarbeiten. Aber da die interdisziplinäre Forschung ihre Regeln hat, die von den geisteswissenschaftlichen Logikern noch

30. R. Bastide, *Sociologie et Psychanalyse*, o. c., Kap. VIII.
31. Zitiert von M. K. Opler, o. c.

nicht gut entwickelt worden sind, müssen wir um jeden Preis und soweit uns das möglich ist, diese bedauerliche Lücke schließen.

Gewiß kann man sich einen Psychiater vorstellen, der an der Soziologie interessiert ist und versucht, die Schlüsse der Soziologen auf seine eigenen Fallanalysen anzuwenden oder eine psychiatrische Soziologie aufzubauen. Ebenso kann man sich einen an der Psychiatrie interessierten Soziologen vorstellen, der sein System dadurch erarbeitet, daß er die Krankenblätter der Hospitäler studiert oder einen besonderen Fragebogen für bestimmte Kategorien von Kranken verwendet. Man braucht nur zu unserem ersten Kapitel zurückzublättern, um zu sehen, daß die Soziologie der Geisteskrankheiten wie die Sozialpsychiatrie so begonnen haben. Die Spezialisierung aber wird immer weiter betrieben, und man kann unmöglich alles wissen. Der Psychiater, der Soziologie betreibt, läuft bei allem guten Willen Gefahr, schwere Fehler zu begehen. Und der Soziologe, der sich für die Psychiatrie interessiert, bewegt sich auf einem Gebiet, für das er keine ausreichende Vorbildung besitzt. Wenn er sie in einzelnen Fällen besitzt, dann fehlt ihm die lange Praxis des professionellen Psychiaters. Auf jeden Fall ist es notwendig, daß sie einander kontrollieren. Diese doppelte gegenseitige Kontrolle stellt uns aber vor moralische und methodologische Probleme, die ziemlich schwer zu lösen sind.

Die Nordamerikaner scheinen ein besonders feines Gefühl für die moralischen Probleme zu haben. Sie unterscheiden zwei Typen von interdisziplinärer Forschung, die »autokratische« und die »demokratische« Forschung, je nachdem, ob es einen Chef gibt oder ob verschiedene Forscher auf einer Ebene zusammenarbeiten. Oft findet man in den soziologischen Zeitschriften der Vereinigten Staaten bittere Klagen über den Imperialismus der Mediziner, die um jeden Preis die kollektiven Forschungen leiten wollen. Sicher muß das demokratische Ideal die moralische Norm der interdisziplinären Forschung bleiben (vom methodologischen Standpunkt aus ist das eine andere Frage). Da aber diese Forschung von Menschen betrieben wird, schaffen ihre Leidenschaften, auch die moralisch reinen (die nicht aus dem Wunsch zu dominieren entstehen, sondern aus dem Glauben an den Wert der gewählten Wissenschaft, der sie sich ganz verschrieben haben), Spannungen, die sich in dramatischen Auseinandersetzungen um den Vorrang entladen. Zu dieser ersten Schwierigkeit kommt die Tatsache hinzu, daß die Soziologie und die Psychiatrie ihre Clans haben und daß der Kampf der Schulen in manchen Ländern besonders hart ist. Der Soziologe und der Psychiater identifizieren sich so sehr mit ihren allgemeinen Theorien, den Früchten ihrer oft langen, geduldigen und mühsamen Forschungen, daß sie einen anderen Standpunkt als den eigenen schwer ertragen können. Ihre Wahrheit erscheint ihnen als die Wahrheit. Einige Forscher fürchten sogar, einen Teil von dem, was ein Stück, das beste ihrer Persönlichkeit geworden ist, der interdisziplinären Forschung auszuliefern. Und die Forscher, die es dann übernehmen, tun es oft in der Absicht, ihren eigenen Standpunkt triumphieren zu lassen. Das alles sind banale Bemerkungen. Aber die interdisziplinäre Forschung ist ein Gebot unserer Zeit und wird es in den kommenden Jahren zweifellos in noch stärkerem Maße werden. Man muß anfangen, Askese zu predigen.

Vom methodologischen Standpunkt aus aber muß die interdisziplinäre Forschung zu einen kollektiven Schluß kommen. Das heißt sie muß, wenn wir von der Idee zum Handeln übergehen, zu einer Entscheidung kommen. Uns interessieren die Regeln, nach denen diese Entscheidung getroffen werden soll. Die erste Methode ist zum Beispiel die von Leighton und seinen Mitarbeitern. Sie ist zuerst in Amerika und später in Nigeria angewendet worden und besteht darin, daß man jedem Teilnehmer an der Forschungsarbeit größtmögliche Autonomie gewährt, daß man ihn mit seinen Methoden auf seinem Gebiet arbeiten läßt, aber einen Leiter einsetzt, der die Berichte studiert, sie miteinander vergleicht und daraus eine bestimmte Zahl von Hypothesen oder Schlüssen zieht. Natürlich gibt es eine freundschaftliche Diskussion, durch die die verschiedenen Erfahrungen ausgetauscht werden können. Die Demokratie in der Diskussion aber schließt nicht die Anwesenheit des »Leaders« der Forschung aus. Die Autonomie der verschiedenen Wissenszweige zeigt sich dennoch bis zum Schluß. Das veröffentlichte Buch, in dem jedes Kapitel das Werk von ein oder zwei Autoren ist, zeugt von dieser Koexistenz, die lediglich zur Einheit tendiert[32]. Bei der Community Survey Operation durch die man, wie wir schon erwähnten, in einer großen Gemeinschaft psychische Störungen, die nicht in einem Krankenhaus behandelt werden, finden wollte, waren die Psychologen damit beauftragt, den neuropsychiatrischen Fragebogen der amerikanischen Armee, den Multiphasentest von Minnesota und anderes anzuwenden. Das gesammelte Material aber wurde von Psychiatern durchgesehen, die daraus ihre Schlüsse zogen. Die Bücher von Kardiner sind das Ergebnis der Zusammenarbeit des Psychoanalytikers Kardiner und des Ethnologen Linton. Der Ethnologe aber schafft vor allem das zu berücksichtigende Material herbei, während der Psychoanalytiker letzten Endes die dominierende Rolle spielt[33]. Diese erste Methodologie der interdisziplinären Forschung hat einen unbestreitbaren Vorteil. Sie führt schneller und leichter zur Entscheidung, sie verhindert nicht die Demokratie bei der Arbeit, sie erleichtert sie sogar dadurch, daß sie jeder Forschergruppe auf ihrem besonderen Gebiet größtmögliche Freiheit gewährt. Es handelt sich hierbei jedoch um Forschungen, die wir »Schicht«-Forschung nennen möchten, denn es handelt sich um übereinanderlagernde Forschungsschichten, deren Gipfel die Psychiatrie ist.

Eine zweite Methodologie, die zur Zeit in den Vereinigten Staaten sehr viel angewandt wird, stellt das Ergebnis der interdisziplinären Forschungsarbeiten in einer »integrierten« Form dar. Wir können wohl voraussetzen, daß dabei der Psychiater die Aufgabe hat, die Patienten zu lokalisieren und in gültige psychiatrische Kategorien einzuteilen, während der Beitrag des Soziologen in seinen statistischen Berechnungsmethoden besteht. Wenn man aber die Artikel oder die veröffentlichten Bücher liest, merkt man nichts von dieser angenommenen Arbeitsteilung. Die Schlußfolgerungen werden in einer bewußt kollektiven Form gezogen. Ein Beispiel dafür sind die Untersuchungen über die Geisteskrankheiten und die

32. Vgl. A. H. Leighton, T. A. Lambo, C. C. Hughes, D. C. Leighton, J. M. Murphy, D. B. Macklin, *Psychiatric Disorder among the Yoruba*, Cornell Univ. Press, 1963.

33. A. Kardiner, *The Individual and his Society*, New York, 1939.

sozialen Klassen in den Vereinigten Staaten, die Redlich, ein Psychiater, und Hollingshead, ein Soziologe, angestellt haben[34]. Es erhebt sich aber die Frage, ob die Bescheidenheit bei den Schlußfolgerungen nicht aus Furcht davor zu erklären ist, daß die glückliche Zusammenarbeit in eine Krise geraten könnte. Diese Untersuchungen stellen im allgemeinen Korrelationen her zwischen Alter, Geschlecht, ökonomischer Kategorie, Bildungsgrad, Religion, Grad der sozialen Kohäsion einer Gruppe und der Häufigkeit des einen oder anderen Typs von Geisteskrankheit. Sie erklären aber nicht das Warum und oft nicht einmal das Wie dieser Korrelationen. Zweifellos geben viele Soziologen sich mit der Aufstellung von Fakten zufrieden. Doch ist es nicht, wie Durkheim in seinem Buch über den Selbstmord zeigt, die Voraussetzung dieser Fakten, daß neben den individuellen Faktoren andere, nämlich soziale Kräfte wirksam sind? Es ist zu fragen, ob viele integrierte interdisziplinäre Untersuchungen nur deshalb eine bestimmte Ebene nicht überschreiten, weil man fürchtet, dadurch eine Kooperation zu stören, die bisher auf gleicher Ebene stattfand, und Tendenz-Konflikte zu beschwören.

Das Ziel der interdisziplinären Forschung unterscheidet sich nicht von dem der individuellen Forschung: die Substitution eines gegebenen Gegenstandes durch einen konstruierten Gegenstand, oder, wie man es früher ausdrückte, der Übergang vom gewöhnlichen zum wissenschaftlichen Erkennen. Bachelard hat gut dargestellt, unter welchen Bedingungen ein einzelnes Subjekt oder ein Team von Wissenschaftlern, die alle zur selben Fachrichtung gehören müssen, ein Objekt konstruieren kann, durch welche Denkmechanismen oder rationalistischen Techniken man Präzision erreichen kann:

»Das genaue Objekt ist nicht möglich ohne einen genauen Gedanken. Ein genauer Gedanke aber ist ein Gedanke, der offen ist für Diskussionen über die Genauigkeit. Wenn man an den Ursprung der Tendenzen geht, gibt es keinen Zweifel, daß die Genauigkeit eine Instanz des Ich-Du ist[35].«

Der Wissenschaftler muß sich der Beaufsichtigung durch die anderen unterwerfen. Bei der interdisziplinären Forschung aber gehören die Beaufsichtigenden anderen Wissenschaftszweigen an, wodurch die Regeln des »angewandten Rationalismus«, kompliziert werden. Bachelards Dialektik muß deshalb umgekehrt werden. Bachelard hat gezeigt, daß das *Cogito* des Wissenschaftlers nur dann möglich ist, wenn es ein *Cogitamus* ist, das *Cogitamus* »des Bundes der Arbeiter am Beweis«. Hier gehen wir aus von einem *Cogitamus*, das man in ein *Cogito* verwandeln muß. Es geht darum, wechselseitiges Mißtrauen einzuführen in die Arbeit, die die Konstruktion des Objekts zum Ziel hat. Es geht darum, die Mechanismen der Zustimmung dadurch zu »dynamisieren«, daß man von einem Beweis zu einem anderen übergeht, der auf einer anderen Ebene liegt als der erste: Der Psychiater fordert den Soziologen heraus, der die Herausforderung annimmt. Der Psychiater aber äußert seinerseits Zweifel an der Objektivität der Konstruktion des Soziologen. So

34. A. B. Hollingshead und F. C. Redlich, *Social Class and Mental Illness,* New York, 1950.

35. Bachelard, *Le rationalisme appliqué,* P. U. F., 1949, Kap. III.

wird ein Mißtrauen nach dem anderen abgebaut, ein Beweis wird nach dem anderen durchgeführt, biologische, chemische, medizinische, psychologische, soziologische. Und so entsteht ein wissenschaftliches Objekt, dessen logische Kohärenz nur Ausdruck oder Ergebnis der soziologischen Übereinstimmung von Ich und Du ist. Vom Dialog kommt man zur Einheit des Objekts, dann verstummt schließlich dieser Dialog, weil die Einheit ein kollektives Werk ist. Die jungen Wissenschaftler scheinen diesen Weg einzuschlagen[36].

Die Fragen stellen sich also nicht mehr so wie zu Anfang des Kapitels: Gibt es einen übergeordneten Gesichtspunkt? Falls ja, welcher ist es? Wer hat das letzte Wort am Schluß der Debatte? Soll das Arbeitsteam vom Psychiater oder vom Soziologen geleitet werden? Denn man hat schließlich die Vielfalt der Techniken zu einer Kaskade von Beweisen und Gegenbeweisen vereinigt, und die Debatte zwischen den verschiedenen Wissenschaften hat sich in einen »Bund der Arbeiter am Beweis« verwandelt. Mit folgendem Gedanken aber muß man sich vertraut machen: Solange das zu untersuchende Objekt außerhalb der Wissenschaftler bleibt, kann jede Wissenschaft nichts anderes als eine einfache Erklärung sein. Deshalb wird man niemals in der Lage sein, die »Konkurrenten« davon zu überzeugen, daß eine Erklärung repräsentativer als die andere sei. Denn um das wirklich entscheiden zu können, müßte man sich notwendigerweise auf eine höhere Ebene begeben können. Eine »Super-Wissenschaft« aber gibt es nicht. Man muß also, wie Bachelard vorschlägt, das äußere Objekt umformen und durch eine wissenschaftliche Konstruktion ersetzen, denn jede Wissenschaft ist letzten Endes nur ein System von Konstruktionsregeln. Dann wird interdisziplinäre Arbeit möglich, was aber nicht heißen will, daß sie leicht zu verwirklichen sei. Man muß jetzt ein System mit mehreren Zugängen konstruieren. Bei einer Forschung, die rein empirisch sein will, begegnet man einem unüberwindlichen Hindernis, dem Fehlen einer Super-Wissenschaft, die im Fall einer Debatte entscheiden könnte, wer letztlich recht hat. Bei der interdisziplinären Arbeit dagegen wissen wir, wann eine Arbeit beendet ist. Die Kohärenz des konstruierten Objekts, seine zugleich logische und soziologische Kohärenz, ist der Beweis für das natürlich immer provisorische Ende der interdisziplinären Forschung, ohne daß es nötig wäre, sich eines *deus ex machina* zu bedienen, der zufällig der Schutzpatron der Forschung wäre.

4. DIE EXPERIMENTELLE FORSCHUNG

Seit den Anfängen der Soziologie hat es für die Soziologen, die den Geisteswissenschaften dieselben Charakteristika wie den Naturwissenschaften geben wollten, ein wichtiges Problem gegeben: Wie kann man die experimentelle Methode einführen? Von Comte bis Durkheim hat man dazu geneigt, in der komparativen Methode Ersatz für die experimentelle Methode zu sehen. Gewiß werden die Variablen

36. Zum Beispiel Dr. Courchet und Maucorps in ihren Untersuchungen über *Le Vide social* (wird erscheinen bei Mouton u. Cie, La Haye).

nicht wie in der Physik oder Chemie manipuliert, die beobachteten Veränderungen sind »natürlich«. Die Beobachtung kann jedoch nachträglich zeigen, daß diese Veränderungen nicht zufällig stattgefunden haben, sondern in Beziehung zu den Veränderungen des einen oder anderen Elements des Ganzen stehen. Diese Methode nennt man heute Experimentieren *ex post facto.* Mauß aber hat zur Zeit der Russischen Revolution im Werk der Sowjets den Willen begrüßt, die sozialen Faktoren bewußt zu manipulieren, um dadurch bestimmte Ziele zu verwirklichen. Er zieht daraus den interessanten Schluß, daß die Politik eine Form des soziologischen Experimentierens ist. Seitdem entsteht, in demselben Maße, wie die Ideale der Planung sich entwickeln, ein anderer Typ der experimentellen Forschung; die Identifizierung mit der angewandten Soziologie (kritische Prüfung der bewußten Manipulationen der Elemente einer Sozialstruktur durch die Planer). In beiden Fällen jedoch ist man trotz aller Verfeinerungen, die diese Methoden auszeichnen, niemals sicher, ob man alle Variablen kontrolliert. Denn in der Gesellschaft ist das Verborgene immer wichtiger als das Offenkundige.

So erklärt sich auch, daß es immer wichtiger wird, kleine Gruppen zu untersuchen. Im Zusammenhang mit Moreno und der französischen Schule der Soziometrie haben wir darauf in unserem vorhergehenden Kapitel angespielt. Man reproduziert experimentell möglichst einfache Situationen, durch die man bestimmte Arbeitshypothesen verifizieren kann. So stellt man zum Beispiel eine kleine Gruppe mit demokratischer Regierung und eine kleine Gruppe mit autoritärer Regierung auf. Man will hier beobachten, ob eine der beiden Gruppen bei der Lösung einer Aufgabe, vor die beide Gruppen gestellt wurden, effektiver ist. Diese Methode begegnet bekanntlich einer Reihe von Schwierigkeiten: Wie kann man, ohne Fehler zu befürchten, von einer künstlich gebildeten Gruppe auf »natürlich« entstandene Gruppen schließen, selbst dann, wenn sie so klein wie die Familie oder die Gruppe der Nachbarschaft sind? Mit welchem Recht darf man die Ergebnisse dieser »Mikrosoziologie«, wie die Amerikaner sagen, auf die Makrosoziologie übertragen? Wie kann man zum Beispiel die Überlegenheit der kleinen Gruppe mit demokratischer Regierungsform bei der Lösung der Aufgabe auf die Überlegenheit der demokratischen Regierung über das autoritäre System bei einer großen Nation übertragen?

Diese kritischen Bemerkungen, die im allgemeinen für die Soziologie der kleinen Gruppen gelten, verlieren aber glücklicherweise ihre Berechtigung zumindest dann, wenn man von den normalen Gruppen zu psychopathischen Gruppen übergeht. Zunächst einmal, weil das Krankenhaus eine normale künstliche Gruppe bildet, oder besser gesagt, weil im Krankenhaus die Künstlichkeit wissenschaftlich legalisiert wird. Zweitens, weil die Funktion des Krankenhauses darin besteht, die Kranken zu heilen, und weil jede Pflege in Manipulationen des Körpers oder des Geistes besteht. Auch die Manipulation, die in der klassischen Soziologie der kleinen Gruppen willkürlich blieb, wird hinter den Mauern der Klinik in den Augen der Wissenschaft »legal«. Im Lauf der letzten Jahre hat diese Manipulation immer mehr die Form der Gruppentherapie angenommen, das heißt, es war von der Therapie her erforderlich, »kleine Gruppen« zu bilden. Wenn man also von normalen zu anormalen Menschen übergeht, hat man alle Elemente einer gültigen Soziologie der kleinen Gruppen. Die Kritik, über die wir gesprochen haben, berührt sie zum großen Teil nicht. Natürlich darf man nicht auf die Gesunden übertragen, was in einer Gruppe von Geisteskranken »experimentiert« worden ist. Um über ihren Wert urteilen zu können, wollen wir an ein paar Beispielen solche Experimente beschreiben.

Man kann Stühle bogenförmig anordnen, sie in einem Kreis um einen Tisch stellen, sie in einer Reihe aufstellen und jedem Patienten einen bestimmten Platz anweisen. Am besten aber ist es, die Stühle ungeordnet zu lassen und die Patienten aufzufordern, sie sollten sich hinsetzen, wo sie wollen. Dann beobachtet man, daß sich Patienten mit einem Bedürfnis nach Sicherheit in die Nähe des Therapeuten setzen. Im Gegensatz dazu neigen Patienten mit passivem Verhalten, die Schwierigkeiten bei der sozialen Partizipation haben, dazu, sich so weit wie möglich vom Therapeuten zu entfernen. Sie setzen sich zum Beispiel an die Enden des Bogens. Die besonders ängstlichen Individuen setzen sich auch an die Enden, denn die eingeschlossenen Plätze vergrößern nur ihre Angst; sie suchen sich einen Platz, den sie so schnell wie möglich verlassen können. Neben diesen von Störungen der Persönlichkeit herrührenden »Lokalisierungen« gibt es andere, die durch die normalen Faktoren der Geselligkeit hervorgerufen werden. So setzten sich zum Beispiel die Kranken, die es gewohnt waren, sich außerhalb dieser Sitzungen zu treffen, nebeneinander und bildeten so innerhalb der Gruppe regelrechte Untergruppen. Das Experimentieren besteht also darin, daß man diese beiden Faktoren der Lokalisierung variieren läßt und beobachtet, was daraufhin geschieht. Zunächst kann man den Faktor Persönlichkeit variieren lassen. So hatten wir eine Hysterikerin, die Schwierigkeiten bei der sozialen Partizipation und vor allem bei Männern hatte. Ihre Analyse hatte Aggressivität gegenüber dem Vater und den Willen gezeigt, überall eine höhere Position einzunehmen. Sie nahm immer dem Therapeuten gegenüber Platz. Dieser Patientin wurde erklärt, daß ihre Störungen auf den Ödipus-Komplex zurückzuführen seien. Das führte zunächst dazu, daß sie an der Gruppentherapie nicht mehr teilnahm. Als sie dann wiederkam, setzte sie sich zunächst an das Ende des Bogens, zuletzt auf jeden beliebigen Stuhl. Zweitens kann man die soziologische Variable verändern, man kann zum Beispiel »Isolierte«, im allgemeinen sind das Neuankömmlinge, in eine aus Freunden bestehende Untergruppe einführen. Diesen Versuch können wir nicht bis in alle Einzelheiten verfolgen. Wir können aber daraus den Schluß ziehen, daß der soziale Bereich bei den Kranken genau wie bei uns, aber nach anderen Regeln strukturiert ist. Die Abstände von einem Mittelpunkt (hier der Therapeut) bilden sich als Funktion der Verteidigungsmechanismen des Ich. Die normalen soziologischen Elemente dagegen, die hier eine Rolle spielen können, gehorchen anders strukturierten Regeln, sie sind Funktion der affektiven Annährung. Deshalb tendieren sie dazu, die therapeutische Gruppe in mehrere voneinander getrennte Untergruppen zu zerbrechen[37].

37. David Azoubel Neto, »Localizaçao em psicoterapia do grupo« (*Rev. de Psich. normal e patologica,* Sao Paulo, Brésil, III, 3, 4, 1957).

Oft ist die Frage diskutiert worden, ob eine therapeutische Gruppe homogen oder heterogen sein soll. Interessanter noch ist die Frage, was in einer homogenen Gruppe geschieht, wenn man einen »Fremden« in sie einführt. Der Fremde wird immer als »fremd« empfunden. Deshalb ist er für die ihn aufnehmende Gruppe zweideutig, oft wird er ihr Feind. Simmel hat in seiner *Soziologie* alle diese Vorgänge untersucht. Als zweites Beispiel wählen wir folgenden Versuch aus: Ein von den Normen der Gruppe abweichendes Individuum wird in eine Gruppe eingeschaltet. Natürlich dürfen wir hier nicht an einen im soziologischen Sinne Abweichenden denken, wie zum Beispiel an einen Mann in einer Gruppe von Frauen (denn er kann sich nur für eine einzige Frau interessieren und dadurch in der Gruppe eine Krise verursachen, die auf Kosten der Heilung, des eigentlichen Ziels des Therapeuten geht) oder in den Vereinigten Staaten an einen Farbigen in einer Gruppe von Weißen (denn die Weißen hören dann auf, sich frei zu äußern, aus Furcht davor, daß der Farbige sich als Zielscheibe der allgemeinen Feindseligkeit fühlt und sich zu rächen sucht. Wenn man das Experiment durchführt, zeigen die Träume der Weißen diese Panik.) Wir meinen einen im pathologischen Sinne Abweichenden, das heißt einen Kranken, der zu einer anderen nosologischen Kategorie als die Gruppe gehört. Auch hier ist der Therapeut, der letztlich die Heilung im Auge hat, dazu gezwungen, das Versuchsfeld zu begrenzen. Er wird davon absehen, einen Epileptiker einzuführen, weil er befürchtet, daß er während der Sitzung einen Anfall haben könnte. Wenn wir einen, wie wir es genannt haben, im soziologischen Sinne Abweichenden einführen wollen, ergeben sich übrigens dieselben Probleme, die man im täglichen Leben beobachten kann: Ein Amerikaner wird von einer englischen Gruppe »in Quarantäne« gesetzt, eine Gruppe will einen Neuankömmling, einen noch unberührten jungen Mann in die Liebe einführen ... Wenn aber ein Schizophrener in eine Gruppe von Nicht-Schizophrenen eingeführt wird, sieht man, wie er sich auszudrücken und mitzuteilen versucht, sich von der Umgebung zum Handeln und Teilnehmen ermutigt fühlt. Wenn ein Heterosexueller in eine Gruppe von Homosexuellen eingeführt wird, verstehen die Homosexuellen einerseits besser die latenten Konflikte, die die Neurosen der Heterosexuellen hervorgerufen haben, andererseits neigt der Heterosexuelle dazu, »Propagandist« zu werden und die anderen Mitglieder der Gruppe zu bekehren. Wir können aus diesen Erfahrungen den Schluß ziehen, daß die Annahme durch die Gruppe den von ihr Abweichenden gegenüber seinen Problemen ruhiger macht, ja sogar seine Angstgefühle und Furchtreaktionen vermindert und ausschaltet[38]. Der Versuch zeigt uns jedoch, daß auch der Therapeut ein »Abweichler« ist, nicht nur manchmal soziologisch (wenn er zum Beispiel zu einer religiösen oder ethnischen Minderheit gehört), sondern auch pathologisch (in dem Sinn, daß er zu der Welt gehört, die als normal angesehen wird). Folglich lehren uns die Vorgänge bei der Gruppentherapie in dem Fall, daß Fremde in kleine Gruppen eingeschleust werden, durch welche

38. Asya L. Kadis und Ch. Winick, »The Role of the Deviant in the Therapy of Group« (*The Int. J. of Social Psychiatry*, VI, 3–4, 1960).

Mechanismen man das überwinden kann, was wir weiter oben »das kulturelle Handikap« des Psychiaters genannt haben.

Bisher haben wir nur von »sichtbaren Experimenten« gesprochen. Selbstverständlich ist es beim jetzigen Stand der Forschung, die sich noch im Anfangsstadium befindet, schwierig, im experimentellen Bereich etwas anderes als sichtbare Experimente zu machen. Von ihnen wird man notwendigerweise zu Kontrollversuchen übergehen, die für die Ausbildung der Wissenschaft unendlich viel mehr Bedeutung besitzen. Courchet und Maucorps haben eine andere psychiatrische Erscheinung, die »Blitz-Psychose«, die ebenso schnell ausbricht wie verschwindet, entdeckt oder wiederentdeckt. Sie waren in der Lage, diese Kranken in bestimmten Milieus zu lokalisieren: Es handelt sich um Landarbeiter, Tagelöhner, die auf großen Besitzungen arbeiten, oder um in der Anonymität der großen Städte verlorene Hilfsarbeiter. Beide leben ohne Bindung zum Kollektiv. Beide Wissenschaftler entwickelten die Hypothese, daß es neben der Entfremdung und der Ausbeutung Krankheiten gibt, die einfach durch das »soziale Vakuum« hervorgerufen werden. Um diese Hypothese zu überprüfen, haben sie eine »Apetotherapie« genannte Technik der Gruppentherapie entwickelt. Sie besteht in einem Kampf gegen die Apathie der Kranken, indem man in ihnen den Sinn für den Anspruch auf etwas entwickelt. Die Hypothese wird durch eine sehr intensive quantitative Analyse verifiziert[39]. Wie die Autoren in ihren Schlußfolgerungen betonen, steht ein Vergleich dieser Apetotherapie mit der Arbeits- oder Spieltherapie noch aus. Man müßte feststellen, ob den Hauptanteil an der Heilung der Inhalt der Aufgabe (hier der Anspruch auf etwas) oder lediglich die Tatsache hat, daß eine Aufgabe gemeinsam durchgeführt wird, die nur von einer organisierten Gruppe getan werden kann.

*

So vermehren sich allmählich die Forschungen. Neue wissenschaftliche Arbeitsmethoden treten ans Licht, während die alten immer mehr verfeinert werden. Wir verfügen also über immer präzisere Mittel zum Ausbau einer Soziologie der Geisteskrankheiten. Zu welchen Ergebnissen sind wir damit gekommen?

39. Courchet und Maucorps, o. c.

Drittes Kapitel

Prolegomena zu einer Soziologie der Geisteskrankheiten

Bevor wir uns aber mit der Gesamtheit dieser empirischen Forschungen und ihren Ergebnissen beschäftigen, müssen wir bestimmte Präliminarfragen beantworten. Denn bei unseren früheren Überlegungen historischer oder methodologischer Art sind wir wiederholt Begriffen wie »normal« oder »pathologisch« begegnet, Begriffen, deren Definition wir noch ausgeklammert haben oder auch allgemeinen Problemen, deren Lösung wir auf später verschoben haben. Denken wir zum Beispiel an die Frage, ob die Geisteskrankheit soziale Ursachen haben kann oder nicht. Der geschichtliche Überblick, den wir gegeben haben, und die beschriebenen Methoden setzen voraus, daß das Soziale auf das Psychische und das Organische einwirkt. Alle empirischen Forschungen, die wir in den folgenden Kapiteln zusammenfassen werden, postulieren die Existenz von »sozialen Faktoren« der Geisteskrankheiten und bemühen sich, sie zu entdecken. Lassen wir uns hier aber nicht durch eine Illusion täuschen? Wenn wir schließlich zu dem Ergebnis kommen würden, daß die »Biologisten« und nicht die »Soziologen« recht haben, wäre dann eine Soziologie der Geisteskrankheiten noch sinnvoll zu vertreten, die sich natürlich auf andere Prinzipien gründen müßte? Und wenn ja, wo müßten wir sie suchen?

Das vorliegende Kapitel ist diesen »Voraussetzungen« jeder soziologischen Theorie der Geisteskrankheiten gewidmet. Beginnen wir mit der Definition des Normalen und des Pathologischen.

1. WAS IST EIN PATHOLOGISCHER FALL?

Normal ist, was der Norm entspricht. Kann aber nicht, da jede Zivilisation ihr eigenes Normsystem hat, das, was in einer Zivilisation als normal gilt, in einer anderen als pathologisch angesehen werden, und umgekehrt? Klar ist, daß diese Frage für die Ethnopsychiatrie von Bedeutung ist. Die Soziologie der Geisteskrankheiten, so wie wir sie in der Einleitung zu diesem Buch definiert haben, könnte diesem Problem zur Not aus dem Wege gehen, da ja bei ihr der Kranke und der Psychiater derselben Zivilisation angehören und folglich beide von demselben Normsystem abhängig sind. Der allgemeine Konsensus ist sich einig über die Kriterien, die den »geistig Gesunden« vom »Wahnsinnigen« unterscheiden. Wir können aber nicht vollkommen die Diskussionen ignorieren, in denen Anthropologen und Psychiater sich über die Relativität des Normalen und des Pathologischen auseinandergesetzt haben. Denn in ihnen haben sich allmählich Begriffe entwickelt, die für die psychiatrische Soziologie ebenso interessant sind wie für die Ethnopsychiatrie.

Ausgangspunkt der Debatte ist der berühmt gewordene und oft zitierte Artikel von Ruth Benedict: *Anthropology and the Abnormal*[1] gewesen. Sie bezog sich darin auf eine Anzahl von Fakten, auf die die Ethnologen aufmerksam gemacht hatten: auf die Normalität der Trance in den schamanischen Gesellschaften, die der Homosexualität in Gesellschaften »à berdaches«, den paranoischen Charakter der melanesischen Kulturen (Dobu), die Billigung der Megalomanie durch die Kwakiutl. Sie zog daraus den Schluß, daß die Fakten, die im Abendland insgesamt als pathologisch angesehen werden, in anderen Gesellschaften als völlig normal gelten. Der Begriff »normal« ist eine Variante des Begriffes »gut«, eine normale Handlung ist eine gute Handlung, die vom Kollektiv gebilligt wird und mit dem Ideal der Gruppe übereinstimmt. Die Kwakiutl-Kultur gründet sich auf die Sitte des Potlatch, das heißt auf den Kampf um das Prestige. Während wir die paranoide Veranlagung als pathologisch betrachten, sehen die Kwakiutl darin eine besondere Begabung. Deshalb steht sie ja am Anfang der Wettkämpfe, der Herausforderungen, der Schlachten um Geschenke und Gegengeschenke. Gehen wir noch weiter: Jede Erziehung wird zum Ziel haben, die Keime der Paranoia beim Kind zu pflegen und zu entwickeln. Das zu passive, zu sanfte und zu gehorsame Kind wird man als »anormal« betrachten. Ebenso ist es selbstverständlich, daß uns der Argwohn, der zum Verfolgungswahn führt, als psychische Störung erscheint. Bei den Dobu aber gilt der Argwohn niemals als eingebildet. Er entspricht einer »magischen« Kultur, bei der man in jedem Augenblick die unsichtbaren Angriffe der Zauberer fürchten muß. So ist das für den Argwohn prädisponierte Individuum in vollkommener Übereinstimmung mit den traditionellen Werten. Und wer nicht an diese Kultur angepaßt ist, wird von ihr selbst dazu gezwungen, sich anzupassen.

Ruth Benedicts Warnung vor dem Ethnozentrismus der Psychiater ist sehr nützlich gewesen. Vorher war man zu sehr in dem Glauben befangen, daß unsere psychiatrischen Begriffe eine universale Gültigkeit haben, daß man sie überall und immer anwenden könnte. Ruth Benedict fordert uns auf, die anderen Menschen nicht nach unserem eigenen Wertsystem oder unseren Modellen idealen Verhaltens zu messen, als sei jeder Mensch mit einem Abendländer identisch. Gibt es aber nicht auch bei Ruth Benedict noch einen Rest von Ethnozentrismus, der sichtbar wird an dem dauernden Vergleich mit unserer eigenen Gesellschaft? Begründet sie nicht die Relativität des Normalen und des Pathologischen, indem sie von Kategorien ausgeht, die von der abendländischen Psychiatrie entdeckt und geordnet worden sind (mystische Hysterie, Paranoia usw.)? Wenn die Reaktionen, die uns krankhaft erscheinen, in Wirklichkeit durch die Gesellschaftsnormen hervorgerufen werden, darf man nicht mehr von der Relativität des Anormalen sprechen. Wir befinden uns dann außerhalb des Pathologischen, sind normalen kulturellen Mechanis-

1. Wiederaufgenommen z. B. in Douglas G. Haring, Hrsg., *Personal Character and Cultural Milieu*, Syracuse Univ. Press, 1949. Vgl. auch von R. Benedict, *Patterns of Culture*, Boston, 1934, und Kap. 23 (von Gregory Bateson) in Mc. V. Hunt, Hrsg., *Personality and the Behavior Disorders*, Bd. II, New York, 1944.

men gegenübergestellt. Deshalb hat Foley, der wahrscheinlich von Ruth Benedict ausging, sie aber überwand (indem er die letzten Spuren von Ethnozentrismus beseitigte, von dem sie sich nicht ganz hatte befreien können), ein statistisches Kriterium für Anormalität[2] vorgeschlagen. Das anormale Verhalten »weicht« ab von der Norm, das heißt von der zentralen Tendenz eines Volkes, vom allgemeinen Verhalten der Menschen einer Gruppe. Das normale Verhalten dagegen herrscht in einem bestimmten Augenblick vor, ist das allgemeinste, verbreitetste Verhalten, dessen Vorkommen die höchsten Prozentsätze erreicht. Foleys Kriterium hat sicherlich ein Verdienst, das man nicht genug hervorgehoben hat. Es zeigt ein Bemühen, das Problem des Pathologischen aus der Subjektivität der Werturteile herauszuholen und ihm eine wissenschaftliche Basis zu geben. Natürlich eliminiert er die Werte nicht, aber sie werden als kollektive »Fakten« betrachtet, die quantifizierbar sind und beobachtet werden können, nicht als »Werturteile«. Hier wird also ein ähnlicher Versuch unternommen wie bei Durkheim in *Les Règles de la méthode sociologique.* Er sucht auch nach einer objektiven Definition des Pathologischen, lehnt es aber ab, das Normale mit dem Durchschnittlichen zu identifizieren. Marie Jahoda ist der Auffassung, daß Foleys Kriterium in der Ethnologie auf eine kleine Gesellschaft angewendet werden kann, aber nicht für die Soziologie gültig ist, das heißt für eine Gesellschaft wie die unsrige, in der die allgemeine Uniformität geringer ist, wo der Durchschnitt nicht extreme Punkte in der Verhaltenskurve ausschließt[3]. Wegrocki seinerseits bemerkt, daß die Statistik einen Grad weniger oder mehr registriert (man ist mehr oder weniger paranoisch), daß sie aber nicht den Gegensatz zwischen dem Normalen und dem Pathologischen definiert. Sicher gibt es Anormalitäten, die von einem Grad abhängig sind. Andere sind jedoch nicht meßbar, weil sie auf einem anderen Substrat beruhen. Kurz gesagt, die Statistik kann sich nur auf das Verhalten gründen, das sich beobachten läßt. Sie kann also »Abweichungen« enthüllen. Ein Verhalten aber wird nicht deshalb pathologisch genannt, weil es vom allgemeinen Verhalten der Gruppe abweicht. Wichtig ist der »Grund« für das Phänomen. Die Halluzinationen der Prärie-Indianer zum Beispiel sind nicht deshalb anormal, weil sie ein allgemeines, normativ durch die Kultur bedingtes Phänomen sind, sondern weil diese Halluzinationen nicht wie bei unseren Schizophrenen durch einen inneren Konflikt hervorgerufen werden. Und in einem Satz, der seine Gedanken wunderbar zusammenfaßt, schließt Wegrocki: »Das ›anormale‹ Verhalten der Indianer ist dem der Psychotiker analog, nicht aber homolog[4].«

Am Ende dieser Diskussion sind wir so wieder vom »Culturalisme« zur abendländischen Psychiatrie zurückgekehrt, von deren als allgemein gültig beurteilten

2. John P. Foley jr., »The criterium of abnormality« (*The Journ. of Abn. and Soc. Psych.*, XXX, 3).

3. Marie Jahoda, in Arnold M. Rose, Hrsg., *Mental Health and Mental Disorder,* New York, 1955.

4. Henry G. Wegrocki, »A critique of cultural and statistical concepts of abnormality«, in Cl. Kluckhohn und H. A. Murray, *Personality in Nature, Society and Culture,* New York, 1948.

Kategorien Ruth Benedict uns befreien wollte. Letzten Endes ist tatsächlich der Psychiater, und nur der Psychiater, in der Lage, die Kriterien zu liefern, die eine Unterscheidung zwischen pathologischem und normalem Verhalten ermöglichen. Für Wegrocki besteht pathologisches Verhalten in einer Fluchtreaktion vor einem inneren Konflikt und ist mit Elementen in der Konstitution oder einer Verletzung verbunden. Für Hsu ist der Kranke ein Mensch, der von seiner Vergangenheit, seinen Kindheitserfahrungen in einem solchen Maße verfolgt wird, daß er nicht mehr in der Lage ist, sich der gegenwärtigen Situation anzupassen. Normal ist der Mensch, der seine Vergangenheit verdrängt hat, um sich der Gegenwart anzupassen[5]. Den Standpunkt, daß allein der Psychiater berechtigt ist, zu definieren, was ein pathologischer Fall ist, nimmt im allgemeinen die französische Psychiatrie ein. Sie gibt wohl zu, daß gewisse psychotische Syndrome in den einzelnen Völkern unter verschiedenen Aspekten auftreten können, daß die Formen des instinktiven Verhaltens durch Lebensgewohnheiten geprägt sein können, die von einem zum anderen Volk wechseln. Jenseits dieser oberflächlichen Erscheinungsformen aber gibt es etwas Konstantes, die biologischen Störungen nämlich, die das pathologische Verhalten bedingen[6]. Charakteristisch für das Kulturelle ist die Veränderlichkeit, für das Biologische aber die Universalität und Permanenz der Gesetze. Die nordamerikanische Psychiatrie äußert sich zurückhaltender, auch wenn sie Ruth Benedict oder Foley kritisiert. Manchmal läßt sie ekklektisch alle drei Kriterien, das kulturelle, das statistische und das psychiatrische, gleichzeitig gelten, wendet sie aber wie Morgan auf verschiedene Gebiete der Anormalität an. Nach Morgan gilt das erste Kriterium für die Psychoneurosen, das zweite für die sexuellen Anomalien oder die schwächsten pathologischen Störungen, das dritte für die funktionellen Psychosen[7]. Manchmal fügt sie dem kulturellen Kriterium das psychiatrische hinzu und stellt wie Kluckhohn fest, daß es unter den »Abweichlern« immer Geisteskranke gibt: »Alle Kulturen müssen notwendigerweise die Individuen als anormal betrachten, deren Verhalten nach den kulturellen Normen nicht voraussehbar ist oder (und hier der wichtige Zusatz) mit denen eine Kommunikation unmöglich ist oder die nie in der Lage sind, ein Minimum von Kontrolle über ihre Triebe auszuüben[8].« Linton unterscheidet die absoluten Anormalitäten, die sich in allen Gesellschaften finden und eine Grundlage in der Konstitution haben, von den relativen Anormalitäten, die den Grad der Nähe oder Entfernung messen, in dem ein bestimmtes Persönlichkeitsbild sich dem kulturell determinierten Bild der Basispersönlichkeit annähert oder von ihm abweicht[9]. Dieser Standpunkt wird durch die ethnologi-

5. Francis L. K. Hsu, »Anthropology and Psychiatry: a definition of objectives and their implications« (*Southwestern Journ. of Anthrop.*, VIII, 2, 1952).

6. Siehe z. B. Y. Roumejon, »Le problème de l'identité des psychoses à travers les facteurs ethniques« (*Evol. Psychiat.*, 1956, 3).

7. J. J. B. Morgan, *The Psychology of Abnormal People*, New York, 1928.

8. Zitiert von Marie Jahoda, »Le milieu et la santé mentale« (*Rev. int. des Sc. sociales*, Unesco, XI, I, 1959).

9. Ralph Linton, *Culture and Mental Disorders*, Springfield, Ill., 1956.

schen Forschungen bestätigt. Es hat tatsächlich den Anschein, daß alle Völker mehrere Typen der Anormalität unterscheiden und daß unter ihnen genau die Anormalitäten auftreten, die unsere Psychiater als geistige Störungen definieren. Um uns auf ein einziges Beispiel zu beschränken, die Australier unterscheiden die Übernormalen, die »starken Menschen« (margidjbu), die mit übernatürlichen Kräften begabt sind, die Unternormalen, die zwar nicht »außerhalb der Gruppe« stehen, aber nicht wie die anderen handeln (das entspricht dem kulturellen Kriterium) (bengwar), schließlich die »Opfer der Zauberer«, die ihres Verstandes beraubt und genau unsere Geisteskranken sind (psychiatrisches Kriterium)[10]. Trotzdem bliebe von der These des kulturellen Relativismus noch folgendes übrig. 1. Es ist anzunehmen, daß die verschiedenen Typen von Geisteskrankheiten in den einzelnen Rassen und Zivilisationen ungleichmäßig verteilt sind. Eine statistische Aufstellung darüber steht allerdings noch aus. Der Buddhismus zum Beispiel wird als Beschützer der schizoiden Persönlichkeit angesehen, weil er durch seine asketischen Praktiken und seine Realitätsflucht verhindert, daß die schizoide Veranlagung sich bis zur Schizophrenie entwickelt. Es soll in Indien zwei- oder dreimal weniger Schizophrene geben als in Amerika. – 2. Die Verschiedenheit der kulturellen Formen, die derselbe Krankheitstyp annehmen kann, das heißt die Relativität der Symptome, arktische Hysterie, Amok, Witigo der Kanadischen Indianer, Koro bei den Malaien, usw. – 3. Der Gedanke, daß eine Kultur Individuen tolerieren kann, die in einer anderen nicht geduldet werden würden. Ferner sogar, daß sie institutionelle Organisationsformen finden kann, die es erlauben, diese Individuen in die Gesellschaft zu integrieren[11].

Wir haben eben, so kurz wie möglich, die Debatte zusammengefaßt, die die Anthropologen und Psychiater in den letzten zwanzig oder fünfundzwanzig Jahren geführt haben. Wir haben allerdings eine Anzahl von Fragen beiseite gelassen, die dieser Debatte aufgepfropft worden sind. Auf sie müssen wir jetzt etwas ausführlicher zu sprechen kommen. Denn, wie wir bereits gesagt haben, betrifft die allgemeine Debatte vor allem die Ethnopsychiatrie, die Diskussionen aber, die sich an sie anschlossen und von denen wir sprechen wollen, beziehen sich an erster Stelle auf den Gegenstand dieses Buches: auf die Soziologie der Geisteskrankheiten.

Wenn man sich das Thema der kulturellen Relativität des Normalen und des Pathologischen, wie wir es mit Ruth Benedict definiert haben, in Erinnerung ruft, so sieht man, daß das Normale das Normkonforme und das Pathologische eine »Abweichung« von der Norm ist. Daraus ergibt sich die Frage, die ebenso viele

10. R. M. Berndt und C. H. Berndt, »The concept of abnormality in an australian arborigenal society«, in G. B. Wilburg und W. Quenstenberger, *Psychoanalysis and Culture*, New York, 1951.

11. Die Bibliographie ist endlos. Man findet sie in Linton, o. c. Das Beispiel mit dem Buddhismus haben wir Dubois entnommen, »Some anthropological perspective on psychoanalysis« (*Psychoan. Rev.*, XXIV, 1937), und einen Gedanken aus George de Vos, »A quantitative Rorschach assessment of maladjustment and rigidity in acculturating Japanese Americans« (*Genetic Psych. Monographs*, 52, 1955). Einen guten Überblick über den jetzigen Stand der Forschung bei dieser Frage findet sich in Henri Ellenberger, »Aspects culturels de la maladie mentale« (*Rev. de psycho. des peuples*, XV, 3).

Ethnologen wie Psychiater gestellt haben: Kann man die Phänomene der Abweichung mit denen der pathologischen Anormalität identifizieren? Parsons, der die Abweichung untersucht, definiert sie als Widerwillen oder Unvermögen des Ich, gewisse Regeln zu verinnerlichen und sein Verhalten den sozialen Normen anzupassen. Er unterscheidet vier verschiedene Typen: den Hyperkonformisten, den Rebellen, den Ritualisten und den Flüchtenden. Auch wenn es unter den Nervenkranken mehr Flüchtende oder Ritualisten geben mag, steht fest, daß die Abweichung ein soziologisches und nicht ein psychiatrisches Phänomen ist. Wenn die französischen Soziologen den *»marginalisme«* untersuchen, der *grosso modo* bei uns dem angelsächsischen Terminus Abweichung (*deviance*) entspricht, so verstehen sie darunter noch nicht verwurzelte Einwanderer, Kriminelle, Prostituierte, Gammler ebenso wie Geisteskranke. Gewiß kann der Gammler ein Minderbegabter sein, der Kriminelle ein Paranoiker, der Einwanderer kann in einer Phase seines Lebens eine Nervenkrise durchlaufen. Trotzdem ist der soziale *»marginalisme«* nicht identisch mit der psychiatrischen Anormalität. Ruth Benedict hätte also den Fehler begangen, kulturelle Normalität und geistige Gesundheit, zwei verschiedene, ihrem Wesen nach heterogene Begriffe, miteinander zu vermischen (zweifellos deshalb, weil beide oft miteinander verbunden sind) und die Relativität des ersteren (in der Tat hat jede Kultur ihre typischen Abweichler) auf die zweite Normalität zu übertragen, die ein »menschliches«, nicht mehr ein »kulturelles« Substrat hat[12].

Dévereux hat diese Verwirrung vielleicht am einleuchtendsten gezeigt[13]. Zunächst stellt er fest, daß soziale Anpassung vom psychiatrischen Standpunkt aus kein Zeichen für geistige Gesundheit ist. Der Konformismus kann pathologische, besonders sado-masochistische Formen annehmen. Ferner stellt er dar, daß die Nichtanpassung eher Folge als Grund der geistigen Störungen ist. Sie ist so für den Psychiater weniger Kriterium als Problem. Er zeigt das versteckte Postulat der Theorie vom kulturellen Relativismus: Die Individuen können krank sein, die Gesellschaft aber ist notwendigerweise immer normal. Hier finden wir das alte Sprichwort: *Vox populi, vox dei* in moderner Form wieder. Später werden wir in diesem Kapitel auf die Probleme zurückkommen, vor die uns die Krankheiten der Gesellschaft stellen. Wenn es aber kranke Gesellschaften gibt, so injiziert man mit den Normen der Gruppe kranke Normen. Denn hier wäre die Rebellion und nicht die Anpassung das Zeichen von Gesundheit. Im Gegensatz zu Ruth Benedict oder ihren Nachfolgern zeigt er, daß der Schamane, psychiatrisch betrachtet, ein Neurotiker ist, auch dann, wenn er sich angepaßt hat und eine soziale Funktion ausübt. Man muß unterscheiden zwischen einem ethnischen oder kulturellen Unbewußten einerseits, zu dem alles gehört, was von der Gesellschaft zurückgewiesen wird, und einem individuellen Unbewußten andererseits. Die neurotischen Konflikte des Schamanen

12. John G. Honigman, »Toward a distinction between psychiatric and social abnormality« (*Social Forces*, 31).

13. George Dévereux, »Normal and Abnormal: the Key problem of Psychiatric anthropology« (*The Anthrop. Soc. of Washington*, 1956).

liegen im Bereich des ethnischen Unbewußten, und nicht in dem idiosynkratischen Teil seiner Persönlichkeit. Deshalb kann er seine Triebe kontrollieren und seine Konflikte nach den Konventionen seiner sozialen Gruppe ritualisieren. Neben diesem kulturellen Unbewußten, das dem sozialen Negativismus die Möglichkeit läßt, sich in die Gesellschaft zu integrieren, gibt es aber ein anderes tieferes Unbewußtes, das Unbewußte der Neurotiker oder Psychopathen, die für die Kultur atypische Traumata erlebt haben. In diesem Fall kann die Gruppe keine traditionellen Verteidigungsmechanismen liefern. Wir sehen also, daß das Problem der Beziehungen zwischen der sozialen Anpassung (im Fall des Schamanen übrigens die Anpassung an einen verhältnismäßig am Rande gelegenen Sektor der Gesellschaft) und der Geisteskrankheit viel komplizierter ist, als der Kulturalismus behauptete und daß die Anpassung nicht das Kriterium für Gesundheit ist. Man versteht aber auch die Gründe, die Ruth Benedict zu ihrer Konzeption von der Relativität der Geisteskrankheiten geführt haben. Die Psychiater haben sich zwar dagegen gewandt, aber sie haben ihr doch diese Theorie diktiert. Denn wenn man das Pathologische als einen Fehler bei der Anpassung an das physische und soziale Milieu definiert, muß die Anpassung notwendigerweise relativ sein, wechselnd wie das Milieu, das in jedem Volk anders ist. Man muß also über diese erste Definition der Psychiater hinauskommen. Goldstein zum Beispiel hat das sehr wohl verstanden, wenn er das Normale als das »Normative« und nicht als Anpassung an Normen definiert[14]. Ein kranker Organismus kann einem begrenzten Milieu angepaßt werden. So gewöhnen die Stummen sich an die Ebene der konkreten Verhaltensformen und beschränken ihr Kommunikationsfeld. Auf dieselbe Weise findet der Neurotiker Zuflucht in einer geschützten problemlosen Welt, in der er »normal« weiterleben kann. Der gesunde Mensch dagegen ist fähig, auf eine komplexe und veränderliche Welt zu reagieren, er kann in jedem Augenblick neue Verhaltensformen entwikkeln, paßt sich weniger an die Welt an, ist vielmehr fähig, sie zu verändern. G. Ganguilhem kommt seinerseits zu analogen Schlüssen[15]. Man kann, so sagt er, Strukturen oder Verhaltensweisen objektiv beschreiben, es gibt aber kein objektives Kriterium dafür, daß sie pathologisch sind. Das Normale und das Pathologische sind Begriffe, die uns in die Welt der Werte führen. Wenn man sich auf die dynamische Polarität des Lebens bezieht, kann man bestimmte Typen oder Funktionen als »normal« bezeichnen. Das Leben ist aber für ihn nicht nur Einordnung in das Milieu, sondern Aufbau des eigenen Milieus, ständiges Schöpfen und Erneuern. Unter diesem Gesichtspunkt erscheint die Krankheit schon als eine Lebensnorm, und zwar als eine niedrigere, denn sie läßt keine Abweichung von den Lebensbedingungen zu und klammert sich konservativ an das Milieu. Der Mensch ist nur in dem Maße gesund, wie er normativ auf die Fluktuationen der Umgebung einwirkt, neue Verhaltensmodelle einführt, seine Reaktionsformen wechseln und seine Lebensbedingungen verändern kann. Und der Kranke ist erst dann geheilt, wenn

14. Kurt Goldstein, *La structure de l'organisme*, Frz. Übs., Gallimard, 1951.

15. G. Ganguilhem, *Essais sur quelques problèmes concernant le normal et le pathologique*, Publ. Fac. des Lettres de Strasbourg, 1950.

er sich neue Normen geben kann. Bis zu einem gewissen Grade finden wir dieselbe Idee bei Marie Jahoda, wenn sie versucht, die Kriterien für geistige Gesundheit zu finden. Sie nennt drei Kriterien: Einstellung auf das Milieu, Einheit der Persönlichkeit, korrekte Wahrnehmung der Wirklichkeit. Wie sie sagt, ist jedes dieser Kriterien in sich anfechtbar. Die korrekte Wahrnehmung der Realität (die eigene psychologische Realität eingeschlossen) ist schwierig. Viele Menschen, die als normal gelten, erreichen sie niemals. Einheit der Persönlichkeit gibt es auch bei der Katatonie. Das Kriterium ist nur dann gültig, wenn es sich um die Einheit bei Reichtum, nicht bei Armut des Ich handelt. Was die Anpassung an das Milieu betrifft (und hier finden wir die Analogie mit Goldstein und Ganguilhem), so bildet es kein ausreichendes Kriterium. Denn der gesunde Mensch ist in der Lage, sich von den Suggestionen oder Zwängen der Situationen, in die er gestellt ist, unabhängig zu machen. Er wählt also oder ist schöpferisch[16].

Am Schluß dieses Abschnitts befällt uns jedoch eine Unruhe. Die modernen Wissenschaftler haben vielleicht bessere Definitionen des Normalen und des Pathologischen erarbeitet. Haben sie dabei aber nicht in Wirklichkeit den Urteilen des gesunden Menschenverstandes nachgegeben? Entspricht das psychiatrische Kriterium nicht den Unterschieden, die die Masse zwischen dem »Geisteskranken« und dem »Gesunden« sieht? So hat man also Ruth Benedict doch nicht verbannt. Obwohl, um es noch einmal zu sagen, ihre Theorie eine ethnopsychiatrische Theorie ist, konnten wir es nicht umgehen, ihr in einer Soziologie der Geisteskrankheiten einen Platz einzuräumen. Am Schluß dieses Buches werden wir auf die Kollektivurteile zurückkommen, die den Geisteskranken und den Gesunden charakterisieren. Verrückt ist der Mensch, der von selbst den Psychiater aufsucht, um sich behandeln zu lassen oder dessen Familie, wenn nicht gar die Polizei die Internierung verlangt. Wie wir sehen werden, schwanken aber diese Urteile, die zwei Welten trennen, in derselben Gesellschaft so stark, daß sie in jeder Gruppe verschieden sind. Man kann also der Relativität nicht völlig entgehen. Der Psychiater hat die Aufgabe, die Gründe zu erforschen, über das »Warum« der Krankheit Aufschluß zu geben. Die Gesellschaft aber bestimmt die Kranken, die behandelt werden müssen. Es spielt sich eine subtile gegenseitige Beeinflussung zwischen dem Arzt und der Masse ab. Der Arzt bemüht sich durch die Massenmedien oder andere Mittel, die Kategorien der Geisteskrankheiten auszuweiten, das Publikum auf leichte Störungen aufmerksam zu machen, die man sonst als »Bizarrerie« oder »Originalität« betrachtete. Auf der anderen Seite akzeptiert er die volkstümliche Definition der Geisteskrankheit und begnügt sich damit, sie zu erklären oder zu verfeinern, indem er den »Wahn« in Kategorien unterteilt (Schizophrenie, Manisch-depressives Irresein, geistige Verwirrung usw.). Diese Kategorien aber gelten immer nur innerhalb der Gruppe, die nach dem Urteil des Volkes als »Wahn« gilt.

16. M. Jahoda, o. c.

2. STELLUNG DER SOZIOGENESE IN DER PATHOGENIE DER GEISTESKRANKHEITEN

In der Frage nach der Rolle der sozialen Faktoren herrscht in der Epidemiologie fast allgemeine Übereinstimmung, in der Ätiologie dagegen nimmt die Kontroverse die erbittertsten Formen an. Bevor wir uns damit beschäftigen, erscheint es uns von Nutzen zu sein, bestimmte Variable wie Geschlecht, Alter oder Rasse zu untersuchen. Bei diesen biologischen Kategorien interessiert uns, ob sie als biologische oder soziale Kategorien wirken. Damit werden wir natürlich nicht das Problem lösen, denn diese biologischen Kategorien sind universelle Kategorien, die uns über das Wesen des Pathologischen nichts aussagen können. Wenn sie aber als soziale Kategorien wirken, haben wir immerhin ein erstes gültiges Zeichen für die Möglichkeit einer Soziogenese.

Man kann feststellen, daß der Prozentsatz von Geisteskranken bei Männern und Frauen verschieden hoch ist. Da aber der prozentuale Anteil immer wieder anders ist, können wir nicht schließen, daß das eine Geschlecht anfälliger als das andere wäre. So dominierten zumindest bis in die letzten Jahre in Brasilien die Männer in der weißen und die Frauen in der farbigen Gruppe. Für Dr. Nina Rodrigues war die einzig mögliche Erklärung dafür, daß die weiße Frau zuerst in Abhängigkeit von ihrem Vater, später von ihrem Mann lebte, während der Familienchef alle Verantwortung tragen und sich mit den Problemen des täglichen Lebens auseinandersetzen mußte[17]. Im Gegensatz dazu hat der schwarze Mann sich nach der Unterdrückung der Sklaverei nicht in die neue Klassengesellschaft integrieren können. In ihr waren alle Posten, die er hätte einnehmen können, bereits von den europäischen Einwanderern besetzt. Er lebte als Parasit der Frauen, die sich als Dienstmädchen, Wäscherinnen, Näherinnen in die neue Struktur eingliedern konnten und sich dazu gezwungen sahen, die Verantwortung für die Familie auf sich zu nehmen. Ausschlaggebend ist also nicht das Geschlecht als biologische Konstitution, sondern die Stellung des Geschlechts in der Organisation der Gesellschaft.

Zum Alter haben wir in den Vereinigten Staaten von 1929 bis 1931 für die Ersteinlieferung in die Krankenhäuser folgende Durchschnittswerte:

- Senile Psychosen: 74 Jahre 5;
- Psychosen mit zerebraler Arteriosklerose; von 66 bis 63 Jahre;
- Involutionsmelancholie und Paranoia: von 53 bis 50 Jahre 3;
- Allgemeine Paralyse und Alkohol-Psychosen: 44 Jahre 4 und 45 Jahre 2;
- Dementia praecox: 33 Jahre 9;
- Manisch-depressive Psychose: 37 Jahre;
- Psychoneurosen und Neurosen: 36 Jahre 3;
- Psychopathische Persönlichkeit: 35 Jahre.

17. Eine Bestätigung dafür, daß das Geschlecht nur als soziale Kategorie wirksam ist, ist die Tatsache, daß auch in Afrika, nach den vorhandenen Erhebungen der Mann überwiegt (1,5 bis 1,7 M. auf 1 F.).

Hieraus ließe sich schließen, daß es Krankheiten der Jugend (wie Dementia praecox, mit geistigen Mängeln oder Epilepsie verbundene Psychosen), Krankheiten der Erwachsenen (manisch-depressive Psychosen, Alkohol-Psychosen und allgemeine Paralyse, gefolgt von Paranoia und Involutionsmelancholie) und Krankheiten des Alters (zerebrale Arteriosklerose und Alterswahnsinn) gibt[18]. Bei diesen Alterskrankheiten aber darf man selbstverständlich die Senilität, ein pathologisches Phänomen, nicht mit der Vergreisung, einem normalen Stadium des Lebenszyklus, verwechseln. Man kann sich nun fragen, ob die Senilität eine Folge der Vergreisung ist oder ob es sich bei ihr nicht vielmehr um ein künstliches Produkt unserer Gesellschaft handelt, die die Alten zurückstößt[19]. Darüber schreibt Repond:

»Man hat sogar Grund, sich zu fragen, ob der alte Begriff von Alterswahnsinn, der angeblich Resultat zerebraler Störungen ist, nicht völlig zu revidieren, ob dieser Pseudo-Wahnsinn nicht Resultat psychosoziologischer Faktoren ist, das schnell durch die Unterbringung in unangemessen ausgestatteten und geleiteten Institutionen verschlimmert wird. Das geschieht auch durch die Internierung in psychiatrischen Kliniken, wo die Kranken oft sich selbst überlassen sind, ohne die notwendigen psychischen Anregungen und ohne jedes vitale Interesse, wo sie nur noch auf ein Ende warten, das man allgemein schnell herbeiwünscht. Wir behaupten sogar, daß das klinische Bild des Alterswahnsinns vielleicht etwas Künstliches ist, das meistens durch fehlende Behandlung, durch fehlendes Bemühen um Vorbeugung und Rehabilitierung verursacht wurde. Die Psychiatrie hat lange Zeit, fast bis in unsere Tage, geglaubt, daß die Entwicklung zum Wahnsinn in den meisten Fällen von Schizophrenie fast schicksalhaft sei ... Heute wissen wir, daß diese entsetzlichen Syndrome die Folge davon waren, daß psychologische, soziale und abgestimmte medikamentöse Behandlung fehlten. In den psychiatrischen Kliniken, in denen man eine kombinierte und aktive Therapie anwendet, sind diese Syndrome verschwunden. Und wir müssen damit rechnen, daß es sich bei den klassischen Syndromen des Alterswahnsinns genauso verhält.«

Die physiologischen Phasen, die den Übergang von einem Lebensabschnitt zu einem anderen kennzeichnen, wie zum Beispiel das Klimaterium bei der Frau, wurden als ganz besonders wichtige Faktoren für das Auftreten von Wahnsinn betrachtet. Sie scheinen aber nicht direkt von Einfluß zu sein, sondern lediglich durch die soziale oder symbolische Bedeutung, die dieser Phase gegeben wurde. Das pathogene Element bilden die kollektiven Vorstellungen vom Klimakterium als Ende des sexuellen Lebens oder als soziale Krise.

Schließlich scheint die Rasse im genauen Sinn des Wortes, nicht das Volk (zu dem auch die Kultur gehört), eine der biologischen Kategorien zu sein, die bei

18. Benjamin Malzberg, *Social and biological aspects of mental disease,* New York, 1940.

19. M. E. Linden und D. Courtney, »The human life cycle and its interruptions«, in A. M. Rose, *Mental Health and Mental Disorder, a sociological approach,* New York, 1955.

einem Vergleich der Europäer, Asiaten und Afrikaner für die Verschiedenheit der Geisteskrankheiten verantwortlich sein könnte. Aubin hat als einer der ersten die sukzessiven, aber kontinuierlichen Wahnsinnsanfälle der Afrikaner den systematischen und chronischen Wahnsinnsanfällen der Europäer gegenübergestellt. Carothers weist darauf hin, daß Hirnrinde und Epidermis vom selben embryogenen Element, dem Epiblast, abstammen. Deshalb sei es nicht überraschend, wenn man in der Hirnrinde Unterschiede finde, die die Unterschiede in der Pathogenie erklären könnten. Er erinnert daran, daß nach Auffassung einiger Wissenschaftler die Hirnwindungen bei den Afrikanern weniger ausgeprägt seien. Ihre histologische Entwicklung liege um sieben oder acht Jahre hinter der der Europäer zurück. Er wagt es zwar nicht zu behaupten, suggeriert uns aber immerhin die Annahme, daß es für die fehlende Integration der Persönlichkeit bei den Farbigen biologische Gründe geben muß. Mit der fehlenden Integration hängt es dann auch zusammen, daß ihre Psychosen wenig strukturiert sind und entsprechend Wahnsinnsanfälle auftreten[20]. Diese fehlende Integration des Ich aber kann aus vielen anderen Faktoren entstanden sein, besonders durch die Erziehung im Stamm, bei der die väterliche Autorität durch ein äußeres Über-Ich ersetzt wird: durch das kollektive Bewußtsein im Augenblick der Initiierung. So wäre die Rasse also, wenn man sie unter dem Gesichtswinkel der psychiatrischen Unterschiede sieht, weniger eine natürliche als eine kulturelle Kategorie. Diese ganze Diskussion über die sogenannten »biologischen Dimensionen« der Geisteskrankheiten genügt nicht, den Wert der soziologischen Hypothese ohne weitere Überprüfung zu bestätigen. Sie kann uns nur mit der Idee einer Soziogenese vertraut machen. Denn selbst wenn die biologischen Kategorien nur über das Soziale wirken, bleiben sie nichtsdestoweniger biologische Kategorien. Uns beschäftigt nun das folgende grundsätzliche Problem: Ist das Pathologische letzten Endes immer auf das Biologische, die Konstitution und das Erbgut zurückzuführen – oder müssen wir in der Ätiologie der Geisteskrankheiten den sozialen Faktoren einen Platz einräumen? Falls ja, welchen?

Erste Informationen darüber liefert uns die Geschichte der Psychiatrie[21]. Zu Anfang hat man wie zum Beispiel Esquirol dem Wahnsinn moralische Ursachen zugeschrieben. Sogar Morel eliminiert dieses Element nicht in seiner Theorie der Degeneration. Aber mit ihm hat schon eine Bewegung begonnen, die die letzten Erklärungen in physischen Ursachen sieht. Da ist zuerst Magnan mit den Erbschädigungen. In der zweiten Hälfte des 19. Jahrhunderts wird die Konstitution für Geisteskrankheiten verantwortlich gemacht. Man sucht nach Hirnverletzungen, trennt die verschiedenen Arten streng voneinander, unterscheidet die allgemeine Paralyse, das zirkuläre Irresein, die Dementia praecox usw. Mit Kraepelin mündet diese Bewegung in eine systematische Klassifizierung ein, die lange Zeit die Basis der Psychiatrie geblieben ist. Gewiß hat es Widerstände gegeben, wie im Jahre 1862,

20. J. C. Carothers, *The African Mind in Health and Disease,* World Health Organisation, Genf, 1953.

21. Vgl. H. Duchêne, »Parts respectives de l'hérédité, de la constitution et du milieu dans la pathogénie des troubles mentaux« (*Psychiatrie*, 2, 1955).

als Lemoine die Einfachheit dieser Erklärungen anprangerte: Nichts ist einfacher, so schrieb er, als den Wahnsinn einer verborgenen, angeborenen Veranlagung zuzuschreiben. Nichts ist leichter, als zu behaupten, daß das Individuum nicht wahnsinnig geworden wäre, wenn es eine andere Natur gehabt hätte. Zur gleichen Zeit zeichnet sich eine andere Strömung ab. Sie steht unter dem Einfluß der deutschen romantischen Schule, die die Gesetze des symbolischen Denkens sucht, und unter dem Einfluß des Interesses, das dem Hypnotismus und dem Magnetismus entgegengebracht wurde. Sie sollte in die Psychoanalyse von Freud münden und den Akzent auf die psychischen Krankheiten ohne organische Ursachen: die Neurosen, verlegen.

Wenn wir diese erste Periode der Geschichte der wissenschaftlichen Psychiatrie verstehen wollen, müssen wir sie in die Gesamtheit der philosophischen Strömungen des 19. Jahrhunderts einordnen. In dieser Epoche heißt erklären, das Höhere auf das Niedrigere, das heißt nach der cartesianischen Regel, das Komplexere auf das Einfachere zurückführen. Wenn der Geist ein Epiphänomen des Körpers ist, so lassen sich die Geisteskrankheiten auf Krankheiten des Nervensystems zurückführen. Die Psychiater wurden durch die Beobachtung von Vererbungsketten in dieser Überzeugung nur noch bestärkt. Die Theorie der Konstitutionen, die normale und pathologische Formen unterscheidet, wobei wie bei Dupré in Frankreich zum Beispiel das Pathologische nichts anderes als die Karikatur der normalen Form ist, oder die Klassifizierung der kranken Einheiten bei Kraepelin entsprachen ihrerseits einer philosophischen Konzeption, die durch die Schulphilosophie begründet worden ist. Die Erklärung durch die innere Kausalität, nach der das Verhalten jedes Dings durch sein eigenes Wesen determiniert ist, geht auf Aristoteles zurück. Die Konzeption Galileis, die im Gegensatz dazu besagt, daß die Dinge durch die Bedingungen, unter denen sie auftreten, determiniert sind, was die Grundlage der Physik war, hatte die Wissenschaften vom Menschen noch nicht berührt. Erst im 20. Jahrhundert wurde sie auf die ganze Realität angewendet. So erst wurde eine soziologische Konzeption der Geisteskrankheiten möglich. Wir behaupten natürlich nicht, daß in die Theorien der Psychiater vom Ende des 19. Jahrhunderts keine Lebenserfahrung eingeflossen sei. Natürlich haben auch sie zahlreiche klinische Beobachtungen vorgenommen. Man muß aber immer das philosophische oder intellektuelle »Klima« bedenken, das die in ihm entstehenden Lehren in einer bestimmten Richtung beeinflußt. Die Geschichte der Psychiatrie erlaubt uns also nicht den Schluß, daß die Organogenese falsch oder zumindest übertrieben ist, sie erlaubt uns aber, sie als wissenschaftliche Theorie zu entmystifizieren. Nach unserer Meinung ist sie weniger Resultat objektiver Forschungen als vielmehr Ausdruck der Philosophie in einem bestimmten Moment der Geistesgeschichte.

Das XX. Jahrhundert erlebte den Zusammenbruch des aristotelischen Standpunktes. Wir brauchen hier nicht die Geschichte der Soziologie der Geisteskrankheiten zu wiederholen, der wir ein ganzes Kapitel gewidmet haben. Aber heute noch stoßen die Anhänger der Soziogenese auf Anhänger der Organogenese. Die Organogenese hat jedoch heute viel mehr Gültigkeit.

Zunächst ist die Theorie von der Erblichkeit der Geisteskrankheiten durch die

Entdeckung der genetischen Gesetze unterstützt worden. Welche Bedeutung die Erblichkeit hat, stellt man fest, wenn man die Vererbung der Schizophrenie auf eineiige (86,2 %) und zweieiige Zwillinge (14,5 %) miteinander vergleicht. Auch Rosenthal, der die gesamte Literatur über die genetischen Aspekte der Schizophrenie untersucht hat, kam zu dem Schluß, daß geistige Störungen, die nicht unbedingt mit einem Krankenhausaufenthalt verbunden sein müssen, häufiger bei eineiigen als bei zweieiigen Zwillingen auftreten. Es gibt aber einen Spielraum zwischen 86,2 % und 100 % für andere als erbliche Faktoren. Jackson ist sogar der Auffassung, daß die Ergebnisse der Zwillingsforschung nicht so überzeugend sind, wie sie zunächst erscheinen, weil in keiner Untersuchung die nicht-genetischen Faktoren gebührend überprüft worden sind. Man kann daraus nur den Schluß ziehen, daß geistige Störungen durch gewisse Gegebenheiten begünstigt werden oder, wie H. Duchêne es ausdrückt, daß die Krankheit wie das Feuer Brennstoff und Sauerstoff braucht. Die Tatsache aber, daß beide notwendig sind, entbindet uns nicht davon zu forschen, in welchem Verhältnis sie Anteil an der Veränderung des Feuers haben. Das bedeutet, daß die genetische Theorie Raum für die Soziogenese läßt[22].

Die Gesetze der Genetik aber gelten notwendigerweise nur innerhalb des sozialen Rahmens. Die Wirkungen dieser Gesetze hängen von den Regeln der Exogamie oder Endogamie ab, die sozialer Natur sind. Die Kultur gibt also zuletzt dem genetischen Strom eine Richtung in Übereinstimmung mit den Modellen der Heirat und der vorgeschriebenen, eingeschränkten oder freien Partnerwahl. Sie kann auch bei der geistigen Hygiene und der Geburtenplanung bestimmend sein[23]. Die genetische Theorie postuliert eine vorherige soziologische Stellungnahme; sie zerstört sie nicht.

Babinski unterscheidet durch Verletzungen hervorgerufene und funktionelle Störungen. Erstere erklären sich aus einer Verletzung der Gehirnstruktur, letztere aus psychischen Gründen. Babinskis Theorie, die auch einer Soziogenese in dem Maße Raum läßt, wie unsere Psyche vom Sozialen durchdrungen ist, ist in unseren Tagen stark verunsichert worden durch die Fortschritte der Biochemie, die zeigen, wie (neben lokalen Verletzungen) weitreichende Faktoren, toxische, vaskuläre und hormonelle, sich auf das ganze Nervensystem auswirken. So entstanden die biochemischen Theorien, besonders über die Schizophrenie, wie sie H. Baruk in Frankreich und de Heath in den Vereinigten Staaten entwickelt haben. Uns scheint aber, daß sie nicht die Möglichkeit einer Soziologie der Geisteskrankheiten aufheben können. Als Beweis dafür wollen wir nur anführen, daß Baruk eine *Psychiatrie morale et une Psychiatrie sociale* schreiben konnte! Die Forschungen auf diesem Gebiet sind noch zu neu, als daß wir darüber ein definitives Urteil abgeben könnten. Die hormonellen Störungen können in der Kausalkette durch emotionale Schocks ent-

22. H. Duchêne, o. c. – V. D. Sanua, o. c. – Frank Kallman, »The genetic theory of schizophrenia« (*Amer. Journ. of Psychiatry*, 1946). – D. Jackson, »A critique of the literature on the genetic of schizophrenia«, in *Etiology of Schizophrenia*, New York, 1960.

23. Glass, zitiert von J. W. Eaton und R. J. Weil, *Culture and Mental Disorders*, Glencoe, Ill., 1955.

stehen. Letztere wieder können soziale Ursachen haben. Übrigens sind manche Untersuchungen zu schnell vorgenommen worden, so zum Beispiel die Urinuntersuchungen von Schizophrenen und Nicht-Schizophrenen, die das amerikanische Institut for Mental Health durchgeführt hat. Denn die Schizophrenen des Krankenhauses tranken Kaffee, und die in dem Urin gefundenen Substanzen, die als für Schizophrenie charakteristisch angesehen wurden, waren lediglich auf den Kaffee zurückzuführen. Wir müssen aber diese Theorie im Gedächtnis behalten. Im letzten Teil dieses Buches werden wir wieder darauf zurückkommen und die tatsächliche Bedeutung prüfen, die sie für das von uns gesteckte Ziel hat[24].

Die strengste Kritik an der Möglichkeit einer Soziogenese überhaupt ist die von Ey. Deshalb müssen wir sie etwas genauer im Detail untersuchen. H. Ey ist kein Gegner der Sozialpsychologie. Im Gegenteil, er erkennt die Bedeutung des sozialen Milieus für das Verständnis der Bildung und Entwicklung der Persönlichkeit an. Aber die Soziogenese erklärt, wenn sie zuverlässig ist, nur den normalen Menschen. Charakteristisch für das Pathologische ist, daß gerade bei ihm die Soziogenese aufhört[25]. Man kann die geistige oder soziale Desorganisation nicht verstehen, indem man von den Kräften ausgeht, die das Wesen aufbauen oder seine Verbindung mit der Welt herstellen. Denn das liefe darauf hinaus, daß man die Geisteskrankheit durch die Gesetze der Gesundheit erklärt. Und das käme einem Widerspruch in sich selbst gleich. Das Psychiatrische, sagt er, ist die Grenze der Psychogenese (um so mehr also auch die der Soziogenese). Wenn man nicht akzeptiert, daß es zwischen dem geistig gesunden und dem gestörten Menschen einen wesentlichen Unterschied gibt, wie zum Beispiel die Psychoanalyse, die die Neurosen mit dem Schicksal des Menschen selbst verbunden sieht, dann entsteht zwangsläufig ein Kontinuum, bei dem man nicht genau weiß, wo die geistige Gesundheit anfängt oder aufhört. Dann hätte man anstelle einer soliden und wirklich wissenschaftlichen Psychiatrie eine fließende Psychiatrie mit ihren Halbirren oder Halbverantwortlichen. Die Veränderung, die die beiden Welten trennt, kann nicht mehr oder weniger quantitativ, sie muß qualitativ sein. Krank sein bedeutet, daß die Veränderungen des organischen Substrats das Individuum daran hindern, wie die anderen Menschen zu denken und zu fühlen, wodurch die Möglichkeit zwischenmenschlicher Kommunikation zerstört wird.

H. Ey leugnet selbstverständlich nicht, daß es offensichtlich pathogene soziale Situationen gibt, akzeptiert aber nicht die Vorstellung von »reaktionellen Psychosen«, das heißt von Psychosen, die durch Ereignisse ausgelöst werden. Die Statistiken beweisen es. Sie zeigen, daß die Psychosen unabhängig von Milieu oder Epoche konstant sind. Kriege und Revolutionen verändern ihre Zahl nicht. »Es sieht so aus, als ob die Psychose eine Konstante sei, deren Relation zu dem Ereignis nur eine zufällige Variable ist.« Der normale Mensch unterscheidet sich von dem gestörten

24. V. D. Sanua, o. c.

25. Siehe insbes. (abgesehen, natürlich von den *Etudes psychiatriques,* Bd. I von H. Ey, Desclée de Brouwer, 1948), L. Bonnafé, H. Ey, S. Follin, J. Lacan und J. Rouart, *Le problème de la psychogénèse des nevroses et des psychoses,* Desclée de Brouwer, 1950.

gerade dadurch, daß er auf die Ereignisse reagiert, sich an die Veränderungen des Milieus anzupassen versteht, während der Psychotiker dazu nicht in der Lage ist. Er ist niemals reaktionell. Es ist möglich, daß die Psychose nach diesem oder jenem Ereignis eintritt. Aber die Aufeinanderfolge ist nicht Kausalität. Der Kummer, die Eifersucht, die Angst sind banale Phänomene, durch die man die Geisteskrankheit nicht erklären kann. Beim Ausbruch einer Psychose findet sich immer etwas anderes. Der Psychiater, der die Delirien der Kranken analysiert, stößt immer auf »einen Rest«, den er nicht erklären kann und den er gerade deshalb nicht erklären kann, weil die Störung organischen und nicht psychischen oder sozialen Ursprungs ist. Vergeblich wird er zur eigenen Rechtfertigung das Pathologische vom Subjekt (dem Kranken) auf das Objekt (die soziale Situation) verlagern. Denn die Normalen reagieren in denselben Situationen anders als die Kranken. Ursache ist also nicht die Situation, sondern der Organismus des Kranken. Wenn er in einer pathologischen Form reagiert, so liegt das daran, daß bei ihm eine gewisse »Heterotypie« im Verhältnis zum normalen Menschen vorliegt. »Wie wir schon hundertmal gesagt haben, läßt sich daraus der Schluß ziehen, daß der Begriff reaktionelle Psychose ein Widerspruch *in adjecto* ist. Denn wenn die Krankheit immer von den Modalitäten des Lebens abhängig ist, wenn sie tatsächlich im Leben und vor allem im Netz der Beziehungen zum Nächsten erfaßt werden kann, so läßt sie sich doch niemals darauf zurückführen . . ., nur die Auswirkung einer unglücklichen Situation zu sein. Sie beginnt genau dann, wenn sie von der Reaktionsschwelle abhängig ist. Sie ist von dieser Schwelle, nicht mehr allein von der Situation abhängig.«

Sicher bleibt Ey letzten Endes ein Gegner des organizistischen Mechanismus. Zu jeder Neurose und zu jeder Psychose gehören psychische Elemente. Der Geisteskranke bleibt mit den Ereignissen verbunden. Seine Persönlichkeit wird durch seine individuelle Geschichte geprägt wie durch die soziale Situation, in die er gestellt wird. Psychisch oder sozial an ihm aber ist der Teil des Ich, der nicht von der Krankheit befallen wurde. Der tiefere Grund für diese Störungen liegt woanders. »Wenn die psychische Kausalität auch eine Rolle spielt, so bleibt sie doch der Kausalität der organischen Störungen untergeordnet.« Die Psychotherapie wird also nicht absolut verdammt. Sie ist aber nur in dem Maße wirksam, wie die Veränderungen der Persönlichkeit, die uns als anormal erscheinen, nicht pathologische Gründe haben. Bekanntlich betrachtet H. Ey sich als einen Schüler von Jackson, der aus den psychischen Störungen Phänomene der Regression oder der Auflösung der höchsten Funktionen des Geistes macht, die durch funktionale oder durch Verletzungen bedingte Störungen der Hirnrindenzentren hervorgerufen wurden: »Die Krankheit erzeugt nicht, sie befreit.« Die Veränderungen der organischen Infrastruktur ziehen als Folge die Modifikationen der geistigen Superstruktur nach sich. Der Irrtum der Psychoanalyse besteht also darin, daß sie die Wirkung für die Ursache nimmt. Die oral, anal oder narzistisch auftretende kindliche Mentalität ist nicht im Unbewußten wirkende Ursache, sondern eine Wirkung der Auflösung der Erwachsenenmentalität – ebenso wie die affektive Blockierung sich durch eine organische Zerstörung, nicht durch eine Hemmung mit unbewußtem Ursprung erklärt. Man kann sich keine vollkommenere Umkehrung der Soziogenese vorstellen. Alle gesuchten Ursachen wie Isolierung, Mangel an Zuneigung und Ablehnung sind nur Wirkungen oder der organischen Ursache, die die einzig wirklich pathogene ist, untergeordnet.

Es ist nicht unsere Aufgabe, über H. Eys Theorie als solche zu diskutieren. Wir sind keine Psychiater. Und dies ist kein Buch über Psychiatrie. Wir müssen uns aber fragen, ob diese Theorie wie die der Genetik die sozialen Faktoren vollkommen ausschließt, oder ob sie ihnen noch einen Platz einräumt. Die französischen Soziologen Durkheim und Hallwachs sind im Zusammenhang mit dem Selbstmord einer analogen Theorie begegnet und haben sie mit Recht so beantwortet: »Die Psychiatrie behandelt organische Störungen. Doch zugleich ist jeder Geisteskranke ein Mensch, der seinem Milieu nicht angepaßt ist. Zu einer Geisteskrankheit gehört die mangelnde Balance, und aus diesem Grunde gehört sie zu der Gesellschaftswissenschaft ... Es ist möglich, daß unter all den Menschen, die Grund zum Selbstmord haben, die Reizbaren, Empfindlichen und Unbeherrschten den Selbstmord ausführen. Es ist aber kein Zufall, wenn wir sie in den freien, technischen und kaufmännischen Berufen sowie in städtischen Gruppen häufiger als in anderen Berufen und Gruppen antreffen.« Die Statistiken, die die Variationen der Geisteskrankheiten in den verschiedenen sozialen Gruppen zeigen, weisen auf ein Problem hin, das die Theorie vom rein organischen Ursprung nicht beantworten kann. Und dieses Problem muß gelöst werden.

Dieser ganze Abschnitt über die Stellung der Soziogenese in der Pathologie der Geisteskrankheiten bestand aus einer Zusammenfassung von Theorien, die eine Ergänzung oder eine Gegentheorie für die Theorien bilden, die wir im ersten Kapitel dargelegt haben. Stellt man sie einander gegenüber, so ergibt sich eine Reihe von Problemen auch dann, wenn man sich nicht für die eine oder andere Theorie zu entscheiden hat. Zum Abschluß wollen wir diese Probleme nacheinander behandeln.

1. Zuerst müssen wir uns an den Unterschied zwischen Neurosen und Psychosen erinnern. Während die Zahl der Psychosen sich in den verschiedenen Epochen und Völkern nicht merklich verändert, vervielfältigt sich im Gegensatz dazu die Zahl der Neurosen mit der Veränderung der sozialen Strukturen und der Umwertung der Werte. Daraus können wir schließen, daß bei Neurosen die soziologische Untersuchung mehr Aussicht auf Erfolg bietet als bei Psychosen. Sicher beruht die Freudsche Neurosentheorie insofern auf einer biologischen Basis, als die Neurose eine Blockierung der Libido in einer kindlichen Entwicklungsstufe, insbesondere im Ödipusstadium, ist. Freud zeigt aber, daß diese Blockierung durch die familiäre Konstellation, letzten Endes also durch einen soziologischen Faktor, hervorgerufen wird. E. Fromm führt diese Soziologisierung weiter, indem er beim Ödipuskomplex die sexuelle Rivalität ausschaltet und ihn in einen Autoritätskonflikt zwischen dem Freiheitsstreben des Kindes und der von den Eltern geforderten Disziplin umformt. Sullivan betont die interpersonellen Beziehungen und Karen Horney den Konflikt der Werte. Daraus ergibt sich: Je mehr man sich mit Ursprung und Wesen der

Neurosen beschäftigt, desto mehr verdrängt der soziale den biologischen Aspekt[26]. Und selbst bei den Psychosen ist die konstante Größe der Zahlen kein apriorischer Beweis dafür, daß die Krankheit durch die Konstitution oder organisch bedingt wäre. Andere Hypothesen bleiben möglich. Goldhamer und Marshall zum Beispiel stellen fest, daß sich die Zahl der Psychotiker in den öffentlichen und privaten Krankenhäusern von Massachusetts zwischen 1840 und 1910 nicht erhöht hat, vorausgesetzt, man berücksichtigt die Veränderung der Definition des Krankheitstyps im Laufe der Zeit und die Veränderung in der Verteilung auf die verschiedenen Lebensalter. Die Struktur der amerikanischen Gesellschaft dagegen hat zwischen diesen beiden Daten eine große Umwälzung erlebt. Für Goldhamer und Marshall ist das nicht der Beweis für die Ungültigkeit der Soziogenese, sondern dafür, daß die interpersonellen Relationen als Grundlage der Psychosen wichtiger als die Gesamtstrukturen sind, wobei diese Relationen tatsächlich viel stabiler als die sozialen Strukturen sind[27].

2. Eine zweite Einsicht läßt sich aus diesem Streit der Lehrmeinungen gewinnen: Vielleicht haben die Begriffe »reaktionelle Neurose« oder »reaktionelle Psychose« die Psychiater dadurch auf falsche Fährten gelockt, daß sie ihren Schwerpunkt in »Ereignissen« sahen, während der Soziologe – der kein Historiker ist – den Schwerpunkt in Gesamtstrukturen und nicht in besonderen, zufälligen, kurz gesagt, nichtsoziologischen Ereignissen sieht. Hier kommen wir wieder auf den Unterschied zwischen der Soziologie der Geisteskrankheiten und der Sozialpsychiatrie im strengen Sinn zurück. Letztere interessiert sich tatsächlich vor allem für die Geschichte eines Individuums und urteilt nach dem pathogenen oder nicht-pathogenen Charakter der Ereignisse, wie Krise in der Liebe, Trauer und Arbeitslosigkeit, die das Leben dieses Individuums markieren. Man ist sich nun über einen Punkt klar geworden, nämlich darüber, daß diese Ereignisse – wenn sie überhaupt wirken –, nur in dem Maß wirken, wie sie erlebt werden. Wenn diese Geschichte auch die großen kollektiven Ereignisse wie Kriege und Revolutionen einbezieht, so werden diese kollektiven Ereignisse nur insoweit berücksichtigt, als sie sich in einem Bewußtsein widerspiegeln und einen »Schock« hervorrufen. Dieses Problem wird von der Soziologie der Geisteskrankheiten völlig ausgeklammert. Denn nur der Psychiater kann darüber urteilen, welche Rolle diese Traumata für die Entstehung der Psychosen oder Neurosen spielen. Die Soziologie der Geisteskrankheiten interessiert sich für den allgemeinen Rahmen (den familiären, institutionellen und andere), in dem das Leben der Menschen, der normalen und der anormalen, verläuft. Es versteht

26. Über diese Entwicklung siehe mein Buch, *Sociologie et Psychanalyse.* Auch E. Fromm, »Individual and social origins of neurosos«, in A. M. Rose, o. c. Die Untersuchung von L. S. Kubis über die Beziehungen zwischen den sozialen Kräften und den neurotischen Prozessen in A. H. Leighton, J. A. Clausen und R. N. Wilson, usw., *Explorations in Social Psychiatry,* New York, 1957. – Karl Birnbaum, *Soziologie der Neurosen,* Berlin, 1933.

27. Herbert Goldhamer und Andrew Marshall, *Psychosis and Civilization: two studies in the frequency of mental illness,* Ill., 1953.

sich von selbst, daß die Wirkungsweise dieser allgemeinen sozialen Faktoren (im Unterschied zu dem, was für die Ereignisse gilt) nur unbewußt sein kann. Gerade deshalb, weil sie unbewußt ist, wird dieser Einfluß des Sozialen auf das Pathologische vom Psychiater nicht bemerkt. Nur der Soziologe ist fähig, ihn zu entdecken.

3. Wir haben gerade gesagt, daß der soziale Rahmen für normale und anormale Menschen gleich ist. Und damit stellt sich das Problem der Beziehungen zwischen dem Organischen und dem Sozialen, oder, wenn man so will, der Beziehungen zwischen den persönlichen Dispositionen und dem umgebenden Milieu, zwischen dem Terrain und den von außen kommenden Einflüssen. Auf diesem neuen soziologischen Gebiet könnte der Streit der Psychiater, ob »Ereignisse« die eigentlichen Ursachen oder nur die beschleunigenden Auslöser latenter Störungen sind, von neuem beginnen. Wir wollen nur sagen, daß der Soziologe die Erblichkeit, die organischen Verletzungen, die biochemischen Störungen nicht leugnet. Die sozialen Faktoren können auf ein Individuum nur über die Erblichkeit oder die Physiologie wirken. Wir dürfen sie nicht privilegieren, erkennen aber die Notwendigkeit an, neben dem Einfluß des Milieus das Biologische oder die durch die Konstitution bedingte Veranlagung zu berücksichtigen. Wir verlangen lediglich, daß man diesen Einfluß des Milieus anerkennt. Wir stoßen hier wieder auf das Problem, das von A. Comte aufgeworfen wurde und das man nicht ignorieren darf: Die Korrelation zwischen der persönlichen und der sozialen Desorganisation. Die Fakten zeigen auf eindrucksvolle Weise, daß geistige Störungen viel zahlreicher in den desintegrierten als in den integrierten Teilen einer bestimmten Bevölkerung auftreten[28]. Und das kann nicht reiner Zufall sein.

4. Bisher haben wir uns darum bemüht, in der Ätiologie der Geisteskrankheiten dem Sozialen einen Platz einzuräumen. Doch die Schwierigkeit beginnt von neuem, wenn wir dieses Soziale definieren wollen. Einerseits haben wir gesehen, wie die klassischen und modernen Psychoanalytiker im Zusammenhang mit den Neurosen und Goldhamer-Marshall im Zusammenhang mit den Psychosen das Soziale durch die interpersonellen Beziehungen und besonders durch die Eltern-Kind-Beziehung während der frühen Kindheit definierten. Andererseits, wie die Anhänger einer Soziologie der Geisteskrankheiten das Soziale durch die Struktur der Gesamtgesellschaft definierten. Vor allem die Marxisten prangern die Wissenschaftler, die geistige Störungen auf Fakten der Interrelation zurückführen, als »Konservative« an, die, in ihrer bürgerlichen Ideologie befangen, sich weigern, in der Bedeutung des Klassenkampfes den wichtigsten Faktor für die »geistige Entfremdung« zu sehen[29]. Aber auch hier gibt es wieder zwei Gruppen. Die einen »atomisieren« in gewisser Weise

28. Über die Beziehungen zwischen den organischen Störungen und den soziokulturellen Faktoren, siehe zum Beispiel Alexander H. Leighton, *My Name is Legion,* New York, 1959.

29. Weiter oben haben wir Le Guillant zitiert. In Frankreich findet man ähnliche Ideen bei Dr. Follin (vgl. Bonnafé, Ey, Follin, Lacan und Rouart, o. c.) und in den Vereinigten Staaten, bei Kingsley Davis, »Mental Hygiene and the Class Structure« (*Psychiatry,* 1938, S. 56–65).

die Gesamtgesellschaft in eine Reihe von Gruppen und Institutionen. So untersucht der Soziologe nacheinander den Einfluß des familiären, ökonomischen, politischen, religiösen Faktors usw. auf die geistigen Störungen. Andererseits gibt es die Wissenschaftler, die sich einer Analyse der sozialen Faktoren widersetzen. Wir wollen in großen Zügen darstellen, was für die Wissenschaftler in den beiden Gruppen charakteristisch ist. Die ersteren gehen vor allem von der Tatsache aus, daß es in ein und derselben Gesellschaft Kranke und Nicht-Kranke gibt. Deshalb muß man von einer Analyse der Gesellschaft ausgehen, wenn man die pathogenen Faktoren erkennen will. Man muß in gewisser Weise die Relation Persönlichkeit – Milieu in eine Reihe von »Variablen« auflösen und diese nacheinander prüfen. Im Gegensatz dazu erklären die anderen, daß die Individuen nicht auf diesen oder jenen bestimmten Faktor reagieren. Denn die Gesellschaft ist immer eine Verknüpfung von Gruppen oder Institutionen, die aufeinander einwirken und aufeinander reagieren, sich gegenseitig durchdringen und besondere Konfigurationen annehmen, aber immer auf »totale Situationen« reagieren. Der Anormale muß wie der Normale in seinen beiden funktionellen Dimensionen, der organischen und der psychologischen, und als Glied einer Gemeinschaft und einer »allgemeinen« Kultur untersucht werden[30].

Es ist uns unmöglich, an dem Punkt, den wir jetzt erreicht haben, abzubrechen und zum Schluß zu kommen. Bisher haben wir nichts anderes als Theorien kennengelernt. Freilich gehen diese Theorien von bekannten Größen und Beobachtungen aus, sie bilden aber immer ein Ganzes von Hypothesen, die über die Tatsachen hinausgehen. Wir müssen deshalb damit beginnen, die »Tatsachen« so darzustellen, wie sie in den zahlreichen interdisziplinären empirischen Forschungsarbeiten erscheinen. Mit dem Überblick über diese Arbeiten beginnen wir in unserem nächsten Kapitel. Erst wenn wir die Schlußfolgerungen dieser empirischen Forschungen geprüft und deren Bedeutung erörtert haben, wird es uns möglich sein, daraus Schlüsse auf die Probleme der Soziogenese zu ziehen. Vorher darf das nicht geschehen, wir laufen sonst Gefahr, unsere subjektiven Vorurteile mit den Feststellungen von Tatsachen zu vermischen.

3. KÖNNEN GESELLSCHAFTEN WAHNSINNIG WERDEN?

Können wir die Soziologie der Geisteskrankheiten nun aber lediglich auf das Problem der Soziogenese reduzieren? Laufen wir, wenn wir das tun, nicht Gefahr, sie auf die Sozialpsychiatrie zu beschränken? Die Identifizierung mit ihr wollten wir ja bereits in unserer Einleitung ausschließen. Wenn die Soziologie die Wissenschaft der kollektiven Fakten ist und wenn die kollektiven Fakten sich nicht auf das Elend von Individuen zurückführen lassen, wäre dann die wahre Soziologie der

30. Über die Konflikte zwischen den verschiedenen Auffassungen vom Sozialen in der Pathogenie der Geisteskrankheiten siehe neben den bereits als Anmerkung zu diesem Kapitel zitierten Texten Marvin K. Opler, *Culture, Psychiatry and Human Values,* Springfield, Ill., 1956.

Geisteskrankheiten nicht die Untersuchung der kollektiven Formen des Wahnsinns – während die Sozialpsychiatrie sich nur für die individuellen Formen interessieren würde? So ergibt sich als letztes Einführungsproblem, das wir behandeln müssen: Können Gesellschaften wahnsinnig werden? Dieses Problem aber müssen wir in kleinen Schritten untersuchen. Das heißt, wir müssen zunächst die kollektiven Formen des Wahnsinns in den Verbindungsnetzen zwischen Individuen untersuchen, den Wahnsinn zu zweit, den multiplen Wahnsinn, den Wahnsinn, der in Wohnungen, Vierteln, Gemeinschaften herrscht, Formen, über die klinische Beobachtungen vorliegen. Dann müssen wir uns mit dem mehr theoretischen und hypothetischen Problem beschäftigen, ob man den pathologischen Charakter der Individuen auf ganze Gruppen übertragen und von neurotischen, paranoischen oder schizophrenen Gesellschaften sprechen kann, wie einige Autoren es tun.

Seit Legrand du Saulle 1871 den Begriff des »übertragenen Verfolgungswahns« oder des »Wahns zu zwei oder drei Personen« in die Psychiatrie eingeführt hat, ist die Bibliographie über diese Frage ungeheuer umfangreich geworden. Uns genügt es, wenn wir an die wichtigsten Etappen der Entdeckungen erinnern, die auf diesem Gebiet gemacht worden sind. 1877 stellten Lasègue und Faret die drei Gesetze auf: das der Induktion (die Übertragung des Wahnsinns ist nur dann möglich, wenn ein Anstifter, der intelligenter als der andere ist, den Wahnsinn kreiert) – das des abgeschlossenen Milieus (die Gruppe, in der der Wahnsinn sich ausbreitet, muß isoliert sein) – das der Glaubwürdigkeit des Wahnsinns (um auch von den anderen geteilt zu werden, muß der Wahn einen Wahrscheinlichkeitscharakter haben). Im Jahre 1880 stellt E. Régis der Übertragung der Wahnideen den von ihm so genannten »simultanen Wahn« gegenüber, das heißt, den Wahn, bei dem es weder Anstifter noch Verführte gibt, der Wahn entwickelt sich bei zwei oder drei Personen zur gleichen Zeit: Diese Feststellung war ein großer Fortschritt, weil wir die Ebene der Beeinflußbarkeit verlassen haben und feststellen können, daß die betreffenden Individuen sich persönlich beim gemeinsamen Wahnsinn engagieren und einen aktiven Anteil an seiner Entstehung haben. So ist der Wahn ein Produkt, in dem sich der Anteil verschiedener Personen verknüpft.

Damit sind wir von der intermentalen Psychologie zu der Soziologie im eigentlichen Sinne übergegangen. Im Jahre 1900 ergänzt Clérambault diese Soziologie. Einmal durch die Erkenntnis, daß das Überzeugtsein vom Wahn bei den Verführten stärker als bei den Anstiftern sein kann. Vor allem aber dadurch, daß er das Prinzip der »Arbeitsteilung« innerhalb des multiplen Wahns formuliert. Jeder leistet dazu gemäß seiner Konstitution und seinen besonderen Befangenheiten verschiedene Beiträge. Von hier aus kann man eine Revision der alten Schlußfolgerungen feststellen: So ist für Arnaud im Gegensatz zu Lasègue und Faret bei der Induktion das induzierende Element oft weniger intelligent als das induzierte Element. Für Delay ist die Frau häufiger das induzierende Element als der Mann. Der Artikel von Delay und seinen Mitarbeitern behandelt übrigens die verschiedenen Beiträge der Vorläufer im Hinblick darauf, ob die neuen Forschungen diese Beiträge rechtfertigen oder aber entwerten. Sie halten das »Gesetz vom abgeschlossenen Milieu« für wertvoll. Die Isolierung kann dadurch entstehen, daß eine Gruppe von der umgebenden Gesellschaft ausgeschlossen wird (was häufig bei ausländischen Familien der Fall ist). Sie kann aus freiem Entschluß der Gruppe nach dem Tod des Familienoberhaupts, bei finanziellen Schwierigkeiten oder aus anderen Gründen entstehen. In diesem letzteren Fall interessiert der den Wahn auslösende Faktor nicht das eine oder andere Individuum der Gruppe, sondern die ganze aus der Familie bestehende Gruppe. Das Prinzip der »Arbeitsteilung« scheint gleichfalls richtig zu sein. Es erklärt, warum die Einweisung eines Mitglieds (das als Anstifter gilt) in eine Heilanstalt die durch den Wahn verursachte Aktivität nicht zum Stillstand bringt, sondern im Gegenteil oft das Gefühl rechtfertigt, von dem umgebenden Kollektiv verfolgt zu werden (Nachbarn, Viertel usw.). Das Gesetz der Wahrscheinlichkeit dagegen konnte nicht verifiziert werden, denn viele Formen von Wahnvorstellungen (die dämonische Besessenheit oder andere) haben einen rein phantastischen Charakter[31]. Von diesen psychiatrischen Untersuchungen ist für uns folgendes von Bedeutung: Einmal, daß wir uns hier außerhalb des Bereichs der Erblichkeit befinden, zumindest in dem Fall, wo es sich um den Ehemann und seine Frau handelt[32]. Vor allem aber ist wichtig für uns, daß die Arbeitsteilung nicht, wie wir denken, nur die intellektuellen Mittel oder die psychopathologische Struktur jeder betroffenen Person, sondern darüber hinaus auch die mit Hilfe der Soziologie untersuchte Familienstruktur berücksichtigen muß (legales Dominieren des Mannes, die Typen der Beziehungen zwischen den Eltern und Kindern, von der Gesellschaft gegebene

31. Für diesen historischen Abriß haben wir vor allem benutzt Delay, Deniker, Pichot, Mlle Lemperière, Sadoun, *Délires à deux et à plusieurs: étude clinique de vingtdeux familles delirantes,* Congrès Aliénistés et Neurologistes, Nizza, Coueslant, Cahors, 1955. Eine interessante Statistik findet sich auch in A. Gralnick, *Folie à deux, the psychosis of association. A review of 103 cases and the entire English Literature (Psychiatre Quart.,* 16, 1942):

Ehemann – Ehefrau	11 Kombinationen	22 Personen
Ehefrau – Ehemann	15 Kombinationen	30 Personen
Zwillingsschwestern (2)	5 Kombinationen	10 Personen
Schwestern (3)	5 Kombinationen	15 Personen
Zwillingsbrüder (2)	3 Kombinationen	6 Personen
Brüder (3)	1 Kombination	3 Personen
Schwestern – Brüder	4 Kombinationen	4 Personen
Brüder – Schwestern	2 Kombinationen	4 Personen
Mutter – Tochter	16 Kombinationen	32 Personen
Vater – Tochter	1 Kombination	2 Personen
Mutter – Sohn	8 Kombinationen	16 Personen
Vater – Sohn	1 Kombination	2 Personen
Kranker – Kranker	4 Kombinationen	8 Personen
Freund – Freund	5 Kombinationen	10 Personen

32. Man kann sich übrigens bei den Psychosen Mutter- oder Vater-Kinder fragen, ob bei den Leuten, die in so enger Symbiose miteinander leben, der Begriff »co-inconscient« (das gemeinsame Unbewußte), das sich aufgrund intimer Relationen entwickelt, nicht heuristischer ist als der Begriff der Übertragung.

Verhaltensmodelle). Denn der Wahn bewegt sich auf Wegen, die ihm von diesen Modellen gebahnt worden sind. Er regelt in einem abgeschlossenen Milieu die interindividuellen Beziehungen ebenso wie die Konflikt- und »Spannungstypen«, die diese Modelle hervorrufen können.

Es kann aber auch eine Öffnung oder zumindest eine Ausdehnung des Wahns über das familiäre Milieu hinaus eintreten. Doktor Heuyer hat einen Fall von Wahn untersucht, an dem fünf Personen beteiligt waren. Die Psychose organisierte sich um eine Familienmutter und einen vierzehnjährigen Jungen, der einen Streit inszenierte, an der sich zunächst das Haus, später das ganze Viertel beteiligte[33]. So kommen wir dem »kollektiven Wahnsinn« näher, der noch größere Massen befällt. Später werden wir darauf zurückkommen. Hier können wir ebenfalls feststellen, daß der Wahn sich auf Wegen ausbreitet, die das Netz der Nachbarschaft liefert. Das heißt, die Ausbreitung findet in einem bestimmten sozialen Rahmen statt, der im voraus den Verlauf und die Grenzen diktiert. Wir bleiben aber immer im simultanen Bereich. Im Zusammenhang mit der Familienpathologie hat uns die Psychoanalyse einen Typ der Verbreitung gezeigt, der sich innerhalb derselben Gruppe, aber von einer Generation zur anderen vollzieht. So sagt M. Mead: »Ängstliche Eltern zeugen ängstliche Kinder, die heranwachsen, um eine ängstliche Gesellschaft zu schaffen, die nun ihrerseits immer ängstlichere Eltern produziert.« So kommen wir auf einem neuen Weg zum sozialen Wahn. Man muß jedoch aufpassen, denn der Ausgangspunkt ist nicht eine auf Erblichkeit beruhende Übertragung, sondern ein Lernen: »Die neurotischen Konflikte werden von den Eltern gelehrt und von den Kindern gelernt[34].« In einem anderen Buch haben wir dieses Erlernen der Geisteskrankheit durch die Familie und die Sozialisierung der Kinder[35] so ausführlich behandelt, daß wir jetzt darauf nur hinweisen können. Es wäre aber gut, wenn man diese Form der Ausbreitung durch die verschiedenen Verwandtschaftssysteme, väterlicher- oder mütterlicherseits, untersuchen würde, um so ihre Bedeutung noch besser zu erkennen. Sagen wir zum Abschluß, daß die Ausbreitung des Individuellen auf das Kollektive zwei verschiedene Wege einschlagen kann, den des simultanen Wahns und den der Ausbreitung schwerer psychischer Störungen durch die Zeit, von einer Generation zur anderen. Letzteren könnten wir in Analogie zu dem ersten Begriff als »sukzessiven Wahn« bezeichnen.

Neben diesem Wahn mehrerer Personen, der immerhin nur eine zahlenmäßig kleine Gruppe von Personen befällt, spricht man auch von kollektivem Wahn, der sich wie durch Ansteckung über die Klöster oder das Land, von Dorf zu Dorf, verbreitet, und in manchen Fällen beträchtlich große Massen von Individuen befallen kann[36]. Mit diesem kollektiven Wahn verlassen wir aber nicht die Soziologie,

33. Heuyer, »Les psychoses collectives« (*Rev. du Praticien*, V, 15, 1955).

34. John Dollard und N. E. Miller, *Personality and Psychotherapy: an analysis in terms of learning, thinking, culture*, New York, 1956.

35. R. Bastide, *Sociologie et Psychanalyse*, P. U. F., 1950.

36. Vgl. G. Dumas, »Contagion mentale. Epidémies mentales. Folies collectives. Folies grégaires« (*Rev. Philos.*, I, 1916).

die Grundlage der Untersuchungen über den simultanen Wahn ist, das heißt die Soziologie der Interrelationen (und nicht des kollektiven Bewußtseins):

»Das gehäufte Auftreten irrationeller Kommunikationen kann man zu allen Zeiten beobachten, höchstgradig in all den Erscheinungen, die als kollektive Psychosen bezeichnet werden. Die am Anfang stehende Aktion wird durch ein Individuum ausgeführt, dessen Verhalten zuvor absonderlich war oder nur plötzlich, in einer bestimmten sozialen Ereignis- oder Konfliktsituation, als solches erkannt wird. Diese Aktion wird beträchtlich dadurch verstärkt, daß dieser erste Handelnde sich mit einem zweiten verbindet, dessen Rezeptivität in bezug auf den ersteren selektiv ist. Mit der Herstellung ihrer gegenseitigen Interrelationen werden sie zu einem pathogenen Paar: Hexe – Richter, Besessene – Teufelsbeschwörer, Verzückter – Helfer, Labiler – Debiler. Die gegenseitige Ansteckung wird immer intensiver und schafft ähnliche Relais, die überall gegenwärtig sind. Jedenfalls entwickelt sich das Drama auf der Ebene solcher Interrelationen[37].«

Die kollektiven Psychosen erklärt man mit denselben Gesetzen, die für den Wahn zu zweit gelten, der übrigens eine Stufe des kollektiven Wahns ist, also mit dem Gesetz der Induktion, dem Gesetz der Arbeitsteilung im Wahn, mit dem Gesetz des abgeschlossenen Milieus (obwohl die Epidemie sich auf eine größere Zahl von Personen ausbreitet). Die Entdeckung neuer Kommunikationsmittel wie Radio, Fernsehen, Zeitung macht heute das Phänomen komplizierter oder sorgt für eine noch größere Ausbreitung, ohne aber den Prozeß tatsächlich zu verändern, wie wir an dem Fall von Panik sehen, den die Sendung von Orson Welles über die Invasion der Marsmenschen hervorgerufen hat[38]. Man hat sich besonders für diese Fälle von kollektivem Wahn interessiert, vor allem für die, die mystische Formen angenommen haben, wie die Epidemien dämonischer Besessenheit im Mittelalter und im XVII. Jahrhundert die große Furcht vor dem Jahr 1000 oder vor der Französischen Revolution, die seltsamen religiösen Sekten, die messianischen Bewegungen oder der »Befreiungskult«, wie Lanternari sie nennt, und andere mehr. Über alle diese Bewegungen gibt es bedeutende Monographien, die von Historikern, Ethnologen oder Psychiatern geschrieben worden sind. Doch wenn man vom Messianismus absieht, haben wir sehr wenige wirklich soziologische Untersuchungen. Alle diese Bewegungen lassen sich nun aber nicht als einfache intermentale Ansteckung verstehen. Um sie verstehen zu können, müssen wir politische, ökonomische, ja sogar linguistische Fakten untersuchen. In dieser Hinsicht sehen wir mit großen Erwartungen der Arbeit von P. Cerneau über die Besessenen von Loudun entgegen. Er wird zeigen, wie gut diese Besessenheit in einen nationalen soziologischen Rahmen paßt und dadurch aus einem rein pathologischen Determinismus hinauswächst, der nur ein oberflächliches und fragmentarisches Bild davon geben kann. Manche Psychiater sind sich darüber übrigens vollkommen klar, so zum Beispiel Deshaies,

37. Hamon, »Les psychoses collectives« (*Congrès des médecins aliénistes* ... 55, o. c.).

38. H. D. Lasswell, »Propaganda and mass in security« (*Psychiatry*, XIII, 1950, S. 283–299).

wenn er schreibt: »Die sogenannten kollektiven Psychosen und Neurosen stellen keinesfalls autonome und spezifische Formen dar ... Die Gerüchte, die Paniken, der Zerstörungswahn oder die fanatischen Zustände der Masse sind kollektive Bewegungen, die das Individuum mit sich reißen und besinnungslos machen ... Man ist nicht dazu berechtigt, hierfür die Pathologie zu bemühen oder von sozialer Pathologie zu sprechen. Das wäre eine unglückliche Umschreibung[39].« Besser könnte man es nicht sagen!

Es ist tatsächlich so, daß man unter derselben falschen Bezeichnung extrem verschiedene Phänomene miteinander verbindet, die ihrem Wesen nach oft gegensätzlich sind. Wir wollen dafür ein paar Beispiele nennen. Es gibt zunächst eine erste Kategorie von Bewegungen, denen zweifellos manchmal auch Psychopathen angehören, die aber in sich nicht krankhaft sind, sondern normale Reaktionen auf gewisse soziale Situationen der Frustration. Sie haben auch nützliche Funktionen: das sind die messianischen Phänomene. Zu ihnen gehört manchmal, wie bei den Kulten des Cargo, eine Verzerrung der Realität. Diese Verzerrung aber unterscheidet sich nicht merklich von der, die man in kollektiven Mythen und Glaubensformen findet, in denen sie sogar wurzelt. Es gibt eine zweite Kategorie von Fakten, wie die Tarantella in Italien[40], die im eigentlichen Sinn psychiatrischer Natur sind. Aber man kann hier nicht mehr von »kollektivem Wahn« sprechen. Hier handelt es sich nur um ein traditionelles Modell, das von einem bestimmten kulturellen Milieu diktiert wird und das gemeinsame Modell für die »korrekte Form des Wahnsinns« ist, das sich allen Individuen, die in einer Krise stecken, aufdrängt. Es gibt eine dritte Kategorie von Fakten, auf die sich der weiter oben von Deshaies zitierte Satz am besten anwenden läßt: die allgemeinen Paniken, die Krisen kollektiver Aggressivität, die man früher »den Wahnsinn des Pöbels« oder der Massen nannte und die zur Zeit von Sighele und Le Bon in Mode waren. In diesem Fall ist die Voraussetzung für die Anwendung des Begriffs »Wahnsinn«, daß der Glaube an ein kollektives Bewußtsein postuliert wird, das sich außerhalb der Individuen befindet und über ihnen steht. Weil das individuelle Bewußtsein in seiner Integrität von einer Geisteskrankheit befallen werden konnte, zog man den Analogieschluß, daß es sich bei dem kollektiven Bewußtsein genauso verhalten könnte. Die irrationalen Bewegungen der Massen werden natürlich durch den Verlust der sozialen Kontrolle und das Aufsteigen instinktiver Triebhaftigkeit hervorgerufen, die an das Durchbrechen niederer Aktivitäten des Geistes bei Hemmung oder Zerstörung der höheren Gehirnfunktionen erinnern. Aber auch hier handelt es sich wieder um eine einfache Analogie und nicht um eine echte Homologie. Vielleicht kann man von »sozialer Pathologie« sprechen, keinesfalls jedoch von Pathologie im psychiatrischen Sinne und von sozial im soziologischen Sinne (denn gerade der soziale Rahmen wird durchbrochen und die soziale Kontrolle hört auf;

39. Gabriel Deshaies, *Psychopathologie générale,* P. U. F., 1959, S. 180.
40. Ernesto de Martino, *La Terra del Rimorso,* Mailand 1961.

wir haben die Antipoden der Durkheimschen Definition vom kollektiven Bewußtsein erreicht).

Was bleibt, wenn man von diesen Fakten absieht? Erster möglicher Fall: kollektive Neurosen, die durch die Einheit und Heftigkeit der traumatischen Ursache determiniert sind und bei denen es keine Kommunikation oder gesicherte intermentale Ansteckung gibt. Das bekannteste Beispiel dafür ist die Handvoll amerikanischer Marinesoldaten, die im August 1942 in Guadalcanal einem so starken physischen und moralischen Druck ausgesetzt wurden, daß sie alle eine kollektive Neurose durchmachten. Als der Druck aufhörte, kamen aber die meisten von ihnen wieder in den normalen Zustand zurück. Zweiter möglicher Fall: Kollektive Neurosen oder Psychosen, die durch die paarweise Kommunikation Wahnsinniger, durch Zwischenverbindungen und Relaisbildung charakterisiert werden. Ein letzter Fall bleibt übrig: Kann die ganze Gesellschaft wahnsinnig werden? Die früheren Psychiater stellten diese Frage nicht. Erst der Faschismus und der Nazismus haben sie zu dieser Frage angeregt.

Die Vorstellung, daß die Gesellschaft »gesund« oder »krank« sein kann, verträgt sich nicht mit unserer Definition des Normalen als Anpassung. Denn wenn Anpassung an eine kranke Gesellschaft stattfindet sind alle Mitglieder des Kollektivs Neurotiker. Aus diesem Grund gibt es nach E. Fromm einen Wahnsinn zu Millionen, ebenso wie es einen Wahnsinn zu zweit gibt. Es ist natürlich schwierig, die Diagnose dieser kollektiven Psychosen zu stellen. Denn da die ganze Gesellschaft von ihr befallen wird, ist natürlich der Psychiater wie alle anderen davon betroffen. Die heutige Gesellschaft aber ist im psychiatrischen Sinne pathologisch[41]. Aufgrund der Vorstellungen von Bain und Borrow hatte G. Dévereux die Theorie entwickelt, daß es soziale Neurosen gibt. In diesem Fall ist selbstverständlich der Mensch, der die Normen und Wertvorstellungen der Gesellschaft introjiziert hat, ein Neurotiker. Und in diesem Fall muß man nicht die Individuen, sondern die Gesellschaft behandeln. Hier wäre der Rebell, der Nichtangepaßte, der Gesunde[42]. So fordern alle Druck ausübenden Minderheiten, wenn sie, wie es im nazistischen Deutschland geschehen ist, die Macht an sich reißen, von den Unterdrückten eine Anpassung an ihre frustrierende Situation, was eine ausgeprägte Neurose zur Folge hat. Zur gleichen Zeit entwickelt diese Majorität in sich eine symmetrische Neurose. »Die Reaktion auf die alloplastischen Bemühungen der Unterdrücker sind autoplastische Veränderungen, die den den Unterdrückten auferlegten Manifestationen an Intensität gleichkommen oder sie sogar übertreffen.« Aus diesem Grunde wird letzten Endes die ganze Gesellschaft von der Neurose befallen. Mit der Behauptung, daß die Gesellschaft verrückter sei als die Individuen, will man natürlich nicht sagen, daß es psychiatrische Störungen des kollektiven Bewußtseins gibt. Die Neurosen und Psychosen sind immer an das Individuum gebunden. Fest steht, daß die Gesellschaft die kranken Tendenzen ihrer Glieder verstärkt. Sie kann Situationen schaffen,

41. Erich Fromm, *The Sane Society*, London, 1956.
42. G. Dévereux, »Maladjustment and social neurosis« (*Amer. Soc. Rev.*, IV, 6, 1959).

durch die die Zahl der in ihr lebenden Geisteskranken vervielfältigt wird. Wir haben hier, kurz gesagt, nur einen Sonderfall der Soziogenese, von der wir gesprochen haben. Man darf die beiden Bedeutungen des Wortes »pathologisch«, die soziologische und die psychiatrische, nicht miteinander verwechseln. Diese Fakten aus der sozialen Pathologie aber ziehen als Folge die Verdoppelung der Fakten aus der psychiatrischen Pathologie nach sich. Hier finden wir die alte Idee von A. Comte wieder. Später, im Zusammenhang mit den empirischen Forschungen, werden wir wieder darauf zurückkommen. Unter diesem Gesichtswinkel der kollektiven Soziopathologie kann man auch die Gedanken sehen, die Thomas M. Feuch entwickelt hat (*Social conflict and psychic conflict*). Ohne die beiden Konflikte miteinander zu verwechseln, zeigt dieser Autor, daß die sozialen Konflikte eine große Zahl von Individuen befallen, die mehr oder weniger latente oder offene psychische Konflikte haben. Und diese die sozialen Konflikte überlagernden psychischen Konflikte rufen Massenenttäuschung oder Massenfurcht hervor (wie die Furcht vor dem Kommunismus in den Vereinigten Staaten), Erscheinungen, die denen sehr ähnlich sind, denen der Psychiater begegnet.

Diese Auffassung scheint uns von großem Wert zu sein. Es gibt aber Autoren, die noch viel weiter gehen. So spricht zum Beispiel Trigant Burrow (*The social neurosis*) von hysterischen Gesellschaften, die ihre Verteidigungsmechanismen organisieren, Sprachverwirrungen (Metonymien) hervorrufen, auf kindliche Illusionen zurückgreifen usw. Oder Ruth Benedict, die von paranoischen Gesellschaften spricht (*Echantillons de civilisation*). Hier wurde der Standpunkt der Soziogenese überwunden, denn man macht sich tatsächlich die Vorstellung zu eigen, daß unsere Gesellschaften in derselben Weise wie die Individuen verrückt werden können und daß die Formen des kollektiven Wahns in den Rahmen der klinischen Pathologie hineinpassen (Hysterie, Paranoia). Diese Auffassung kann übrigens verschiedene Formen annehmen. Sie kann nur eine Ausweitung der Vorstellung von den Interrelationen auf die ganze Gesellschaft sein: Wenn der Staatschef oder ein besonders mächtiger Führer ein Geisteskranker ist, kann er durch Ansteckung oder durch mentale Kommunikation seinen Wahn auf das gesamte Volk übertragen. Diese Theorie ist im Zusammenhang mit dem Hitlerismus in den Vereinigten Staaten oft geäußert worden[43]. Sie kann sich auch, wenn bei René Laforgue in Frankreich (zum Beispiel in seinem Buch über Talleyrand, einer Pyschoanalyse der französischen Mentalität), auf das Postulat vom kollektiven Bewußtsein gründen, das denselben Gesetzen wie die individuelle Psyche folgt[44]. Wir persönlich glauben nicht, daß man die kollektiven Vorgänge mit den individuellen gleichsetzen kann. Wir schließen uns hierin Denkern wie F. Alexander an, die der Auffassung sind, daß man die Gesellschaften nicht »psychoanalysieren« kann[45]. Unsere Gründe dafür

43. Vgl. Read Bain, »Sociology and Psychoanalysis« (*Amer. Soc. Rev.*, I, 1936).

44. Vgl. auch R. Laforgue, *Libido, Angst und Zivilisation*, Wien, 1932.

45. Franz Alexander, »Psychoanalysis and social disorganization« (*The Amer. Journ. of Soc.*, Bd. 42, zweites Semester 1937).

haben wir an anderem Ort dargelegt[46]. Die Krankheiten der Gesellschaft können zu denen des Individuums Analogien bilden. Man kann aber nicht so weit gehen, daß man von hysterischer und paranoider Kultur spricht. Das ist dann ein Spiel mit Worten. Dieses Kapitel wollen wir mit folgender Bemerkung abschließen: Es gibt eine Soziologie der Geisteskrankheiten, aber keine »psychiatrische Soziologie«. Bevor wir weitergehen, schien uns diese Klarstellung notwendig, damit jede Verwirrung vermieden wird.

46. R. Bastide, o. c.

Viertes Kapitel

Von der Ökologie zur Untersuchung der Gemeinschaften

1. STADT UND LAND

Man hat vor langer Zeit festgestellt, daß die Zahl der Geisteskranken in den Städten höher als auf dem Lande ist[1]. Eine Statistik von 1940 zum Beispiel weist für die Vereinigten Staaten folgende Prozentsätze auf (Städte im Vergleich zu den ländlichen Zonen):

- Alterspsychosen: 2,0 gegenüber 1 %;
- durch Arteriosklerose verursachte Psychosen: 2,5 gegenüber 1 %;
- Allgemeine Paralyse: 2,6 gegenüber 1 %;
- Alkohol-Psychosen: 2,6 gegenüber 1 %;
- Manisch-depressive Psychosen: 1,3 gegenüber 1 %;
- Dementia praecox: 1,8 gegenüber 1 %.

Die Gründe für diesen Kontrast konnte man natürlich sehr leicht finden: der Gegensatz zwischen den affektiven Beziehungen, die auf dem Lande intim und personalisiert sind, und den unpersönlichen, fast rein vertraglichen Beziehungen in den Großstädten. Den Gegensatz zwischen der traditionellen, lebendigen und organischen Ordnung einerseits und der Mechanisierung der menschlichen Kontakte oder der Anomie andererseits. Das Verschwinden der Großfamilie, der dörflichen Kontrolle in der Stadt, die Zunahme der Spannungen und das Härterwerden des Lebenskampfes, die Isolierung der Individuen usw. Das ist die klassische Darstellung, die wir nicht zu wiederholen brauchen.

Zunächst aber müssen wir feststellen, daß die Stadt, soziologisch gesehen, nicht eine homogene Realität darstellt. Neben den Landbewohnern, die im Zuge der Industrialisierung in das neue Milieu kamen und dabei Schwierigkeiten hatten, die pathologische Wirkungen haben konnten, gibt es die große Masse der in der Stadt Geborenen, deren Eltern auch schon Städter waren und die deshalb nicht mehr unter Anpassungskrisen leiden. Ebenso zeigen nicht alle Landgebiete dasselbe Bild: im Département Côte d'Or zum Beispiel sind die Depressionen in den reichen Ebenen zahlreicher als in den armen Gebirgsgegenden, die den Bauern zähe und geduldige Arbeit abverlangen[2]. Es wäre deshalb richtig, wenn man die allzu allge-

1. Sorokin und Zimmermann, *Principles of rural-urban sociology*, New York, 1929, S. 164–165. – Clarence W. Schroder, »Mental Disorders in Cities« (*Amer. Journ. of Sociol.*, XLVIII, I, 1942). – B. Malzberg, o. c. Kap. 3. Deshaies dagegen findet in Frankreich keinen bedeutenden Unterschied zwischen der Zahl Geisteskranker ländlichen und städtischen Ursprungs (*Le recensement des psychopathies en France*, Imprimerie contemporaine, 1938).

2. Sivadon, »Géographie humaine et Psychiatrie« (*Annales médicopsychologiques*, 106 Jahr, 1948).

meinen Übersichten durch lokalisierte und genauere Untersuchungen ersetzte, die die Verschiedenheit des geographischen Milieus und der sozialen Kategorien berücksichtigen.

Vor allem sind alle diese alten Untersuchungen, in denen das Landleben für die geistig-seelische Gesundheit förderlicher erscheint als das Leben in den verführerischen Großstädten auf Grund der Ersteinlieferungen von Kranken in die psychiatrischen Kliniken gemacht worden. Deshalb kann man sich fragen, ob der höhere Prozentsatz der Geisteskrankheiten in den Großstädten nicht damit zusammenhängt, daß für ihre Bewohner die Hospitalisierung leichter ist, während andererseits der kleine Wohnraum der Stadtwohnungen es nicht zuläßt, daß man einen Geisteskranken zu Hause pflegt. Dagegen ist es viel leichter möglich, einen Schwachsinnigen, Nervenkranken oder gar manche Typen von Psychotikern in den vereinzelt stehenden Bäuernhöfen zu Hause zu behalten[3]. Andererseits ändern die kollektiven Vorstellungen sich mit dem Übergang vom ländlichen in das städtische Milieu. Hier wird der Wahnsinn nicht mehr als Schande betrachtet, und mit der fortschreitenden Medizin glaubt man mehr daran, den Geisteskranken heilen zu können, wenn man ihn beim Auftreten der ersten Störungen behandelt. Letzten Endes ergibt sich hieraus, daß die Statistiken über die Ersteinlieferungen mehr die »Toleranzgrade« des städtischen und ländlichen Milieus gegenüber den Geisteskranken als die genaue Zahl der Personen aus Stadt oder Land angeben, die von Psychosen oder Psychoneurosen befallen sind. Doch auf Grund dieser Hypothese können wir nicht *a priori* die Vorstellung verwerfen, daß die Stadt ein in stärkerem Maße pathogenes Milieu als das Land darstellt. Jedes Jahr ist die Zahl der Wehrdienstpflichtigen, die wegen geistiger Störungen zurückgestellt werden, in den Städten größer als in den ländlichen Gebieten. Wir müssen uns also erneut mit diesem Problem beschäftigen.

Die Psychiater und Soziologen müssen, falls die Bevölkerungszahl klein ist, alle Individuen der Gemeinde interviewen, wie Lin es in Formosa getan hat (19 913 befragte oder getestete Personen), oder aber, wenn die Bevölkerungszahl sehr groß ist, die Sondierungsmethode anwenden und die gewonnenen Ergebnisse für das ganze Gebiet generalisieren. Schließlich kann man die Ersteinlieferungen in die Klinik in der Stadt einer Untersuchung der Individuen auf dem Lande, Bauernhof für Bauernhof, gegenüberstellen. Lin hat auf diese Weise ein Landgebiet von Formosa, ein kleines Dorf, und einen Teil der Großstadt vergleichen können. Er hat keine bedeutenden Unterschiede finden können, höchstens einen leicht erhöhten Prozentsatz von Schizophrenie in den städtischen Gebieten, einen leicht erhöhten

3. M. B. Owen, »Alternative hypothese for the explanation of Faris' and Dunham's results« (*Amer. Journ. of Sociol.*, 47, 1941, S. 48–52). – Gartly E. Jaco, »Attitude toward, and incidence of mental disorder« (*Southwestern soc. sci. Quart*, 38, 1957, S. 27–38). – O. Odegaard, »Current studies of incidence and prevalence of hospitalized mental persons in Scandinavia«, in P. H. Hoch und J. Zubin, Hrsg., *Comparative Epidemiology of the Mental Disorders*, New York, 1961.

Prozentsatz von Schwachsinn und Alterspsychosen im ländlichen Gebiet[4]. Wir wissen, daß Alexander Leighton und seine Mitarbeiter seit kurzem an einer großen Untersuchung arbeiten: *The stirling County study of psychiatric disorder and sociocultural environment*. Sie untersuchen Bristol, eine Stadt von 3000 Einwohnern, und ihre Umgebung. Dabei verwenden sie einen besonderen Fragebogen, der sich für die Aufdeckung von Persönlichkeitsstörungen eignet, die nicht die Aufmerksamkeit der Mediziner oder der psychiatrischen Kliniken erregt haben. Bis jetzt hat sich ergeben, daß am wichtigsten nicht der Grad der demographischen Konzentration, sondern der Grad der Organisation oder der Desorganisation des sozialen Lebens ist. Dabei kann die Desorganisation für die ländlichen Gebiete ebenso charakteristisch wie für die städtischen Viertel sein.

Das ist das Wesentliche. Wir sind Rousseaus Erben geblieben und haben uns eine idyllische Vorstellung vom Leben auf den Feldern bewahrt. Es gibt aber ebenso wie in der Stadt auch auf dem Lande Problemzonen. Einige Merkmale der Stadt wie die Unpersönlichkeit der sozialen Beziehungen und die Mobilität, hat man übertrieben und gleichzeitig denselben Merkmalen in den ländlichen Gebieten zu geringe Beachtung geschenkt. Tatsächlich gibt es in den Großstädten der Vereinigten Staaten stabile und harmonische religiöse oder ethnische Gemeinschaften. Andererseits gibt es, wie zum Beispiel in Kalifornien, das von den amerikanischen Romanciers so gut untersucht worden ist, eine ländliche Anomie mit mobilen Landarbeitern[5]. Was wir eben über die Vereinigten Staaten gesagt haben, gilt ebenfalls für einsame Gegenden in Europa, die landwirtschaftlich unterentwickelt sind, wo die Dörfer sterben und nur noch aus ein paar verhärteten und frustrierten Familien bestehen. Wir wollen dafür ein paar Beispiele nennen. Bremer hat in einem kleinen Fischerdorf der Arktis (Norwegen), wo er von 1939 bis 1944 arbeitete, in einer Bevölkerung von 1325 Personen unter 5 Personen eine mit Zeichen von Nichtanpassung gefunden. In der Hälfte der Fälle trat sie in Form einer Geisteskrankheit auf. Der nun folgende Überblick faßt alle seine Beobachtungen zusammen:

- Schizophrenie: 6 (4,5 ‰);
- Manisch-depressive Psychosen: 2 (1,5 ‰);
- Gesamtsumme der Psychotiker: 38 (28,7 ‰);
- Zahl der Personen mit Störungen (Psychosen oder Nichtpsychosen): 212 (160 ‰).

Böök hat in einer ländlichen Gegend Nordschwedens mit einer Bevölkerung von 8931 Einwohnern, in der Zeit von 1902 bis 1949 364 Geisteskranke gefunden, von denen 85 von Schizophrenie (9,6 %) und nur 2 von manisch-depressiver Psychose befallen waren (0,2 %). Dabei traten alle Fälle von Schizophrenie in katatoner Form auf[6]. Im Moment interessiert es uns nicht, ob diese hohen Prozentsätze sich, wie Böök meint, genetisch erklären lassen, weil die Isolierung zur Endogamie und

4. Toung-Yi Lin, »A study of the incidence of mental disorders in other culture« (*Psychiatry*, 16, 1953, S. 313–336).
5. Siehe A. Leighton, J. A. Clausen und R. N. Wilson, Hrsg., *Explorations in Social Psychiatry*, New York, 1957 (Kapitel von E. Leacook).
6. V. D. Sanua, o. c., S. 29–35.

zur Vererbung der »pathologischen Gene« zwang, oder ob man sie, wie Bremer meint, auch auf soziale Faktoren zurückführen muß, auf den fehlenden Kontakt zur Außenwelt, den niedrigen ökonomischen Status der Bewohner, auf die Zersplitterung der Familien nach der Besetzung der Insel durch die Deutschen. Für uns ist folgendes von Wichtigkeit: Wenn man das Kriterium der Hospitalisierung durch eine intensive Untersuchung einer kleinen Gemeinde von isoliert lebenden Bauern und Fischern ersetzt, erweist sich die idyllische Vorstellung, nach der die Landbewohner weniger geistige Störungen als die Städter aufweisen, als vollkommen falsch. Die Zahl der Schizophrenen, die Böök feststellte, gehört zu den höchsten, die wir kennen. Da die Angelsachsen sich nicht leicht von Psychiatern untersuchen lassen, arbeitete Mayer-Groß mit einer anderen Technik. Er befragte in einem schottischen Landgebiet die vornehmen Bürger. Seine Untersuchungen hatten diesen aufschlußreichen Überblick zum Ergebnis[7]:

KRANKHEITSSTAND BEI GEISTESKRANKHEITEN IN EINEM LANDBEZIRK SCHOTTLANDS (1948)

	Zahl der Fälle	bezogen auf 1 000
Schizophrenie	230	4,2
Manisch-depressive Psychose	199	3,5
Psychosen	1 225	21,8
Gesamtsumme der Fälle von Anormalität	5 105	90,0
Gesamtbevölkerung	56 000	

Die französischen Psychiater, die zwar eine ziemlich starke Abneigung gegenüber Statistiken haben, die Phänomene aber gründlich durch Untersuchung von Fällen klären wollen, haben unseres Wissens die besten Analysen von Psychosen in ländlichem Milieu geliefert. Sie neigten anfänglich dazu, vor allem im Alkoholismus die Ursache für die Psychosen zu sehen. Und tatsächlich hat Scherer in Weingegenden wie dem Chablis oder in der Obstweingegend La Puisay eine große Anzahl von Alkoholpsychosen festgestellt. Die Zuflucht zum Alkohol aber ist selbst nur Folge wichtigerer soziologischer Faktoren. Schon Tosquellier betonte 1950 auf dem Internationalen Kongreß für Kriminologie die Kettenreaktion, die in den völlig dekadenten Dörfern der Lozère abläuft. Die Familienchefs reagieren auf die soziale Desorganisation entweder dadurch, daß sie sich isolieren oder daß sie politisch tätig werden. Sie verkörpern einen paranoischen Männertyp, dessen Frauen im allgemeinen ängstlich sind. Der zweite Sohn des Paares, dessen Gefühlsleben infantil geblieben ist, der eine starke Mutterbindung hat und oft sexuell straffällig wird, zeigt seinerseits eine verdeckte Form der Schizophrenie. Die eigentliche Schizophrenie tritt in der nächsten Generation beim ältesten Sohn auf, der häufig in die Stadt geht, um einer unhaltbaren Situation zu entfliehen. Scherer erklärt die Entstehung der Psychosen auf dem Lande durch die Isolierung: Zwei alte Jung-

7. *Idem*, S. 44–45.

gesellen oder Bruder und Schwester leben in irgendeinem abgelegenen Bauernhof zusammen, suchen in einer mechanischen und endlosen Arbeit Ablenkung von ihren affektiven Frustrationen. Bei ihnen – Kindern, die plötzlich durch das Verschwinden des Vaters mit einer zu schweren Verantwortung belastet worden sind – bildet sich ein Inzest- oder Schuldwahn. Auch wenn mehrere Familien unter einem Dach zusammenleben, damit das Eigentum ungeteilt bleibt, kann eine Reihe von Konfliktsituationen entstehen. Die Autorität eines Patriarchen, unter dem diese Familien leben, ruft bei den Jungen unbefriedigte Wünsche und lang unterdrückte Sehnsüchte hervor, die oft die Ursache von Neurosen sind. Der Patriarch schließlich, kann im Alter von Verfolgungswahn befallen werden, aus Angst davor, daß er seine Autorität verlieren könnte. Kurz gesagt, die besonderen Formen der Psychosen auf dem Lande, besonders in den einsamen Gegenden, erklären sich in Frankreich letzten Endes durch die aktuelle Struktur des Lebens auf dem Lande. Scherer schließt mit einem Satz von Hesnard: »Viele Psychosen treten nicht da auf, wo Familienbande oder innere Beziehungen zerbrechen, sondern im Gegenteil da, wo die anormale Strenge dieser präsozialen Bindungen das Individuum daran hindert, sich von den Gesetzen seines Familienkreises oder seiner engen Gruppe, die gegenüber der sozialen Kollektivität fremd geblieben sind, zu befreien[8].«

Wie wir gesehen haben, klärt das Problem sich auf und die Widersprüche verschwinden, wenn man, anstatt Stadt und Land einander ökologisch gegenüberzustellen, die ländlichen und städtischen Gemeinschaften unter dem Gesichtspunkt untersucht, in welchem Maße es in ihnen soziale Organisation oder Desorganisation gibt. Ebenso wie bestimmte Viertel unserer Großstädte können auch desorganisierte Dörfer für das Entstehen von Neurosen oder Psychosen verantwortlich gemacht werden. Daraus dürfen wir aber nicht den Schluß ziehen, daß die Landzonen für die geistige Gesundheit schädlicher wären. Denn ein Dorf, das ein lebendiger Organismus geblieben und nicht in verhaßten archaischen Formen erstarrt ist, kann im Gegenteil, solange es nicht seine Seele verliert, für Geisteskrankheiten unzugänglich sein. Als Beispiel dafür nennt Scherer ein paar in Frankreich angesiedelte holländische Kolonien, die ein sehr starkes und harmonisches Gemeinschaftsleben bewahrt haben. Bei ihnen gibt es überhaupt keine psychiatrischen Störungen.

So stellt sich uns das Problem dieser geschlossenen und unberührten Landgemeinden, die Oasen geistiger Gesundheit in unseren Landgebieten sind. Scherer weist nur auf das Faktum hin, ohne seine Untersuchungen hier weiterzuführen. Aber auch die Nordamerikaner kennen in ihrem Land solche »Oasen«. Es sind die hutterschen Gemeinden. Über die »geistige Gesundheit« ihrer Mitglieder haben sie Nachforschungen angestellt[9]. Zu welchen Schlüssen sind sie gekommen?

8. Pierre Scherer, »Les psychoses en milieu rural« (*Le Concours médical, colloque de psycho-sociologie agricole*, Tours, 14. Juni 1959).

9. Joseph W. Eaton und Robert J. Weil, *Culture and Mental Disorders: a comparative study of the Hutterites and other population*, Glencoe, Ill., 1955. – Robert Kaplan und Thomas F. A. Plaut, *Personality in a Communal Society: an analysis of the mental health of the Hutterites*, Univ. of Kansas, 1956.

Die Hutterschen Brüder sind eine Wiedertäufersekte, die zwischen 1874 und 1877 von Rußland nach Kanada und in den Vereinigten Staaten eingewandert ist. Sie sind aufgeteilt in mehr als 90 Kolonien, die von der als »teuflisch« betrachteten Welt getrennt leben. In kollektiven Bauernhöfen (zu jeder Kolonie gehören ungefähr 16 Familieneinheiten) leben sie unter der Leitung eines Chefs und eines Pastors, die beide von der Gemeinde ernannt worden sind. Lange Zeit hat man geglaubt, daß sie frei von jeder Geisteskrankheit wären. Diese Tatsache hat man sich aus der sozialen Kohäsion dieser Kolonien erklärt, durch die das Individuum vor Unsicherheit, Armut, Krankheit und den verschiedenen Schicksalsschlägen des Lebens geschützt wird. Ebenso führte man sie auf die religiösen Werte zurück, die diese soziale Kohäsion zementierten. Nach einer gründlichen Untersuchung von 19 dieser Gruppen und mehreren Besuchen in den anderen haben Eaton und Weil jedoch tatsächlich Geistesstörungen festgestellt, und zwar:

Krankheiten	*Zahl*	*bezogen auf 1 000*
Schizophrenie	9	1
Manisch-depressive Psychosen	39	4,6
Psychosen	53	6,2
Gesamtzahl der Fälle von Geisteskrankheit	199	23,2
Gesamtbevölkerung	8 542	

Überraschend ist zunächst zweifellos die kleine Zahl von Schizophrenen, eine der niedrigsten, die es gibt. Übrigens sind die Symptome relativ gutartig. Und so erklärt sich auch die Annahme, daß die Hutterschen Brüder wegen ihrer sozialen und kulturellen Kohäsion frei von Geisteskrankheiten seien. Im Gegensatz dazu aber finden wir eine sehr hohe Zahl von manisch-depressiven Reaktionen. Die Depression aber wird von ihnen nicht als eine Krankheit, sondern als ein normales Phänomen, eine »Versuchung des Teufels« angesehen, als eine Prüfung, die von Gott geschickt wird, mit der auch Hiob geschlagen wurde. Deshalb bleiben diese Psychotiker in die Gesellschaft integriert (sie werden nur während ihrer Krise von ihren Verantwortlichkeiten befreit). Deshalb wurde ihre Existenz von den ersten Psychiatern, die sich für die Hutterschen Brüder interessierten, nicht bemerkt. Später, wenn wir den Einfluß der Religion auf die Geisteskrankheiten untersuchen, werden wir sehen, wie das Phänomen zu erklären ist. In diesem Zusammenhang genügt die Feststellung, daß die huttersche Kultur keinen besseren Schutz gegen Störungen der Persönlichkeit gewährt als jede andere. Der Begriff der Neurose ist dem hutterschen Denken sehr fremd, was aber nicht sagen will, daß diese Bevölkerungsgruppe frei davon wäre. Eaton und Weil haben 33 % vor allem weibliche Fälle diagnostiziert. Die Hutteriten zählen sie aber zu den organischen Krankheiten. Kaplan und Plaut haben den T. A. T. benutzt und damit unter der scheinbaren Harmonie und Stabilität der Gruppe viele ungelöste Probleme gefunden, wie latente Stauungen verdrängter Aggressivität bei gleichzeitiger großer Angst vor diesen aggressiven Tendenzen, die von der Kultur verurteilt werden. Sie erkennen aber an, daß diese Probleme im allgemeinen keine ernsten Symptome zur Folge haben. Die huttersche Kultur akzeptiert diese in einer Krise befindlichen Personen und versucht, die materiellen, ökonomischen oder psychologischen Probleme dieser Kranken auf ein Minimum zu reduzieren, indem sie sie an der Verantwortung für das Kollektiv teilhaben läßt und sie mit einer aktiven Sympathie umgibt (besonders in Form von Gebeten, Pflege, militanter Liebe.) So bildet sie so etwas wie eine therapeutische Gruppe, die den Ausbruch der Geistesstörungen auf ein Minimum reduziert. Man kann also den allgemeinen Schluß aus der Untersuchung dieser sich gegenüber den Versuchungen der »Welt« abschließenden Kolonien ziehen, daß die soziale Kohäsion das Auftreten psychiatrischer Störungen zwar nicht verhindert, aber trotzdem eine wirksame therapeutische oder präventive Rolle spielt, durch die Spannung verringert und soziale Entfremdung verhindert wird.

Die Psychiatrie der ländlichen Gegenden ist eines der instruktivsten Gebiete der Soziologie der Geisteskrankheiten. Beim Übergang vom rein demographischen oder ökologischen Standpunkt (Konzentration oder Streuung der Bevölkerung im Raum) zur soziologischen Untersuchung der Landgemeinden unter Berücksichtigung ihrer Strukturen und Wertvorstellungen haben wir feststellen können, daß die Probleme komplizierter werden und daß die ersten Schlüsse der Ökologen der Korrektur oder zumindest leichter Veränderungen bedurften. Probleme und Spannungen, die Entstehung von Neurosen begünstigende Faktoren gibt es überall. Keine Gesellschaft ist frei von Psychosen. Es gibt aber das Klima der ländlichen Problemzonen, das ihre Entstehung begünstigt und andererseits das Klima der harmonischen und lebendigen Dörfer, das die Psychosen mildert. Man kann also weder von Land im allgemeinen sprechen, noch kann man auf Grund der Herkunft des hospitalisierten Kranken eine allgemeine Korrelation zwischen der Geisteskrankheit und dem Wohnsitz in der Stadt oder auf dem Land aufstellen. Die einsamen, aussterbenden Hochgebirgsdörfer haben eine andere soziale Struktur als die wohlhabenden Dörfer der Ebene – die trotz ihrer Genossenschaften individualistischen Weinbaugegenden haben eine andere soziale Struktur als das normannische Waldgebiet oder die bretonische Heide. Wir beschränken uns auf diese für Frankreich geltenden Beispiele. Auch diese Strukturen sind im Laufe der Zeit einem Wandel unterworfen. Neben unseren unterentwickelten Gebieten haben wir Gebiete mit progressiver Landwirtschaft. Man müßte die Gegenden mit Großgrundbesitz, ihre oft ausländischen, polnischen oder spanischen Landarbeiter untersuchen, die in gewisser Weise an den Rand der nationalen Gesellschaft gestoßen wurden und einer entfremdeten und entfremdenden Arbeit ausgeliefert sind. Außerdem gibt es die Gebiete mit kleinem Grundbesitz, in denen die einzelnen Bauernhöfe zerstreut liegen oder Gruppen in Dörfern bilden. Eine jede Gegend hat ihre eigenen Merkmale, die durch die Anthropo-Geographie seit Vidal de la Blache so gut herausgearbeitet worden sind, daß sie als Rahmen für eine intensive Untersuchung durch Psychiater, Psychologen und Soziologen oder Ethnologen des Landlebens dienen können. Früher hat man für jedes Département eine Karte über die geistige Gesundheit aufgestellt. Doch diese Karten sind nicht von Bedeutung, weil sie auf Grund der Hospitalisierungen erarbeitet wurden. Wenn man die zahlreichen, offenbar doppeldeutigen

Verbindungen zwischen den ländlichen Strukturen und den Störungen der Persönlichkeit verstehen will, muß man diese Karten ganz neu aufstellen. Solche Karten haben Boulard und Le Bras für die religiöse Praxis gezeichnet. Grundlage dafür waren Untersuchungen, die geduldig in einer Gemeinde nach der anderen vorgenommen wurden. Wenn man auf eine so geduldige Weise Erhebungen über die geistige Gesundheit (oder zumindestens Sondierungen darüber) vornehmen würde, könnte man sehen, wie sich Gebiete mit eigenen psychiatrischen Merkmalen abzeichnen, die, voneinander durch Grenzen getrennt, mit anderen geographischen, ökonomischen, politischen und sozialen Fakten in Zusammenhang stehen. Daß es ein langwieriges Unternehmen wäre, ein solches Werk zu schreiben, ist zweifellos der Grund dafür, daß wir heute die städtische Psychiatrie besser als die ländliche kennen.

2. DIE ÖKOLOGISCHEN ZONEN IN DER STADT UND DIE VERTEILUNG DER GEISTESKRANKHEITEN IN DEN STÄDTEN

Bekanntlich untersucht die Ökologie die Beziehungen zwischen den Menschen, insofern diese Beziehungen von dem Wohnproblem beeinflußt werden. Das heißt, sie beschäftigt sich nicht im eigentlichen Sinne mit sozialen, sondern mit biotischen Relationen. Der Begriff der Absonderung ist einer der wichtigsten Begriffe, den diese Wissenschaft entwickelt hat. Das heißt, es findet als Folge des Lebenskampfes eine Ansiedlung der Bevölkerung in voneinander getrennten Zonen statt, in schönen Vierteln und Arbeitervierteln, in Einwanderergebieten und Vororten. Diese ökologischen Zonen sind jedoch nicht unveränderlich: Das Eindringen einer ursprünglich fremden Bevölkerungsgruppe, so das Eindringen einer Gruppe Schwarzer in ein weißes Viertel, nennt man Invasion. Die Form der Invasion, die uns hier besonders interessiert, ist die, die durch die Ausdehnung des Stadtzentrums hervorgerufen wird. Die Ausdehnung des Geschäfts- und Vergnügungszentrums auf die Wohnviertel zieht nach sich die Aufgabe von Wohnungen, das Niedrigerwerden der Miete, die Entstehung einer mobilen Zone mit Hotels, möblierten Zimmern und zum Abbruch bestimmten Elendsquartieren, die zum Treffpunkt von Prostituierten, Gaunern, von frisch angekommenen Zuwanderern u. a. werden. Kurz gesagt, es entsteht eine ganze Zone familiärer und sozialer Desorganisation. Wenn die soziologische These in der Psychiatrie gültig ist, müßten wir gerade dort die größte Zahl von Geisteskrankheiten antreffen. Ist das nun der Fall?

Burgess unterscheidet aufgrund seiner in Chicago vorgenommenen Beobachtungen, vom Zentrum ausgehend, fünf konzentrische Zonen: 1) die Handels- oder die zentrale Zone; 2) die Übergangszone, die allmählich von der ersten überlagert wird und die wir die Zone der Desorganisation genannt haben; 3) der einfache Wohnbezirk; 4) Wohnbezirk der Oberschicht und schließlich 5) die Vororte mit einer mobilen Bevölkerung, die sich jeden Tag zum Arbeitsplatz begibt, um erst abends wiederzukommen. Die Nachfolger von Burgess, die die sogenannte »Schule von Chicago« bilden, haben das Gesetz aufgestellt, nach dem die pathologischen Phänomene sich in Relation zu diesen konzentrischen Zonen verteilen, das heißt: ihre maximale Konzentration in der zweiten Zone und ihre mit der Entfernung davon wachsende Abnahme. So verändert sich nach Clifford R. Shaw die jugendliche Kriminalität parallel zu der Zahl der besuchten Familien, zu der Zahl der Einwanderer und in gegenläufiger Richtung zu der Zahl von Familien, die Wohnungsbesitzer sind:

	Übergangszone	*2. Tsd.*	*3. Tsd.*	*4. Tsd.*	*5. Tsd.*
Kriminalitätsrate	37,0	15,6	7,2	2,6	1,6
Besuchte Familien	4,7	2,4	1,5	0,25	0,3
Im Ausland Geborene	51,5	40,3	38,3	27,5	25,5
Besitzende Familien	4,5	11,3	25,5	33,0	41,0

Ernest R. Mowrer zeigt, wie verschieden die Familientypen in den einzelnen Zonen sind: Familien, die emanzipiert sind, weil sie isoliert und deshalb außerhalb der sozialen Kontrolle sind, in der Übergangszone – vom Vater geprägte oder gar patriarchalische Familien in den Arbeitervierteln und besonders in den Einwandererkolonien wie dem jüdischen Getto oder Klein-Sizilien – egalitäre Familien in den Wohnbezirken der Mittelschicht – schließlich von der Mutter geprägte Familien in den Vorstädten, wo die Mutter in Abwesenheit des Vaters regiert, der erst am Abend zurückkommt. Es fällt auch hier auf, daß die Desorganisation der Familie mit den Phänomenen der Gattenflucht oder der Scheidung nach demselben Gesetz, dem der progressiven Abnahme vom Zentrum zur Peripherie, erfolgt. Walter C. Reckless unterscheidet für die Prostitution eine Bordellzone in der Übergangszone, eine Zone mit heimlicher Prostitution in dem angrenzenden Viertel, in dem es möblierte Wohnungen (Stundenhotels) gibt, ein Schwinden der Prostitution in bescheidenen oder reichen Wohnvierteln, ihr Wiederauftreten – das allerdings erst seit dem Aufkommen der Automode – in den Vororten (Prostitution der »feinen« Leute)[10]. Wir könnten noch sehr viele weitere Beispiele nennen. Diese aber genügen, um zumindest für Chicago das Gesetz zu zeigen, nach dem pathologische Fakten in dem Maße abnehmen, wie wir uns vom Zentrum entfernen. Wir müssen nun sehen, ob die Geisteskrankheiten demselben Gesetz gehorchen.

Faris und Dunham haben aufgrund der Ersteinlieferungen in die öffentlichen und privaten psychiatrischen Kliniken folgende Zahlen gefunden. Sie gelten, wenn man vom Zentrum in Richtung Süden vorgeht. Auf 100 000 Einwohner: 362, 337, 175, 115, 88, 84 und 71 und vom Zentrum in Richtung Nordwest: 362, 117, 95, 71, 66 und 55. Das Gesetz der progressiven Abnahme scheint also gültig zu sein. Eine gründlichere Analyse jedoch zeigt, daß das Gesetz vor allem für die Schizophrenie

10. Harvey Zorbaugh, *Gold Coast and Slum*, Chicago, 1929. – N. Anderson, *The Hobo*, Chicago, 1923. – Burgess, *The Urban Community*, Chicago, 1926. – Cl. R. Shaw, *Delinquancy Areas*, Chicago, 1929. – Reckless, *Vice in Chicago*, Chicago. – E. R. Mowrer, *The Familiy, its Organization and Disorganization*, 1932, etc.

GEISTESKRANKHEITEN IN CHICAGO (1930–31)
MIT EINER ERWACHSENEN BEVÖLKERUNG VON 100 000 EINWOHNERN
(BEVÖLKERUNG VON 1930)
(Nach Faris und Dunham)

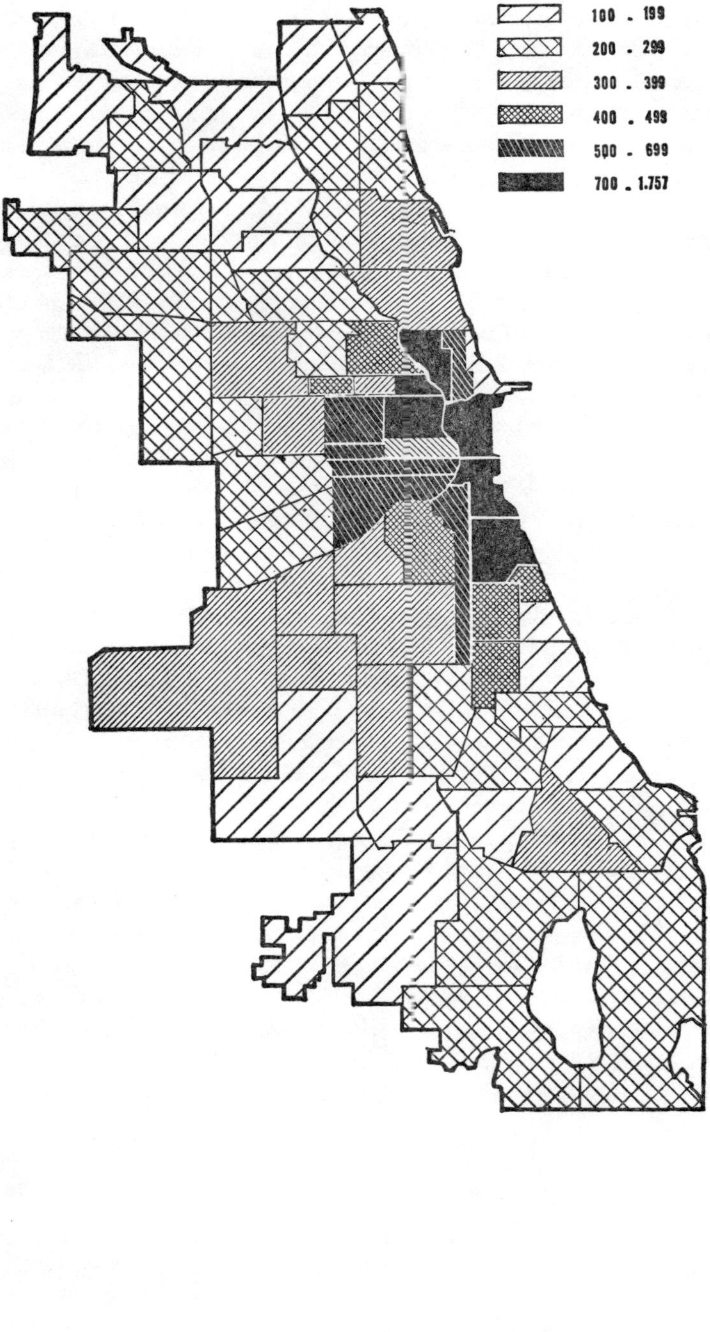

Gültigkeit hat. Die manisch-depressiven Psychosen zeigen bei ihrer Verteilung nicht die gleiche Regelmäßigkeit. In den verschiedenen Bezirken verteilen sie sich ganz zufällig. Kommen wir also auf die Schizophrenie zurück: In der Zone mit sozialer Desorganisation erreicht sie ihren höchsten Prozentsatz (Zentrum und *Hobo*: 1 195; Negerviertel: 514; reiche Viertel: 111). Ihre verschiedenen Formen aber lokalisieren sich in verschiedenen Vierteln: die paranoide und die hebephrene Form treten in den Vierteln mit der mobilsten Bevölkerung auf, wo es viele Hotels und möblierte Zimmer gibt, die katatone Form in den Vierteln der Zuwanderer und der Farbigen. Die Psychosen organischen Ursprungs verteilen sich mit derselben Regelmäßigkeit wie die funktionellen Psychosen: die Alkohol- oder Rauschgiftpsychosen sinken vom Zentrum zur Peripherie von 554 auf 10 ab. Die allgemeine Paralyse weist ebenfalls in der Zone der Desorganisation die höchsten Zahlen auf. Der Alterswahn sinkt von 35 auf 0,8 ab, wenn man von den möblierten Wohnungen zu den kleinen Eigenheimen an der Peripherie von Chicago übergeht, durch Arteriosklerose verursachte Psychosen sinken von 134,4 auf 2,9 ab. Eine solche Regelmäßigkeit in der Verteilung kann nicht auf Zufall beruhen. Um eine erste Kontrolle ausüben zu können, haben Faris und Dunham Providence, eine kleine Stadt von Rhode Island, untersucht. Wenn man hier auch keine Slums im eigentlichen Sinne findet, lassen sich doch zwei Zonen unterscheiden, die der Altbauten und die der Neubauten. Die Viertel mit alten Mietwohnungen zeigen die höchste Zahl von Geisteskrankheiten, besonders von Schizophrenie. Von der Altstadt zu den neuen Vierteln sinkt die Zahl der Geisteskrankheiten nach folgendem Gesetz ab: von 105 und mehr auf 70–104,99 – dann auf 35,00 auf 69,99 – schließlich auf 34,99 und weniger (auf 100 000 Einwohner)[11].

Faris und Dunham glauben also, ein richtiges Gesetz gefunden zu haben. Man kann nicht sagen, daß die Ursache für diese Verteilung die Armut sei. Denn man hat auch die Ersteinlieferungen von Geisteskrankheiten in bürgerliche Kliniken berücksichtigt. Wenn die Armut dafür verantwortlich gemacht werden könnte, müßte es darüber hinaus eine analoge Verteilung für alle Krankheiten geben. Und wir haben gesehen, daß jeder Typ sein bevorzugtes Viertel hat. Man kann auch nicht auf die Möglichkeit statistischer Irrtümer zurückkommen, die durch die sehr große Mobilität der Bevölkerung in der Zone der Desorganisation entstanden sein könnten (Ross hat hier 1933 von einem Drittel bis zur Hälfte Menschen ohne festen Wohnsitz festgestellt)[12]. Aber auch dann, wenn man die Korrekturen vornimmt, die notwendig sind, um diese Durchreisenden zu eliminieren, bleibt der Prozentsatz von Geistesstörungen in dem *Hobo* noch größer als in der ganzen übrigen Stadt. Dagegen kann man sich wie Burgess in seinem Vorwort zum Buch von Faris und Dunham fragen, ob der hohe Prozentsatz von Geisteskrankheiten in der Zone der Desorganisation nicht daher rührt, daß die von der Krankheit Befallenen sich in die Anonymität und Isolierung flüchten. Die Autoren dieses Buches sind nicht dieser Auffas-

11. Robert E. L. Faris und H. Warren Dunham, *Mental Disorders* in *Urban Areas,* Chicago, 1934.
12. F. A. Ross, »Ecology and the statistical method« (*Amer. Journ. of Sociol.*, 1933).

UNTERBEZIRKE NACH DEN ERGEBNISSEN DER VOLKSZÄHLUNG VON CHICAGO
ZAHL DER GEISTESKRANKHEITEN (1922–34) NACH ZONEN UND VIERTELN DER STADT
ZAHLEN GÜLTIG FÜR 100 000 EINWOHNER VON 15 UND MEHR JAHREN

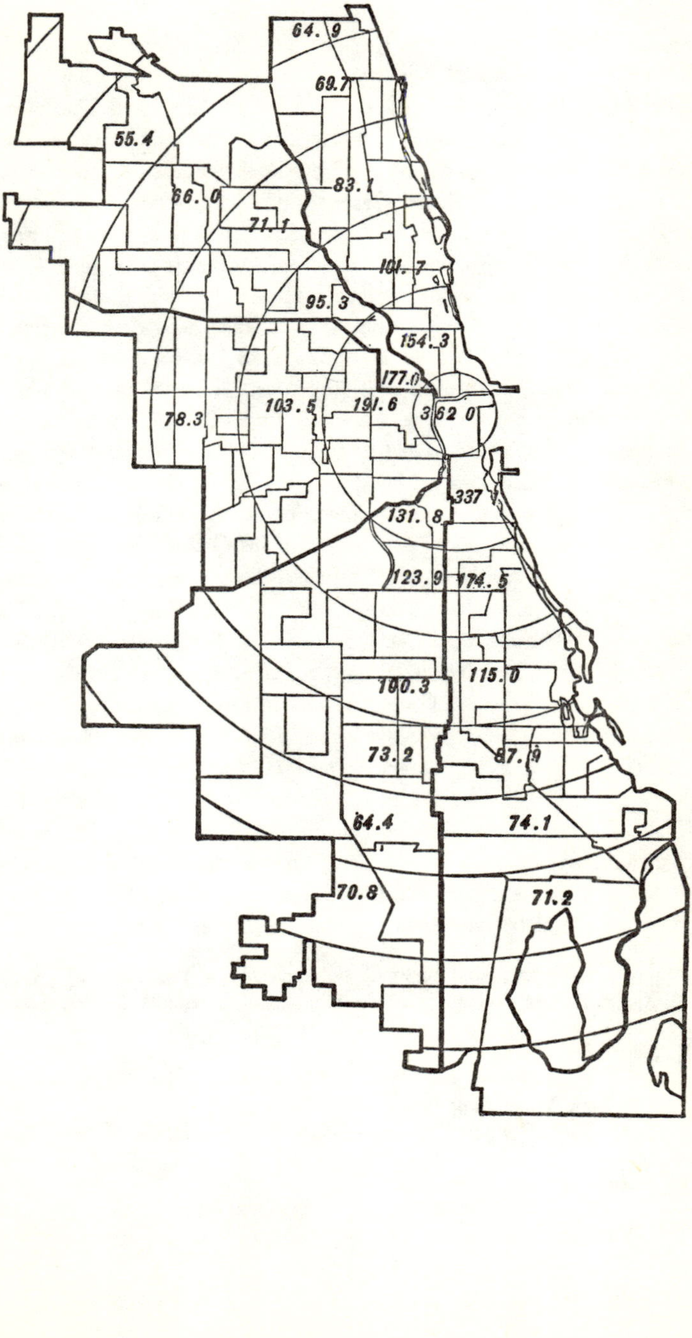

sung, einmal, weil die von manisch-depressiven Störungen Befallenen gar nicht dorthin kommen und zum anderen, weil entsprechend der Verteilung nach dem Lebensalter die jungen Kranken dort stärker konzentriert sind als die alten. So wären also die Lebensbedingungen in manchen Wohnbezirken verantwortlich für Störungen der Persönlichkeit, den Abbruch der familiären Bindung, die erzwungene Einsamkeit der Individuen, das Schwinden jeder sozialen Kontrolle und Kommunikationsmöglichkeit. Kurz gesagt, es gäbe also Zonen in der Stadt, die auf die geistige Gesundheit zerstörerisch wirken.

Die sofort klassisch gewordene Pionierarbeit von Faris und Dunham ist in den Vereinigten Staaten Ausgangspunkt einer ganzen Reihe von Arbeiten gewesen (später werden wir sehen, wie es damit in Frankreich steht, von denen die einen die These bestätigen und die anderen sie entkräften. Mowrer, der fast zehn Jahre später das Problem der Verteilung der Geisteskrankheiten in Chicago neu aufnahm, fand dieselbe Regelmäßigkeit bei den toxischen Psychosen und der allgemeinen Paralyse[13]. S. A. Queen, der die Forschungsergebnisse in sechs amerikanischen Großstädten in der Zeit zwischen der ersten Untersuchung und dem zweiten Weltkrieg miteinander verglich, zog den Schluß, daß, wenn die Resultate auch nicht immer korrespondieren, man doch zumindest in zwei von diesen Städten, in Columbus, das von McKenzie, und in Seattle, das von Lind und Schmidt untersucht wurde, eine ähnliche Verteilung wie in Chicago findet[14]. Dunham selbst, der 1955, im Zusammenhang mit den Arbeiten von Schröder[15] auf das Problem zurückkam, zog den Schluß, daß seine Hypothese von der Konzentration der Geisteskranken im Zentrum und ihrer Abnahme an der Peripherie hier im Grunde bestätigt wird[16]. Neben Ergebnissen, die die Theorie bestätigen, gibt es Forschungsarbeiten, die zu entgegengesetzten Schlußfolgerungen kommen. So hat man zum Beispiel in St. Louis weder für die manisch-depressiven Psychosen noch für die Schizophrenie ein Verteilungsgesetz gefunden[17]. In Milwaukee sind die manisch-depressiven Psychosen im Gegensatz zu Chicago nicht nach dem Gesetz des Zufalls gestreut, sondern auf die untere Stadt konzentriert[18]. All das jedoch ist nur dem Anschein nach chaotisch. Einen echten Widerspruch gäbe es nur dann, wenn das Modell der konzentrischen Zonen universell wäre. In Wirklichkeit wissen wir, daß es sehr verschiedene Städtetypen und folglich auch variable ökologische Zonen gibt. Es geht also nicht so sehr darum, ein Gesetz zu verifizieren, sondern vielmehr darum, zu sehen, ob bestimmte Krankheiten sich auf bestimmte Zonen konzentrieren oder nicht. Wenn es also zwischen den verschiedenen Städten Unterschiede ökologischer Art gibt, und wenn zwischen

13. E. Mowrer, Disorganization personal and social, New York, 1942, Kap. 15 und 16.
14. (S. A. Queen, »The ecological study of mental disorders« (*Amer. Sociol. Rev.*, 5, 1940).
15. A. W. Schroeder, o. c.
16. In Kapitel 24 des Buches von J. McV. Hunt, Hrsg., *Personality and the Behavior Disorders*, Bd. II, New York, 1944.
17. W. L. J. Dee, *An Ecological Study of Mental Disorders in Metropolitan St. Louis*, Washington, 1939.
18. S. A. Queen, o. c.

den psychiatrischen und den ökologischen Fakten eine Korrelation besteht, dann finden wir zwangsläufig verschiedene Verteilungen vor, ohne daß dadurch der Wert der ökologischen These in Mißkredit geraten würde, im Gegenteil. Deshalb finden wir es richtig, daß Belknap und Jaco – als Gegenstück zu Chicago, einer Industrie- und Handelsstadt – Austin, die Hauptstadt von Texas, eine politische und Verwaltungsstadt wählten[19]. Das Verteilungsschema der Psychosen sieht hier ganz anders aus als das von Faris und Dunham: Es gibt im Zentrum einen hohen Prozentsatz Geisteskranker und ebenso hohe Prozentsätze in den Satellitengemeinden, rings um die Hauptstadt. Doch wenn man von den manisch-depressiven Psychosen, den Alterspsychosen, der allgemeinen Paralyse und den durch die Arteriosklerose verursachten Psychosen absieht, sind hier die Zahlen niedriger als die, die wir im allgemeinen in den Vereinigten Staaten antreffen:

(1946–1952 – Auf 100 000 Einw.)

	Austin	*Chicago*	*U.S.A.*
Gesamtrate	44,7		70,8
Schizophrenie	16,1	36,8	22,7
Manisch-depressive Psychosen	11,4	8,0	5,8

Europa interessiert sich mehr für Untersuchungen von Gemeinden als für ökologische Untersuchungen im eigentlichen Sinne. Chombart de Lauwe hat gezeigt, daß man in Großstädten wie den konzentrischen Zonen (der Kern von Paris, die Zone der Akkulturation, das heißt der Zone des Völkergemisches aus verschiedenen Ländern und Klassen, die der nordamerikanischen Übergangszone entspricht, die Zone der am Stadtrand gelegenen Stadtviertel, die Zone der großen Industrieunternehmen, die nahen Vororte, die Vororte an der Peripherie und die noch halb ländliche Randzone) sehr viel bedeutendere Sektoren berücksichtigen muß: den bürgerlichen Pariser Westen, den proletarischen Pariser Osten und das zwischen beiden auf dem linken Ufer gelegene Zentrum[20]. Leider ist es für uns schwierig, dieses Schema einer ökologischen Verteilung der Geisteskrankheiten auf Paris anzuwenden. Denn wir verfügen nicht über Daten aus Privatkliniken, sondern nur über Daten aus den öffentlichen psychiatrischen Kliniken, durch die wir nur einen Teil der Bevölkerung, die ärmsten Schichten, erfassen. Es gibt aber bereits eine ausgezeichnete Untersuchung von Frau Chombart de Lauwe, die vom C. N. R. S. veröffentlichte *Psychopathologie de l'enfant inadapté* über Kinder unter vierzehn Jahren. In dieser Untersuchung wurden die von organischen Störungen befallenen und die schwachsinnigen Kinder eliminiert. Danach finden sich psychische Störungen vor allem in bestimmten Vierteln, den Zonen des Völkergemischs, der Akkulturation und der

19. »The epidemiology of mental disorders in a political type city«, 1946–52, in *Interrelations between the social environment and psychiatric disorders,* New York, 1953. Vgl. Gartly Jaco, *The Social Epidemiology of Mental Disorders, a psychiatric survey of Texas,* New York, 1960.
20. Chombart de Lauwe, *Paris et l'agglomération parisienne,* 2. Bd. P. U. F., 1952.

VERTEILUNG VON DREI GRUPPEN VON GEISTESKRANKHEITEN IN BESTIMMTEN VIERTELN VON PARIS UND BESTIMMTEN GEMEINDEN DER SEINE
(von Frau G. Mayer-Massé)

CHRONISCHER WAHNSINN (MÄNNER UND FRAUEN)

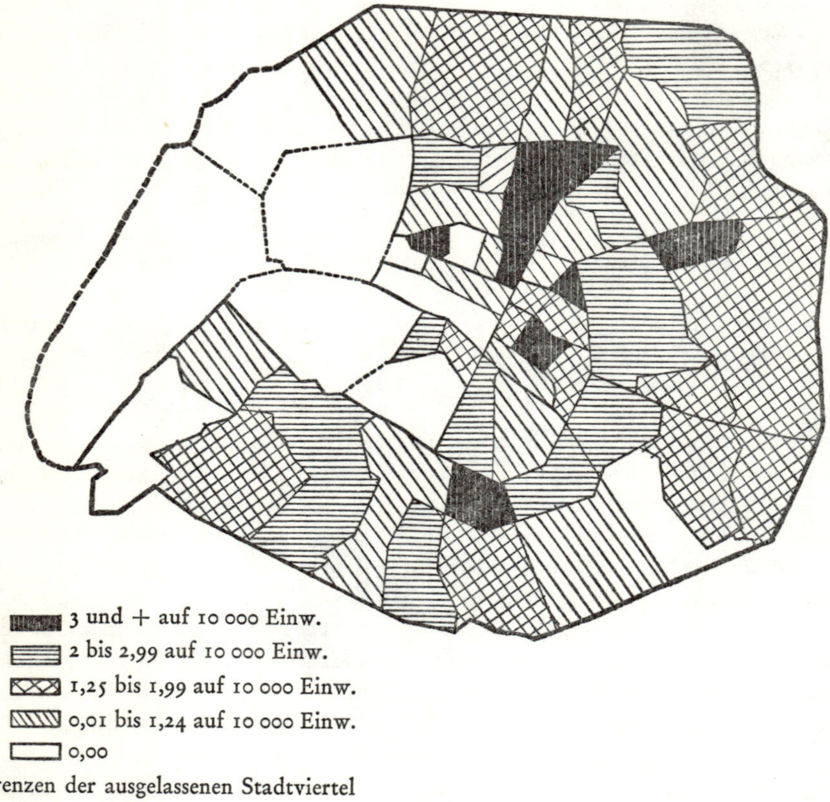

(*Monographie des Nationalen Instituts für Gesundheit,* Soziopsychiatrische Studien, Nr. 7, Paris, 1955, S. 38).

möblierten Zimmer – und in den Pariser Zonen, die, sozioökonomisch gesehen, nicht begünstigt sind. Eine vergleichende Untersuchung von Bordeaux hat ergeben, daß Kinder mit charakterlichen Störungen ebenfalls auf die weniger begünstigten Viertel konzentriert sind (die Karte der zerrissenen Familien und die der psychischen Störungen überlagern sich systematisch). Die kriminell gewordenen Kinder dagegen konzentrieren sich auf die alten, überbelegten Wohnungen, deren Mieter einen niedrigen Lebensstandard haben und die zum großen Teil arbeitslos sind. Es gibt also in Frankreich ebenso wie in den Vereinigten Staaten Stadtviertel mit pathologischem Charakter, die einen regelmäßigen Anteil von Geisteskrankheiten aufweisen. Die Konzentration erscheint in den neuesten Untersuchungen als wichtigster Faktor. Zweifellos ist er bedeutender als der Faktor der Trennung der Bevölkerung in verschiedene Wohnbezirke, die durch den unterschiedlichen Lebensstandard hervorgerufen wird. So ermittelt Gruenberg für den Alterswahnsinn, daß sich die höchsten Prozentsätze in Wohnungen mit überbelegten Zimmern finden (Gegend von Onondaga, Syracuse, USA):

Mehr als 2,25 Personen	395,3 auf 100 000 Einw.
Weniger als 1,25 Personen	213,2 auf 100 000 Einw.[21]

Wenn die ökologischen Bedingungen für die Erklärung der Häufigkeit seniler Psychosen oder der durch zerebrale Arteriosklerose verursachten Psychosen tatsächlich eine Rolle spielen, kann man sich die von Gruenberg ermittelten Unterschiede des prozentualen Anteils dadurch erklären, daß es schwierig ist, die kranken Alten in den kleinen Wohnungen zu behalten. Frau Chombart de Lauwe hat bei der entgegengesetzten Altersgruppe, bei den Kindern von H. B. M. oder H. L. M. eine »gefährliche« Übervölkerungsschwelle festgestellt. Sie liegt zwischen 2 und 2,5 Personen pro Zimmer (und für den Flächenraum der Wohnung von 8–10 m² pro Person):

	Weniger als 2 Personen pro Zimmer	*2 oder mehr Personen*
Aggressivität	35,2 %	64,8 %
Diebstahl, Flucht	33,3 %	66,7 %
Nervosität	43 %	57 %
Psychomotorische Störungen	49 %	51 %

Es ist begreiflich, daß ein Kind für psychische Störungen stärker sensibilisiert wird, wenn es in der Wohnung nur einen begrenzten Forschungsbereich findet, auf zahlreiche Verbote stößt und häufiger körperlich bestraft wird, weil es seine Eltern nervös macht oder ermüdet. Neben dieser »gefährlichen« Schwelle gibt es eine »Gleichgewichtsschwelle« (zwischen 14 und 16 m² pro Person). Zwischen beiden Schwellen liegt eine Zwischenzone, in der der Anteil der Störungen nahezu dem Zufall unterworfen ist. Der Begriff »gefährliche Schwelle« kann auch auf die Erwachsenen angewendet werden. Durch den Bau großer Wohnblocks wird dieses Problem von brennender Aktualität. In Frankreich ist dazu eine Reihe von Forschungsarbeiten unternommen worden. Die Resultate erscheinen noch widersprüchlich, weil noch nicht alle Variablen kontrolliert worden sind. Einige Forscher, wie Le Guillant, sind überrascht von der Zunahme der Probleme, die sie sich zumindest durch beginnende Neurosen in einigen Pariser Vororten erklären. Andere Forscher

21. E. M. Gruenberg, »Community conditions and psychosis of the elderly« (*Amer. Journ. of Psychiatry* 1954).

22. Frank A. Ross, »Ecology and the statistical method« (*Amer. Journ. of Soc.*, XXXVIII. 1933.

(hier handelt es sich aber um allein, nicht im Team mit Psychiatern oder Psychologen arbeitende Soziologen, die ihre Schlußfolgerungen also lediglich auf den Inhalt mündlich gegebener Antworten beziehen) sind im Zusammenhang mit einigen großen Wohnblocks in den Vororten von Toulouse zur entgegengesetzen Ansicht gekommen. Wir müssen also noch etwas warten, bis klare und genaue Schlüsse gezogen werden können.

*

Die Anwendung der ökologischen Methode auf die Untersuchung der Geisteskrankheiten ist kritisiert worden. Wir wollen uns nicht bei der Kritik der Statistiker wie Ross[23] zum Beispiel aufhalten. Denn wenn es zwischen den Prozentsätzen der verschiedenen Gemeinden keine signifikante Differenz gibt, wenn es auch keine Indizien gibt, die fein genug wären, um die spezifischen Bedingungen jedes Bezirks zu messen, so bleibt doch unumstritten, daß die meisten Prozentsätze über die verschiedenen Stadtteile Aufschluß geben. Mögen in den einzelnen Städten die Prozentsätze höher oder tiefer liegen, es findet sich überall eine Ungleichheit in der Verteilung. Aber das ist nicht das wichtigste Problem. Die Ökologie zeigt uns wohl, daß bestimmte Krankheitstypen auf bestimmte Viertel konzentriert sind. Warum aber hat das Viertel an sich eine pathogene Wirkung? Oder muß man andere Faktoren einbeziehen? Es ist begreiflich, daß der Verfall der Wohnung ein Faktor sein kann, der Neurosen auslöst. Kann er aber auch die Psychosen, und ganz speziell die Schizophrenie, erklären? Faris und Dunham haben ihre Thesen aufgestellt. Die tieferen Gründe für die Ungleichheit der Verteilung der Psychosen in den verschiedenen Sektoren der Stadt haben sie zum Beispiel in der Isolierung der Weißen in den Gemeinden von Schwarzen und in der Mobilität und Anonymität der Zonen mit Hotels und möblierten Zimmern gesehen.

Müßte man aber nicht trotzdem hinter dem ökologischen Faktor stärkere, soziale oder ökonomische Faktoren suchen? Wenn man, wie zum Beispiel Belknap und Jaco es tun, die Analyse weiterführt und in demselben Bezirk die Kranken nach Einkommen, bürgerlichem Stand und Zugehörigkeit zu einer religiösen Gruppe u. a. einteilt, dann erkennt man die Notwendigkeit, an die ökologische Untersuchung eine soziologische anzuschließen. Und man stellt fest, daß die ökologischen Faktoren sich immer mit sozialen Faktoren kreuzen. So weisen in derselben Zone die Baptisten, die Methodisten, die Lutheraner und die Mitglieder der Christengemeinschaft mehr Geisteskranke als die Katholiken und Episkopalisten auf. Bei der Ätiologie der Persönlichkeitsstörungen werden wir also von der Ökologie auf die Soziologie verwiesen. In diesem Punkt gibt es keinen Zweifel mehr, was auch Dunham selbst schließlich anerkennt. An dieser Stelle sollte man die zutreffende Bemerkung von Chombart de Lauwe zitieren: »Eine der wichtigsten Ursachen für das in unserer Gesellschaft fehlende Gleichgewicht besteht darin, daß es für den Bewohner einer

23. Frank A. Ross, »Ecology and the statistical method« (*Amer. Journ. of Soc.*, XXXVIII, 1933).

VERTEILUNG VON DREI GRUPPEN VON GEISTESKRANKHEITEN
IN BESTIMMTEN VIERTELN VON PARIS UND BESTIMMTEN GEMEINDEN DER SEINE
(von Frau G. Mayer-Massé)

CHRONISCHER WAHNSINN – 1948 UND 1950 (MÄNNER UND FRAUEN)

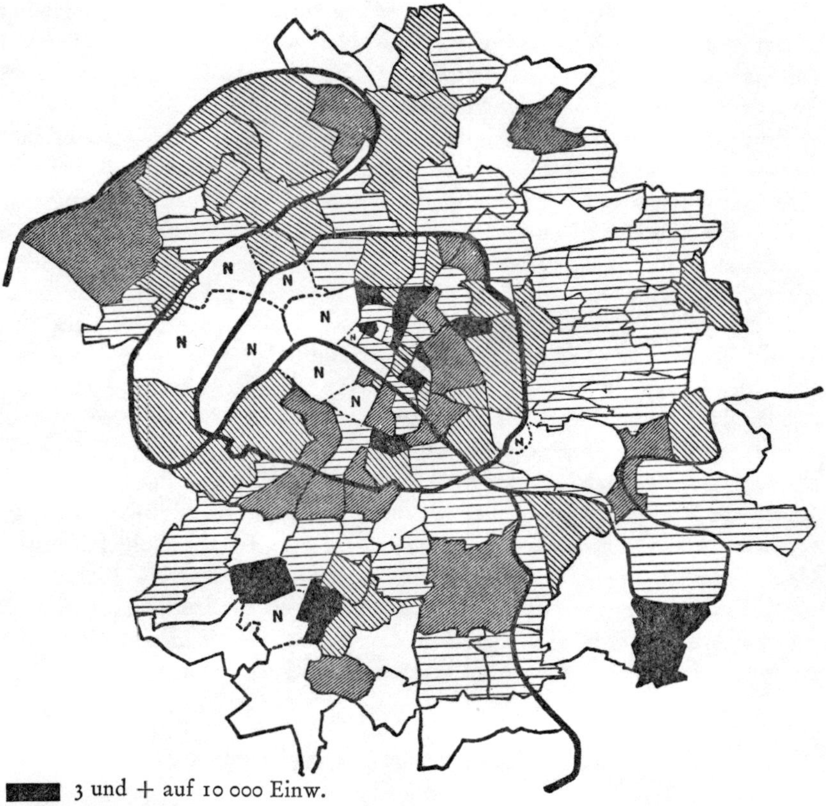

3 und + auf 10 000 Einw.
2 bis 2,99
1,25 bis 2
0 bis 1,24
0
Grenzen der nicht untersuchten Gemeinden (N)

(*Monographie des Nationalen Instituts für Gesundheit,* Soziopsychiatrische Studien, Nr. 7, Paris, 1955.)

Großstadt unmöglich ist, sich in einem konkreten Raum zu situieren. Bei der Untersuchung der Beziehungen zwischen den materiellen Formen einer Gesellschaft und ihren Vorstellungen oder Aspirationen erscheint ein drittes Element des sozialen Raumes, das in der Vorstellung besteht, die sich die Gruppen und Personen, die sich in ihm entwickeln, von ihm machen. So wird ein Stadtviertel nicht nur durch geographische und ökonomische Faktoren, sondern auch durch die Vorstellung bestimmt, die sich seine Bewohner und die Bewohner anderer Viertel davon machen.« Die Anwendung dieser Einsicht auf unser Problem würde bedeuten, daß wir bei der Ätiologie der Geisteskrankheiten neben der Wirkung des Milieus auch die »Bilder« von dem Milieu berücksichtigen müssen.

Die Psychoanalytiker, die den kindlichen Traumata den ersten Platz einräumen, die Vorstellung von einer privilegierten Lokalisierung aber akzeptieren, sehen hier nur eine Auswirkung entfernterer und realerer Ursachen. Nach ihrer Auffassung verdunkelt die statistische Methode die Fakten, die durch die Lebensgeschichte der Individuen ans Licht gebracht werden könnten. So meint Krout, daß die Schizophrenie sich bei Personen entwickelt, die durch alimentäre Frustrationen auf das orale Stadium fixiert blieben. Manisch-depressive Psychosen gibt es nach seiner Auffassung bei Personen, die auf das anale Stadium fixiert worden sind, weil sie in der Phase der Erziehung zur Sauberkeit Frustrationen erlitten haben. Unter diesen Umständen ist es begreiflich, daß man ersteren vor allem in den Elendsvierteln, letzteren im ganzen Wohngebiet der Mittelschicht begegnet[24]. So wie wir eben von der Ökologie auf die Soziologie verwiesen wurden, so jetzt von der Soziologie auf eine spezifische Soziologie, die der Familie mit ihren sozialen Schichten. Wir können jedoch nicht *a priori* von der Wirkungsweise der beiden Faktoren absehen, auf die die Ökologie einen besonderen Wert legt: die Isolierung und die Mobilität. Es genügt aber nicht, wenn wir davon nur einen flüchtigen Eindruck bekommen. Wir müssen alle Arbeiten über diese Faktoren überprüfen, ihre Widersprüche und die progressive Verfeinerung der Untersuchungstechniken kennenlernen.

3. ISOLIERUNG UND MOBILITÄT

Wie wir im Zusammenhang mit Burgess gesehen haben, sahen sich die Ökologen zu allererst vor die Frage gestellt: Spielen die Zonen extremer Isolierung eine ätiologische Rolle für das Auftreten bestimmter Psychosen wie der Schizophrenie, oder sind sie nur ein Zufluchtsort für davon bereits befallene Personen? Gleich danach stellt sich die zweite Frage: Ist die Isolierung ein empfänglich machender oder ein beschleunigender Faktor? Beide Fragen hängen im Grunde miteinander zusammen. Denn selbst, wenn soziale Isolierung nicht die psychischen Störungen hervorriefe, könnte sie deren Entwicklung zumindest beschleunigen, wogegen die

24. Krout, »A note on Dunham's contribution to the ecology of the functionnal psychoses« (*Amer. Sociol. Rev.*, III, 1938).

Viertel mit größerer sozialer Partizipation deren Auftreten bremsen würden. Um die Rolle dieses Faktors genau zu prüfen, hat Jaco eine Reihe von Kriterien aufgestellt, durch die dieser Faktor definiert wird[25]: Anonymität (aufgrund der Zahl von Namen, Nachbarn, Freunden, Bekannten, die man nennen kann), räumliche Mobilität (Mieter oder Wohnungseigentümer, frühere Umzüge, Wohndauer in der jetzigen Wohnung), Häufigkeit der Partizipation (an beruflichen, kulturellen, politischen oder religiösen Organisationen), Zahl der Arbeitslosen in dem Viertel, schließlich Interaktionen mit den anderen Vierteln (Besuche und Ortsveränderungen). Auf Grund dieser Kriterien hat er die Stadt Austin (Texas) in fünfzehn Sektoren aufgeteilt. Er wollte feststellen, ob die Viertel mit dem höchsten prozentualen Anteil von Schizophrenen (und zur Kontrolle von mechanisch-depressiven Psychosen) auch die waren, für die diese Kriterien der Isolierung zutrafen. Er ist bei 668 Kranken, die er zwischen 1940 und 1954 untersuchte, zu folgenden Ergebnissen gekommen:

– 33 % Schizophrene im 9. und 10. Sektor gegenüber 3,5 % im 1. und 16. Sektor.

– 29 % manisch-depressive Psychosen im 8. und 12. gegenüber 2,6 % im 5. und 2.

Charakteristisch für die Sektoren mit hohen Prozentsätzen von psychischen Störungen ist in diesem Zusammenhang folgendes:

1. die Kenntnis einer beschränkten Zahl von Namen der Nachbarn, Freunde oder Bekannten,

2. die Zahl der Mieter ist größer als die der Eigentümer. Die Phänomene der Ab- und Zuwanderung dagegen scheinen in diesen Sektoren nicht ausgeprägter als in den anderen Sektoren,

3. geringere Beteiligung an gewerkschaftlicher Aktivität, an den verschiedenen Formen des Vereinslebens, höherer Prozentsatz der Stimmenthaltung bei Wahlen,

4. größere Mobilität im Beruf,

5. weniger Besuche in der Stadtmitte, bei Freunden, in anderen Stadtteilen, weniger Ausflüge nach außerhalb.

So scheint, wie Faris und Dunham angenommen haben, die Isolierung eine Rolle zu spielen, allerdings mehr im Sinne einer beschleunigenden als einer empfänglich machenden Ursache. Nach Jaco könnte man folgendes grobe Schema aufstellen:

– Keine Disposition und isolierendes Milieu: keine psychischen Störungen.

– Disposition ohne isolierendes Milieu: keine psychischen Störungen.

– Damit die Störungen in Erscheinung treten, müssen beide Faktoren, der innere und der äußere, zusammenwirken.

So ist die Rolle des ökologischen Faktors zwar beschränkt, bleibt aber, wie wir gesehen haben, von beachtlicher Bedeutung. Wie aber steht es mit dem inneren Faktor? Faris hatte, von der weiter oben genannten Kroutschen Hypothese ausgehend,

25. E. Gartly Jaco, »The social isolation hypothesis and schizophrenia« (*Amer. Sociol. Rev.*, 19, 1954, S. 567–577).

angenommen, daß die Rolle der Kindheitserfahrungen eine Variable sei, die man einbeziehen müßte. Das von seinen Eltern und besonders von der Mutter verzärtelte Kind sei mehr als andere Kinder dazu disponiert, schizophren zu werden. Später verwarf er diese Idee. Denn ein Kind wird ja nicht nur durch die Familie, sondern auch durch die Schule geformt. Und in der Schule kann es ein soziales Leben erlernen, das im Widerspruch zum Einfluß des Elternhauses steht. Ein verhätscheltes Kind isoliert sich nur dann, wenn es auch von seinen Kameraden als Prügelknabe verfolgt, verspottet und abgelehnt wird. Nun ist die Verfolgung durch die Kameraden in den einzelnen ökologischen Bezirken verschieden. In den gut integrierten Bezirken der Mittelklasse können die affektiven Beziehungen zwischen Eltern und Kindern Ausgangspunkt für eine bessere soziale Integration sein. In den Zonen der Desorganisation dagegen – in den Elendsvierteln, wo die verschiedensten Nationalitäten zusammenleben, wo Gangs die Kriminellen idealisieren – begegnet das verhätschelte Kind auf dem Schulhof und auf der Straße Barrieren, die es daran hindern, mit Kameraden seines Alters Beziehungen aufzunehmen. Daraus ergibt sich letzten Endes, daß das letzte Wort von der Ökologie gesprochen wird[26]. Faris, der sich die Mühe gemacht hat, die Hypothese vom verwöhnten Kind zu untersuchen, um sie später zu verwerfen, kommt – im Gegensatz zu den Anhängern der Disposition zur Schizophrenie durch Kindheitserfahrungen – zu folgendem Ergebnis: Aus den Lebensgeschichten Schizophrener, die er gesammelt hat, erfährt man, daß die meisten von ihnen als Kinder normal gewesen sind und erst ihr isoliertes Leben in den Vierteln der Desorganisation sehr viel später ihre Krankheit hervorgerufen hat.

Dunham aber fand das zu verwöhnte Kind, das von den Kindern der anderen Familien ausgeschlossen wurde, dem es nicht gelang, die Freundschaft seiner Kameraden zu gewinnen, das resignierend allmählich in der Isolierung lebte, bei den katatonen Schizophrenen, die er in den Wohnbezirken mit hoher Delinquenz untersucht hat[27]. Kohn und Clausen haben das Problem wieder aufgenommen. Durch direkte Fragen an die Kranken nach ihrem Leben und anschließende Kontrolle der Aussagen durch eine Nachfoschung in deren Umgebung hat er die Biographien von 45 Schizophrenen des Krankenhauses von Maryland (1940–52) zusammengestellt (mit einer Kontrollgruppe von 13 Kranken, die von manisch-depressiver Psychose befallen waren)[28]. Die Schlußfolgerungen sind negativ: Ein Drittel der beiden Krankentypen war seit dem Alter von 13–14 Jahren sozial isoliert gewesen. Die anderen führten ein normales Leben. Es ließ sich kein Beweis dafür finden, daß diese Kranken an der Bildung sozialer Beziehungen gehindert worden sind, weil ihre Eltern zu oft den Wohnsitz wechselten, oder als Folge einer schweren Krankheit, oder weil es ihnen einfach verboten worden war, soziale Beziehungen aufzu-

26. Kapitel 24 von Mc V. Hunt, o. c.

27. H. W. Dunham, »The social personality of the catatonic-schizophreny« (*Amer. Journ. of Sociol.*, 49, S. 508–518).

28. M. L. Kohn und G. A. Clausen, »Social isolation and schizophrenia« (*Amer. Sociol. Rev.*, 20, 3, 1955, S. 265–273).

nehmen. Außerdem haben die Autoren keine Korrelation zwischen der sozialen Isolierung und den affektiven Beziehungen zwischen den Eltern und ihren Kindern gefunden. Die vorgegebene Disposition, die, wie wir in der Untersuchung von Jaco gesehen haben, neben dem ökologischen Faktor eine wichtige Rolle spielen muß, ist nicht in den Kindheitserlebnissen, sondern vielmehr in der Konstitution der Individuen selbst zu suchen. Die soziale Isolierung ist eher Wirkung als Ursache. Sie wäre lediglich das Zeichen dafür, daß die Schwierigkeiten in den Beziehungen zu den Mitmenschen so groß geworden sind, daß der Kranke sich entschließt, alleine zu leben. Kohn und Clausen zitieren die zu denselben Ergebnissen kommenden Untersuchungen, die Weinberg mit einer Gruppe von Schizophrenen unternommen hat (die Hälfte von ihnen gehörte zum katatonen Typ). Weinberg hat nicht feststellen können, daß die soziale Isolierung ein kausaler oder eine Disposition hervorrufender Faktor wäre[29].

Wir können nun auf die beiden Fragen zurückkommen, die wir zu Anfang dieses Kapitels gestellt haben. Nach dem gegenwärtigen Stand der Forschung kann die ökologische Zone, wenn überhaupt, nur ein beschleunigender Faktor sein. Wenn sie wirksam ist, dann mehr als sekundärer denn als primärer Faktor. Es entsteht eine Art *circulus vitiosus* zwischen dem eine isolierte Zone aufsuchenden Psychotiker und dem Viertel, dessen Rückwirkung auf den Kranken in einer zunehmenden Desozialisation besteht. Prüfen wir nun, welche Bedeutung der zweite Faktor, die Mobilität, hat.

Tietze, Lemkau und Cooper haben versucht, die Bedeutung dieses Faktors zu ermitteln[30]. Sie haben zwei große Gesetze aufgestellt: Der Prozentsatz von Psychopathen ist höher bei den Menschen, die häufig den Wohnsitz wechseln (so erklärt sich auch, warum es mehr Psychopathen in den Mietsvierteln als in den Vierteln mit Eigentumswohnungen gibt) als bei denen, die lange in derselben Wohnung bleiben. Der Prozentsatz liegt bei denen, die innerhalb derselben Stadt die Wohnung wechseln, höher als bei denen, die aus anderen Gemeinden kommen. Wie man gleich sieht, stellen solche Ergebnisse, falls sie sich bestätigen, uns vor ein ähnliches Problem wie die Isolierung. Ist die außerordentlich hohe Mobilität der Grund für die Psychose? Oder ist es die Psychose, die die Menschen dazu veranlaßt, unaufhörlich den Wohnsitz zu ändern? Hat das Individuum deshalb keine dauerhaften sozialen Beziehungen mehr, weil es so oft umzieht und sich immer wieder von Nachbarn und Bekannten trennt? Oder zieht es deshalb von einem Haus in das andere um, weil es vor seinen Problemen, Ängsten oder Paniken fliehen will?

Zunächst müssen wir betonen, daß wir verschiedene Typen von Psychosen zu unterscheiden haben. Faris und Dunham hatten in ihrem Werk über die ökologischen Zonen eine Korrelation zwischen der Mobilität des Wohnsitzes und der Schizophrenie aufgestellt. Im Gegensatz dazu findet Freedman zwanzig Jahre später (vielleicht deshalb, weil der Typus der Ab- und Zuwanderung sich inzwischen

29. S. Kirson Weinberg, »A sociological analysis of a schizophrenic type« (*Amer. Soc. Rev.*, 15, 1950, S. 600–610).

30. »Personal disorder and spatial mobility« (*Amer. Journ. of Sociol.*, 48, 1942).

geändert hatte) in derselben Metropole eine sehr hochgradige Korrelation zwischen Wanderung und manisch-depressiven Psychosen und eine unbedeutende Korrelation zur Schizophrenie[31]. Wenn wir diese Ergebnisse den oben genannten Schlußfolgerungen von Tietze, Lemkau und Cooper gegenüberstellen, können wir folgende Hypothese aufstellen: Es besteht eine Verbindung (die allerdings noch zu erforschen wäre) zwischen den manisch-depressiven Psychosen und den Phänomenen der äußeren Wanderung – zwischen den anderen Psychosen, besonders der Schizophrenie und der inneren Mobilität.

Wir haben jedoch in der Arbeit Jacos über die soziale Isolierung Ergebnisse gefunden, die im Widerspruch zu dieser Rolle der inneren Mobilität für die Schizophrenie stehen. Wie wir schon gesagt haben, hatte der Autor keinen bedeutenden Unterschied bei der innerstädtischen Mobilität zwischen den Zonen mit dem höchsten und dem niedrigsten prozentualen Anteil von Schizophrenen gefunden:

Bezirke mit hohem Prozentsatz von Schizophrenen:
Prozentsatz der innerstädtischen Mobilität: 45 %
Bezirke mit niedrigem Prozentsatz von Schizophrenen:
Prozentsatz der innerstädtischen Mobilität: 55 %.

Lystadt vergleicht eine Gruppe Schizophrener aus Neu-Orleans mit einer Kontrollgruppe nicht-schizophrener Kranker aus einer Privatklinik und kommt dabei zu dem Ergebnis, daß die Schizophrenen geographisch weniger mobil als die anderen sind. Es gibt aber, so fügt sie hinzu, bedeutende Unterschiede, wenn man das Alter, die Rasse und die soziale Klasse betrachtet: die weißen und jungen, eine höhere Schulbildung besitzenden Nicht-Schizophrenen der Mittelschicht sind mobiler als die Schizophrenen derselben Gruppe. Die farbigen, alten, nur eine elementare Bildung besitzenden Nicht-Schizophrenen der Unterschicht dagegen haben keine größere Mobilität als die Schizophrenen derselben Gruppe[32].

Die Widersprüche bei den Ergebnissen zwischen den verschiedenen von uns genannten Untersuchungen machen es unmöglich, bei dem Problem des möglichen Einflusses der geographischen Mobilität auf die Ätiologie der Psychosen zu einem Schluß zu kommen. Wir können aber folgendes festhalten:

1. Wir haben uns in unseren Ausführungen auf den Fall der Nicht-Ausländer beschränkt. Für die in ein neues Land gekommenen Einwanderer werden wir diese Frage erneut behandeln müssen.

2. Zur geographischen Mobilität, die die soziale Mobilität unberücksichtigt läßt: Wir werden uns später zu fragen haben, ob die vertikale Mobilität von einer Klasse zur anderen oder die dabei zu bewältigenden Widerstände nicht für die Entstehung psychischer Störungen eine sehr bedeutende Rolle spielen. Damit aber verlassen wir die Ökologie, um zur Soziologie überzugehen.

31. Ronald Freedman, *Recent Migration to Chicago*, 1950.

32. Mary H. Lystad, »Social mobility among schizophrenic patients« (*Amer. Sociol. Rev.*, 22, 3, 1957, S. 288–299).

4. SCHLUSSBETRACHTUNGEN

Der Beitrag der Ökologie zur Soziologie der Geisteskrankheiten besteht in der Erkenntnis, daß es eine besondere räumliche Verteilung der organischen und funktionellen Psychosen gibt. Die Regelmäßigkeit in der Verteilung kann nicht auf Zufall beruhen. Es gelingt dem Ökologen aber nicht, die Gründe für diese Regelmäßigkeit auf positive Weise zu erfassen. Die Ökologie kann nur die Anregung zu Hypothesen geben. Im großen und ganzen führen uns diese Hypothesen um ein Jahrhundert zur Theorie von Auguste Comte zurück. Denn in dem Überblick über die Geschichte unserer Soziologie haben wir gesehen, daß der Positivismus die persönliche Desorganisation als Wirkung oder Reflex der sozialen Desorganisation auffaßte. Der einzige Unterschied besteht darin, daß Comte von zeitlichen Gegebenheiten ausging, die soziale Desorganisaiton im Lauf der Menschheitsentwicklung für bestimmte Krisenperioden verantwortlich machte, während die Ökologie von räumlichen Gegebenheiten ausgeht und die soziale Desorganisation auf bestimmte städtische oder, wie wir auch erfahren haben, ländliche Wohnbezirke begrenzt.

Nach unserer Meinung bildet dieser Beitrag für die soziologische Forschung einen guten Ausgangspunkt. Es gibt gewisse Problemzonen, auf die sich bestimmte Typen von Psychosen konzentrieren (wie für andere Jugendkriminalität oder sexuelle Delikte charakteristisch sind). Diese Zonen aber bilden synthetische Einheiten, wo eine ganze Reihe miteinander verwickelter Variabler, familiäre, ökonomische, politische und religiöse mitspielen. Diese Variablen überlagern einander, und mit den ökologischen Methoden gelingt es nicht, die jeweiligen Einflüsse zu überprüfen. Sind die Psychosen die Wirkung (primäre oder sekundäre, je nachdem, ob das Milieu als Urheber oder nur als Beschleuniger der persönlichen Desorganisation angesehen wird) der Gesamtheit aller Faktoren, die sich durch ihr Zusammenwirken addieren und multiplizieren – oder aber gibt es einen dominierenden Faktor, den die ökologische Beschreibung verborgen hält? Wie wir gesehen haben, meinen einige Soziologen oder Psychiater, daß weniger die Wohnung mitspielt als die soziale Klasse, das heißt, der ökonomische Lebensstandard der Bewohner. Einige Psychoanalytiker oder Psychiater meinen sogar, daß man bis auf die Kindheitserlebnisse, auf die für Elendszonen oder die Zonen mit einfachen Wohnungen charakteristischen Beziehungen zwischen Eltern und Kindern zurückgehen muß. Kann man diese nicht, obwohl der hohe Prozentsatz der Psychosen in einer Zone als Reflex einer Gesamtheit von Faktoren betrachtet wird, im einzelnen voneinander unterscheiden und ihren jeweiligen Einfluß erwägen? Wie dem auch sei, Isolierung und Mobilität, die einzigen Faktoren, die die Ökologen interessieren, haben auf uns nicht überzeugend gewirkt. Wir müssen also weiter gehen als die ökologische Beschreibung und jetzt die verschiedenen Variablen untersuchen. Anstelle der Verteilung im Raum werden wir andere Verteilungen analysieren, die Verteilung in soziale Klassen, Familientypen, religiöse Zugehörigkeit usw.

Die Gesamtheit der Untersuchungen, deren allgemeine Schlußfolgerungen wir in diesem Kapitel zusammengefaßt haben, führt uns zu einigen wichtigen Gedanken.

Den Rousseauismus der ersten Psychiater, die die bäuerlichen Gesellschaften für gefeit gegen die Geisteskrankheiten hielten, haben wir ablehnen müssen. Diese Auffassung stand auch in Zusammenhang mit dem Rousseauismus der ersten Ethnologen, die der Überzeugung waren, daß es in den primitiven Gesellschaften keine Psychosen und vor allem keine Schizophrenie gäbe. Dieser Auffassung lag das Postulat zugrunde, daß einfache, kleine Gruppen mit persönlichen und affektiven Beziehungen frei von intra- und interpersonellen Spannungen wären, daß Spannungen infolge der zunehmenden Bevölkerungsdichte mit der Kompliziertheit der sozialen Organisationen beginnen. Sicher ist es nicht die Organisation, die das Leben schwieriger gestaltet. Das Landleben bietet nur wenige und starre, weil durch Tradition kristallisierte Rollen, die nicht immer der Vielfältigkeit der menschlichen Persönlichkeiten entsprechen. Es gibt Persönlichkeitstypen, die sich in den Landgebieten dazu gezwungen sehen, nicht zu ihnen passende Rollen zu akzeptieren, z. B. den gehorsamen Sohn zu spielen, obwohl sie voller Initiative sind, oder die Rolle der passiven Frau, obwohl sie eine männliche Mentalität besitzen. Die Stadt dagegen mit ihrer extremen Differenzierung der Aufgaben bietet eine ganze Skala von Rollen, die besser auf den Reichtum der menschlichen Neigungen abgestimmt sind[33]. Und wenn, wie wir definiert haben, das Normale weniger darin besteht, daß man sich den Normen des umgebenden Milieus anpaßt als vielmehr in der Fähigkeit zu normativer Tätigkeit, so müßte doch die Stadt der Ort sein, wo sich die Persönlichkeiten am besten entfalten können. Nicht die Organisation, eine Folge der Bevölkerungskonzentration, ist verantwortlich zu machen für die Zunahme der Geisteskrankheiten, sondern ihre Starrheit oder Anomie. Die Ökologie zeigt uns das mit der Perfektion ihrer Methode. Denn die Stadt hat neben den Bezirken der Geisteszerrüttung auch Bezirke mit geistiger Gesundheit. Auf dem Land dagegen gibt es neben begünstigten Gemeinden Dörfer mit pathologischen Ketten.

Die Isolierung hat sich bisher nicht als signifikanter Faktor erwiesen. Aber das liegt daran, daß wir die Isolierung als ein Merkmal begrenzter Zonen betrachtet haben. Auf dem Land wirkt die Isolierung mancher Bergdörfer pathologisch, die Isolierung mancher geschlossener Landgemeinden dagegen therapeutisch oder gar präventiv. In den Städten kamen die Untersuchungen in den verschiedenen Fällen zu entgegengesetzten Schlüssen. Kann man aber nicht über diese begrenzten Definitionen der Isolierung zu einer allgemeineren Konzeption kommen, indem man unsere westliche Zivilisation, wie man es manchmal getan hat, als eine »schizoide

33. B. D. Paul hat ein gutes Beispiel dafür gegeben. Es handelt sich um Maria, ein Mädchen aus einem Dorf in Guatemala. Es ist von männlicher Persönlichkeitsstruktur und lebt in einer ihrem Wesen nach patriarchalischen Kultur. Er erklärt ihre psychischen Störungen daraus, daß Guatemala der Frau nur eine einzige mögliche Rolle bietet (Mutter, Gattin, treue Hausherrin). Und er fügt hinzu, daß sie in den Vereinigten Staaten geheilt worden wäre, weil sie in der nordamerikanischen Gesellschaft eine ganze Reihe weiblicher Rollen gefunden hätte, wie Mutter, Glamour-girl, Geschäftsfrau usw.: »Mental disorder and self-regulating processus in culture, a guatemalan illustration«, in *Interrelations between...* o. c.

Kultur« definiert? Die Insularität scheint uns in der Tat ein sehr allgemeines Phänomen zu sein, nicht nur Merkmal bestimmter Zonen mit sozialer Desorganisation. Paul Halmos zum Beispiel hat 1948 in England bei Studenten von zwei Londoner Colleges mit Hilfe von Fragebogen, die sich auf die soziale Partizipation bezogen, entdeckt, welche Rolle die Isolierung bei der Entwicklung von neurotischen Angstzuständen in der Mittel- oder Oberschicht spielt[34]. Die Isolierung ist ein charakteristisches Merkmal unserer Gesellschaft, das sich nicht nur auf einige ihrer Sektoren beschränkt. Der Beweis dafür ist, daß die Isolierung eine echte Ideologie geworden ist, die in christlicher Form als Kultur der eigenen Seele erscheint, die gerettet werden soll, in ökonomischer Form als interindividueller Wettstreit zur Verbesserung des eigenen sozialen Status. Bei den Intellektuellen, die Halmos untersucht hat, erscheint sie als Ideologie vom »elfenbeinernen Turm«. So gibt es bei jedem Individuum in unserer Zivilisation einen Konflikt zwischen dem nach Partizipation drängenden sozialen Sinn und den kulturellen Normen, die das Individuum zum Rückzug auf sich selbst drängen. Die Folge davon ist ein beschädigtes Leben. Der Fehler der Lehren, die wir in diesem Kapitel untersucht haben, liegt also nicht in einer Überschätzung der Isolierung, sondern im Gegenteil in der Unterschätzung dieses Faktors durch die geographische Lokalisierung seines Einflusses. Man müßte diesen Faktor enträumlichen, ihn in andere Verteilungstypen der Geisteskrankheiten einführen und dabei Neurosen, Psychoneurosen und funktionelle Psychosen einbeziehen. Auch hier wieder befinden wir uns in der Nähe von Auguste Comte, der den Wahnsinn als ein Übermaß an Subjektivität definierte und dieses Aufbrechen der Subjektivität in Zusammenhang mit den individualistischen Strukturen der Gesellschaft brachte, wie sie aus der Reformation und der Französischen Revolution hervorgegangen waren.

34. Paul Halmos, *Solitude and Privacy, a study of social isolation, its cause and therapy*, London, o. D.

Fünftes Kapitel

Psychiatrie der Gesamtgesellschaft: Von den Berufen und sozialen Klassen zur Industriegesellschaft

Beim Übergang von der Ökologie zur Soziologie im strengen Sinne erhebt sich eine Frage: welche Rangordnung müssen wir den Variablen geben? Bekanntlich entstand die Soziologie in Frankreich mit Comte, in England mit Spencer und in Deutschland mit Marx zur gleichen Zeit, als sich die Industriegesellschaft entwickelte. Und allen Erweiterungen, die sie inzwischen erfahren hat, zum Trotz, ist sie bis heute die »Naturgeschichte« dieser Industriegesellschaft geblieben. Eine Soziologie der Geisteskrankheiten würde diesen Namen nur dann zu Recht tragen, wenn sie sich an erster Stelle mit den Einflüssen beschäftigt, die die Industrialisierung und die Teilung der Menschen in soziale Klassen auf die psychische Gesundheit ausüben. Die Psychiater dagegen, die sich nicht für Gruppen, sondern für Individuen interessieren, beschäftigen sich besonders seit Freud mit den Ursprüngen der psychischen Störungen und versuchen, die familiäre Vorgeschichte ihrer Kranken durch klinische Biographien zu ermitteln. Wenn wir also ihre Begriffe in den Rahmen der Soziologie übertragen wollten, müßten wir mit der Untersuchung der Familie beginnen. Dabei wäre Familie weniger als soziale Institution nach der Auffassung von Durkheim zu verstehen, sondern als eine Ganzheit von Interrelationen zwischen den Geschlechtern und Lebensaltern. Am zweideutigen Wesen unserer Wissenschaft, die die beiden Begriffe »Soziologie« und »Geisteskrankheiten« in sich vereinigt, liegt es, daß wir zwischen diesen beiden Perspektiven schwanken, von denen die eine der Soziologie, die andere der Psychiatrie näher ist. Man wird sich wohl nicht so sehr darüber wundern, daß wir uns schließlich für die erstere entscheiden. Die zeitgenössische Familie erhielt ihre Gestalt durch die Industriegesellschaft und zeigt ausgeprägte Unterschiede gegenüber ihren früheren Formen. Jede Klasse hat ihren Familientypus, sei er mehr autoritär oder mehr demokratisch, mehr vom Vater oder der Mutter bestimmt oder egalitär. Die Aufgabe der Eltern besteht darin, die Kinder zu sozialisieren, das heißt, ihnen das geistige Rüstzeug zu geben, das sie brauchen, um sich in die Gesellschaft im weiteren Sinne zu integrieren. Die Eltern sollen aber nicht ihre eigenen Normen und Werte bei den Jungen verinnerlichen; Sozialisation bedeutet vielmehr, daß man die kulturellen Normen und Werte der umfassenden Zivilisation verinnerlicht. Die Psychiater oder Psychoanalytiker, die am stärksten soziologisch orientiert sind, erkennen letztlich, daß die Familie nur die Rolle einer Vermittlerin zwischen dem Sozialen und dem Individuellen spielt, daß sie meist nur ein Relais zwischen den Störungen der Industriegesellschaft und den Störungen der menschlichen Person ist. So entwickelt zum Beispiel Alexander die Theorie, daß die Desorganisation oder Anomie der Gesellschaft auf die Desorganisation der Familie einwirkt und daß diese sich ihrerseits auf die Verhaltensstörungen der Individuen auswirkt: »Die aus Gründen der sozialen Klasse, der wirtschaftlichen Lage, der Religionszugehörigkeit, der Rasse und aus anderen Gründen gehandicapten Familien haben zur Haltung der Insularität neigende Kinder[1].« Bossard und Boll zeigen auch, daß Spannungen in der übergreifenden Gemeinschaft in innerfamiliäre Spannungen verwandelt werden, die sich auf die Kinder auswirken[2]. Paul Halmos schließlich schreibt: »Das Soziokulturelle geht dem Psychogenetischen voraus und kontrolliert es, der innerfamiliäre Sektor ist in dem weiteren, außerfamiliären Feld eingeschlossen, und seine internen Beziehungen werden durch die ihn umgebenden sekundären Institutionen festgelegt. Deshalb kann der Prozeß der Desozialisation nur mit Hilfe der soziokulturellen Pathogenese verstanden werden ... Die Vermittlung (durch die Familie) ist nur eine einfache Phase des ›Prozesses‹, der uns von der übergreifenden Kollektivität zum Individuum führt[3].« Diese wenigen Zitate reichen aus, um die von uns gewählte Rangordnung zu rechtfertigen.

Die Forschung, die sich mit den Korrelationen zwischen sozialen Klassen und Psychosen beschäftigt, ist vor verhältnismäßig kurzer Zeit entstanden. Das liegt vielleicht, wie die Marxisten meinen, daran, daß die Ärzte zum Bürgertum gehören und unbewußt das eigentliche Drama der Industriegesellschaft, die Entfremdung (im soziologischen Sinne, die allerdings auch mit der psychiatrischen Entfremdung enden kann) der Arbeitermassen vergessen wollen. Vielleicht ist die Erklärung dafür auch einfacher und darin zu suchen, daß die Psychiater geringe Bereitschaft zeigen, mit von ihren Spezialgebieten weit entfernten Begriffen zu spielen, belastet von schwierigen Problemen, mit denen sich selbst die Soziologen heute noch abmühen: Was ist eine soziale Klasse? Wie viele Klassen gibt es? Und außerdem konnte man die Geisteskranken erst dann innerhalb der Klassen verteilen, als man diese definiert und ihre Zahl genau festgelegt hatte. Sie dagegen verfügten über die Krankenkartei, die von den Krankenhausangestellten ausgefüllt worden war und immer (oder zumindest sehr häufig) die Berufsangabe enthielt. Andererseits erlaubte es die Einteilung der Krankenversicherungen in Berufsgruppen, die psychosoziologischen Analysen auf dem Gebiet des Berufs ziemlich weit voranzutreiben. So erklärt sich, daß die Forschungen über die pathologischen Einflüsse der verschiedenen Berufskategorien den Untersuchungen über die pathogenen Auswirkungen der Teilung in soziale Klassen historisch vorausgegangen sind. Deshalb wollen wir mit den ersteren beginnen. Dabei werden wir sehen, daß sie schließlich in umfassendere und schwierigere Probleme der Industriegesellschaft einmünden, für die sie als Einführung dienen können.

1. Franz Alexander, »Psychoanalysis and social disorganisation« (*Amer. Journ. of Sociol.*, Mai 1937).
2. *Amer. Soc. Rev.*, April 1947.
3. o. c.

1. PSYCHIATRIE DER BERUFSKATEGORIEN

Innerhalb dieser Psychiatrie kann man drei Momente unterscheiden:

1. Man hat zunächst die Verteilung der psychischen Störungen auf die Berufsgruppen untersucht. Schon Jaspers, der eine Statistik von Romer benutzte, stellte fest, daß die freien Berufe davon am meisten betroffen sind. Diese Feststellung wurde von L. Stern bekräftigt, der zeigte, daß das Minimum der Kurve in der Kategorie der Bauern und das Maximum in der Kategorie der freien Berufe lag. Hat man nicht manchmal die Hebephrenie »die Krankheit der Professoren« genannt[4]? Hat aber nicht jede Berufskategorie ihre eigene Krankheit? Individuelle Variationen schließen nicht aus, daß wir innerhalb derselben Gruppe, unter Angestellten, Erziehern, Arbeitern, denselben Verhaltenstypus wiederfinden, und daß die pathologischen Phänomene mehr von gemeinsamen als von individuellen Elementen bestimmt sind. 6000 klinische Beobachtungen, die in Spanien durchgeführt worden sind, hatten laut Mira folgendes Ergebnis: Rauschgiftsucht dominiert bei den Intellektuellen und Künstlern, Schizophrenie bei Studenten der Philosophie und der Theologie, Verfolgungswahn bei Polizeibeamten, Epilepsie bei Hausangestellten, Neurasthenie bei Telegraphenbeamten, unbewußte homosexuelle Neigungen bei Friseuren, Köchen, Schneidern, Kammerdienern, Neurosen bei Krankenpflegerinnen, Lehrerinnen, Fürsorgerinnen, Kindergärtnerinnen (bei letzteren mit einer latenten Aggressivität gegenüber den Müttern, mit deren Kindern sie sich beschäftigen). Nach Mira sind für diese Verteilung der pathologischen Typen auf die Berufe zwei Erklärungen möglich. In manchen Fällen gibt es so etwas wie eine Vorverteilung, eine Präzedenz der Psychose in bezug auf den Beruf, der in Übereinstimmung mit der pathologischen Veranlagung ausgewählt worden ist – in anderen Fällen gibt es eine direkte Einwirkung des Berufs auf das Verhalten. Das würde zum Beispiel für Friseure oder Kindergärtnerinnen gelten. Hier wäre also der Beruf der Krankheitsfaktor[5]. Heute gibt es immer mehr Monographien über die verschiedenen Berufskategorien oder beruflichen Milieus, mit immer feineren Analysen. In Frankreich zum Beispiel gibt es die Analysen von Le Guillant über die »Mädchen für alles«, die Zimmermädchen, die Hausangestellten (oder auch die Landarbeiter), die mit dem marxistischen Begriff der Entfremdung arbeiten[6]. Ferner gibt es die Untersuchung von H. Baruk und J. Guilhot über die Verwaltungsangestellten, die Wirkung der Bürokratisierung und der Verwaltungspraktiken auf die individuelle oder kollektive geistige Gesundheit und über das Auftreten von Psy-

4. L. Stern, *Kulturkreis und Form der geistigen Erkrankung*, Halle, 1913.

5. E. Mira, »Le rôle des conditions sociales dans la genèse des troubles mentaux« (*IIe Congrès int. Hyg. men.*, Paris, I, 1937). – In Frankreich wurde der berufliche Aspekt der Geisteskrankheiten besonders beachtet seit A. Marie, *Travail et folie; influence professionnelle sur l'étiologie pathologique*, Paris, 1909, bis zu P. Sivadon und Levy-Klein, »Maturation affective: profession et troubles mentaux« (*Ann. médico-psycho.*, I, 1, 1951).

6. In Bearbeitung für Mouton und Cie.

choallergien im Angestelltenmilieu[7]. Die Untersuchung von I. Berger und R. Benjamin über die Lehrer schließlich zeigt deutlich, wie die Abwertung des Volksschullehrerberufes in der heutigen Gesellschaft Frustrationen und psychische Störungen in dieser Berufskategorie hervorruft[8]. In diesen verschiedenen Untersuchungen wird deutlich, wie wichtig es ist, bei einer Ätiologie der psychischen Störungen den sozialen Status zu berücksichtigen. Darauf werden wir später zurückkommen und versuchen, die Bedeutung dieses Einflusses zu bestimmen.

Während die ersten Arbeiten die höchsten Prozentsätze von Geisteskranken in den freien Berufen zeigen, finden wir in den neuesten Arbeiten – zumindest was die Ersteinlieferung in die Krankenhäuser betrifft – die höchsten Prozentsätze in den manuellen Berufen. So wiesen in Ohio (USA) beim männlichen Teil der Bevölkerung die Bauern eine größere Zahl von Schizophrenen als die anderen Berufe auf, beim weiblichen Teil der Bevölkerung die arbeitenden Frauen eine höhere Zahl als die, die sich mit ihrem Haushalt beschäftigen[9]. Frumkin vergleicht die Zahlen für die verschiedenen Psychosen bei Hilfsarbeitern und bei Beschäftigten in freien Berufen. Er stellt besonders für die Schizophrenie in der ersten dieser beiden Gruppen eine größere Zahl von Einlieferungen fest (201,9 auf 1000 000 und 67,3) als in der zweiten Gruppe (22,8 und 7,2)[10]: »Auf der Grundlage dieser verschiedenen Entdeckungen entwickelt Frumkin die Hypothese, daß in den Berufsgruppen der Unterschicht weitgehend Geisteskrankheiten soziogenetischen Ursprungs entstehen, das heißt, die soziale Erkrankung ist im allgemeinen gegen die Gesellschaft gerichtet. Die Berufsgruppen der ultrakonservativen Oberschicht dagegen weisen einen größeren Prozentsatz von Geisteskrankheiten psychischen Ursprungs auf, das heißt, die psychische Erkrankung ist im allgemeinen gegen das Ich gerichtet. Die Gruppen der Mittelschicht leiden ihrerseits an sozio- und psychogenetischen Störungen zugleich. Die Männer mit ihren radikaleren Vorstellungen von der Welt weisen Prozentsätze auf, die weitgehend denen der Unterschicht entsprechen. Die viel konservativeren Frauen dagegen haben mehr Störungen psychischen Ursprungs. Um dieses Faktum zu illustrieren, Frumkin hat die für die Oberschicht typischen Krankheiten, manisch-depressive Psychosen, Evolutionsmelancholie und Psychoneurosen öfter bei Frauen als Männern gefunden. Andererseits hat er eine größere Zahl von

7. H. Baruk und J. Guilhot, »Essai sur le rôle de la psychiatrie sociale dans le développement des sciences administratives: le cas des »psychallergies administratives« (*Ann. méd. psych.*, 120. Jahr, I, 1962, S. 235–278).

8. Ida Berger und R. Benjamin, *Maladies mentales et profession, contribution à l'étude sociologiquedes troubles mentaux dans le milieu des enseignants, in L'Univers des Instituteurs,* Ed. de Minuit, 1964, (S. 174, 212).

9. Ben Z. Locke, M. Kramer, Ch. Timberlake, E. Pasamanick und D. Smeltzer, »Problems in interpretation of patterns of first admissions to Ohio State public mental hospitals for patients with schizophrenic reactions« (*Psych. res. rep.*, 1958, 10, S. 172–196).

10. Robert M. Frumkin, »Occupation and major mental disorders«, in A. M. Rose, *Mental Health and Mental Disorder,* New York, 1955.

Psychosen alkoholischen oder syphilitischen Ursprungs, typische Krankheiten der Unterschicht, bei den Männern festgestellt[11].«

So führt uns die Untersuchung der beruflichen Kategorien zur Untersuchung der sozialen Klassen. Es sieht so aus, als sei für eine soziologisch beeinflußte Ätiologie die Schichtung der Gruppen in einer übergreifenden Struktur, der der Industriegesellschaft, wichtiger als die Verschiedenheit der Berufe.

Man kann sich am Ende dieses Abschnitts mit Recht fragen, warum sich zwischen den alten und den neuesten Untersuchungen eine so totale Revolution ereignet hat. Es ist schwierig, Ergebnisse aus verschiedenen Epochen und von verschiedenen Kontinenten miteinander zu vergleichen. Möglich wäre es, daß die Intellektuellen früher mehr um ihre psychische Gesundheit besorgt waren und sich mehr behandeln ließen. Es ist auch möglich, daß die Industriegesellschaft mit ihren beschleunigten Krisen auf die unteren Klassen gewirkt hat. Schließlich ist es auch möglich, daß die neueren statistischen Ergebnisse durch die Fortschritte der Soziologie zuverlässiger geworden sind. Uns bleibt nur übrig, den Widerspruch festzustellen und ein Fragezeichen zu setzen.

2. Ein zweites Moment ist, daß man die Beobachtungsergebnisse übertreffen wollte und die unterschiedliche Krankheitsrate bei Geisteskrankheiten aus den Berufen interpretierte. Zwei Faktoren konnten herangezogen werden, der Lohn oder das Einkommen und das Prestige. Wollte man die Rolle dieser beiden Faktoren trennen, müßte man natürlich Berufe miteinander vergleichen, die bei analogem Einkommen unterschiedliches Ansehen genießen – oder Berufe mit verschiedenem ökonomischem Niveau, die aber denselben sozialen Status besitzen. Das ist eine schwierige Aufgabe. Teilweise fällt sie mit dem Problem der Klassen und dem der sozialen Schichtung zusammen, auf das wir bald wieder zu sprechen kommen. Deshalb wollen wir uns auf die Forschungsergebnisse beschränken, die bei der Untersuchung der Berufskategorien, durch die diese Frage aufgeworfen wurde, gewonnen worden sind.

1948 gab R. E. Clark für das Vorherrschen der Schizophrenie in den Berufen der Unterschicht folgende Gründe an: Neben organischen Ursachen wie den Auswirkungen, die manche Berufe auf den menschlichen Körper haben, oder der Bedeutung, die Alkohol und Sexualität für die Arbeiter haben, nannte er an erster Stelle die unterschiedliche Anziehungskraft und das Erstrebenswerte der verschiedenen Berufskategorien. An zweiter Stelle nannte er die Unterschiede im Ansehen, das die Angehörigen der verschiedenen Berufsgruppen in der Gesamtgesellschaft genießen. Zuletzt nannte er den Problemkomplex, den die niedrigen Löhne und die Mietpreise für Wohnungen darstellen. Das heißt, er brachte gleichzeitig das wirtschaftliche Niveau und den sozialen Status ins Spiel[12]. Als er 1953 auf das Problem und die Grundlage für eine allgemeinere Aufteilung der Geisteskrankheiten nach Berufen zurückkam, zog er schließlich den Schluß, daß das

11. Zusammenfassung von Frumkins Kapitel von V. D. Sanua, o. c., S. 55–56.

12. Robert E. Clark, »The relationship of schizophrenia to occupational income and occupational prestige« (*Amer. Soc. Rev.*, 13, 1948, S. 325–330).

Ansehen für die psychische Gesundheit von größerer Bedeutung als das Einkommen ist[13]. Frumkin stellt seinerseits fest:

1. Die psychischen Störungen treten in höchster Konzentration in den Berufen mit dem niedrigsten sozialen Status auf (Hilfsarbeiter und Hausangestellte), in geringster Konzentration bei den Menschen, die einen hohen Sozialstatus in der Gesellschaft haben und Führungsposten einnehmen.

2. Für den Mann ist die Berufskategorie von höchster Wichtigkeit, bei der Frau dagegen werden die Frustrationen im Beruf durch ihre Gattin- oder Mutterrolle kompensiert. Im übrigen wird der soziale Status der Frau weniger durch den Status ihres Berufes als durch den ihres Gatten bestimmt. So erklärt es sich, daß das Ansehen des Berufs für das männliche wie für das weibliche Geschlecht wichtiger als das Einkommen ist[14].

Diese Schlüsse scheinen im großen und ganzen zwar richtig zu sein. Wir glauben aber, daß wir den ökonomischen Faktor im eigentlichen Sinne nicht vernachlässigen dürfen. Die Ungleichheit der Einkommen bringt tatsächlich schwierige Probleme für die Berufsgruppen mit sich, die zur untersten Stufe gehören. Manche Hilfsarbeiter leben in einer ständigen Angst vor dem, was der nächste Tag bringt, ob Arbeit oder Arbeitslosigkeit, Verweigerung des Kredits bei den Kaufleuten, Ausweisung aus der Wohnung, die man nicht mehr bezahlen kann usw. Wenn diese Probleme ständig wieder neu auftreten, können sie auf die Dauer die psychische Gesundheit angreifen. Man hat oft festgestellt, daß die Trunksucht in den niederen Berufskategorien deshalb so häufig vorkommt, weil die Hilfsarbeiter versuchen, ihren Problemen zu entfliehen. Dann aber verfallen sie den Alkoholpsychosen, die noch durch den Genuß von Alkohol minderer Qualität kompliziert und verschlimmert werden können.

Alle diese Untersuchungen über die Bedeutung des Einkommens und des Ansehens der verschiedenen Berufe für die Ätiologie der Geisteskrankheiten beruhen natürlich auf einer Rangordnung der Berufskategorien. Der Psychiater ist also auf den Soziologen angewiesen. Denn eine Rangordnung nach dem Ansehen kann man nicht auf der Basis subjektiver Eindrücke aufbauen. Man muß vorher eine Untersuchung durchführen, um festzustellen, welches System kollektiver Vorstellungen dieser Rangordnung zugrunde liegt. Dazu verfügen die Soziologen über verschiedene Techniken, die mit dem Gegenstand dieses Buches nichts zu tun haben, die aber zeigen, daß diese Systeme in jeder Kultur verschieden sind, so zum Beispiel in Lateinamerika (das den freien, vor allem den juristischen Berufen den höchsten Rang einräumt) und im angelsächsischen Amerika (das den Führungsposten in der Industrie den höchsten Rang zuordnet). Man muß auch die Starrheit oder die Elastizität dieser Systeme berücksichtigen, das heißt, man muß die Bedingungen in Rechnung setzen, unter denen man zu diesem oder jenem Beruf Zugang hat. So stellt Ruesch im Zusammenhang mit den Geisteskrankheiten die europäischen Ge-

13. »Psychoses, income and occupational prestige«, in Bendix and Lipset, *Class, Status, and Power*, Glencoe, II, 1953.

14. Frumkin, o. c.

sellschaftsformen der mobileren nordamerikanischen Gesellschaft gegenüber: »Die Flexibilität und der soziale Wechsel sind in Amerika die Hauptquelle der Unsicherheit. In Europa dagegen sind Schichtenbildung und Starrheit Ursache der Frustration[15].« Auch hier werden wir wieder über das Berufsproblem zu dem Problem der sozialen Klassen mit ihrem Grad an Starrheit oder Interkommunikation geführt.

3. Schließlich entwickelte sich gleichzeitig mit der industriellen Soziologie eine industrielle Psychiatrie. Die Berufskategorien in Beziehung zu den Verhaltensstörungen gesetzt, diesmal jedoch innerhalb der sie integrierenden Welt, der Industrie. Mit der Bildung einer industriellen Psychiatrie verschiebt sich das Interesse von den Psychosen auf die Neurosen. Und man wird ebenso viele Typen von Neurosen unterscheiden, wie es Kategorien von Angestellten in der Fabrik gibt. Die »Neurose der Direktoren« (die Managerkrankheit der Deutschen) entsteht durch die unablässig wegen der Konkurrenz wachsenden Sorgen, die immer schwerer auf den Schultern der Chefs lastende Verantwortung und die Erschöpfung durch das ständige Bemühen, die Fabrik arbeitsfähig zu halten und innere Konflikte zu lösen. Ferner finden wir die verschiedenen Neurosen der Fach- oder Spezialarbeiter, die Neurosen der Angestellten und Buchhalter. Die zuerst genannte Neurose, die der Direktoren, tritt oft in psychosomatischer Form auf. Dabei komplizieren oder symbolisieren die psychischen Störungen sich durch kardio-vaskuläre Syndrome. Die Neurosen der Arbeiter nehmen zahlreiche Formen an, die der Mannigfaltigkeit der Probleme entsprechen, denen die Arbeiterklasse sich gegenübergestellt sieht. So hat man von einer »Psychoneurose der Renten« (G. Colin) gesprochen, der Neurose des sich ausgenutzt fühlenden Arbeiters, der einen geeigneten kleinen Unfall sucht, der ihm Schadensersatz und ein Lebensende ohne Arbeit dank der Pensionsleistung des Chefs bringt. Ferner von einer »Streikneurose« (Delmas-Marsalet), die in Form eines zwanghaften Wahns auftritt – schließlich von einer »Neurose des Arbeitslosen« (J. Vie), die übrigens in Beziehung zu den Kollektivvorstellungen steht, die man sich von der Arbeitslosigkeit macht. So hat Tietze beim Vergleich der Zahlen von Geisteskrankheiten bei den Arbeitslosen von Baltimore in den Jahren 1933 und 1936 festgestellt, daß 1936 der Prozentsatz der Fälle nur ein Drittel dessen von 1933 ausmachte. Der Grund dafür ist, daß 1936, in einer Periode ökonomischer Depression, die Arbeitslosigkeit als eine Folge von Umständen betrachtet wurde, die außerhalb der Verantwortlichkeit der Arbeiter lag, als eine unvermeidliche Katastrophe, gegen die die Regierung kämpfen mußte[16].

Seit den klassischen Untersuchungen Mayos über die Rolle der Befriedigung der Arbeiter durch die Produktivität und den guten Ablauf der Arbeit hat sich die industrielle Psychiatrie immer mehr den Auswirkungen zugewandt, die neurotische Konflikte auf den Arbeitsertrag haben. Die Produktivität ist in der Tat nicht nur durch die beruflichen Qualitäten des Arbeiters (seine Begabung) bedingt, sondern

15. »Social technique, social status and social change in illness«, in Kluckhohn und Murray, *Personality in Nature, Society and Culture*, New York, 1948.

16. Christopher Tietze, »Epidemiology of mental disorders«, (*Milbank Memorial Fund*, 1950).

auch durch seine Ausdauer, sein Selbstvertrauen und seine Liebe zur Aufgabe. Die Neurose kann auf diese vier Bedingungen so einwirken, daß sie den Arbeitsertrag verringert: Es entwickelt sich eine unbewußte Tendenz, sich lieber zu verkrampfen, als sich der Lächerlichkeit preiszugeben. Diese Tendenz arbeitet gegen die Begabung, gegen das Selbstvertrauen, indem sie imaginäre, unmöglich zu verwirklichende Ambitionen weckt, sogar den Hochmut, nicht zu arbeiten[17]. Im Verlauf der letzten Jahrzehnte vor allem ist nun aber in Verbindung mit der Entwicklung der Arbeitsmedizin und der Anwendung der Freudschen Begriffe auf die gesamte Medizin die Rolle der unbewußten Konflikte bei der Zahl der Berufsunfälle gründlich untersucht worden. Selbstverständlich sind die Zahlen bei den einzelnen Autoren sehr unterschiedlich (denn bei der Interpretation der Ursachen eines Unfalls gibt es einen großen Anteil von Subjektivität), sie schwanken zwischen 20 %[18] und 80 %[19] der schweren Unfälle. Die Diagnose stützt sich vor allem auf die Tatsache, daß immer wieder dieselben Menschen Unfälle haben, als suchten sie eine sozial akzeptable Form des Selbstmords, jedenfalls eine Lösung ihrer Probleme durch die Verwirklichung ihrer Besessenheit von dem Willen zu scheitern. Es kann auch vorkommen, daß ihnen der Unfall als ein Racheakt an der Gesellschaft erscheint, als ein Versuch, ihre Eltern, oder noch häufiger ihre Frauen zu erpressen (die Unfälle sind übrigens bei den Ehemännern häufiger als bei den jungen Junggesellen). Da man in der Teamarbeit der Produktivität und der Notwendigkeit harmonischer Beziehungen zwischen den Arbeitern, die zusammenarbeiten, um einen höheren Ertrag zu erzielen, große Bedeutung beimißt, beginnt man sich auch für die Streitigkeiten zu interessieren, die durch psychopathische Persönlichkeiten hervorgerufen werden, welche in eines dieser Teams hineinrutschen und dort ein Element der Unordnung hineintragen können.

Diese moderne industrielle Psychiatrie, die die Untersuchungen der Berufskategorien immer mehr ersetzt, indem sie sie zu Neurosediagnosen der Chefs von Unternehmen einerseits und ihrer Arbeiter andererseits ausweitet, beruht auf zwei Prinzipien. Zunächst auf einem utilitaristischen Prinzip, das in Zusammenhang mit unserer Ideologie von der Produktivität steht und innere Konflikte als ein ernstzunehmendes Handicap für die Produktivität anprangert und in der Forderung gipfelt, neben Tests zur Berufsberatung auch projektive Tests auszuarbeiten und einen Psychoanalytiker oder einen Psychiater im Betrieb einzustellen. Außerdem beruhen die Untersuchungen der modernen industriellen Psychiatrie auf dem Prinzip der Multiplizität oder der Variabilität der Neurosen. Denn die erwähnten Untersuchungen sind eher psychiatrische als soziologische Untersuchungen, und gründen mehr auf Fallgeschichten als auf einer Reflexion über unsere Gesellschaft. Wir finden eine Vielzahl von »Typen« vor, die in Verbindung mit den besonderen »Merkmalen« der Industrialisierung wie Streik, Arbeitslosigkeit und dem Auftre-

17. Karen Horney, »Inhibitions dans le travail« (*Psyche*, 4, 33, 1949, S. 581–595).
18. J.-Lucien Bara, »Psychologie industrielle« (*Psyche*, 5, 39, 1950, S. 76–78).
19. Martin Gilbert, »Accidents de travail« (*Psyche*, 6, 53, 1951, S. 185–187).
20. In Clyde Kluckhohn und H. A. Murray, Hrsg., *Personality*, ..., o. c.

ten von Direktoren stehen. Selbstverständlich würde der Soziologe anders vorgehen. Er würde damit beginnen, die Struktur unserer Gesellschaft zu untersuchen, um auf diese Weise ihre Pathologie besser zu verstehen. Ebenso wie die Statistiken der Berufskategorien uns dazu veranlaßt haben, die Frage nach den sozialen Klassen zu stellen, führt uns die industrielle Psychiatrie zu dem Problem der zeitgenössischen Gesellschaft und ihrer Anomie, wie Durkheim es ausdrückte. Diesen beiden Problemen wollen wir den folgenden Teil dieses Kapitels widmen.

2. KLASSEN UND SOZIALE SCHICHTEN

Man hat festgestellt, daß in den drei großen Klassen, die die Soziologen gewöhnlich unterscheiden, der Oberschicht, der Mittelschicht und der Unterschicht, nicht dieselben Typen von Geisteskrankheiten vorkommen. So weist Ruesch darauf hin, daß es in der Mittelschicht eine größere Zahl psychosomatischer Krankheiten gibt, die in Zusammenhang mit dem Konformismus dieser Klasse steht, und in der Oberschicht Psychoneurosen, die in Zusammenhang mit dem sehr starken, traditionsgebundenen Über-Ich der Glieder dieser Schicht stehen[20]. Aber dies sind Hypothesen, die erst noch statistisch überprüft werden müssen. Rennie und seine Mitarbeiter haben herausgefunden, daß die Geisteskrankheiten bei den Psychosen im umgekehrten Verhältnis zum Status in der Rangordnung der sozialen Schichten variieren, bei den Neurosen im direkten Verhältnis. Das heißt, es gibt 13 % psychotischer Typen in der Unterschicht gegenüber 3,6 % in der obersten Schicht, 28 % schwerste Fälle in der untersten Schicht gegenüber 9 % an der Spitze. Dagegen leiden 25 % der Kranken der Unterschicht an Neurosen und 43 % in den obersten Schichten[21]. Das wichtigste Buch über die Beziehungen zwischen psychiatrischen Fakten und sozialen Klassen ist jedoch das in enger Zusammenarbeit zwischen einem Soziologen und einem Psychiater entstandene Werk von Hollingshead und Redlich, dem in New Haven gesammeltes Material zugrunde liegt. Dieses Buch soll als Mittelpunkt unserer Überlegungen und Diskussionen dienen[22].

Die beiden Typen sozialer Differenzierung, die man in dieser Gemeinde antrifft, die vertikale (Rasse, Religion, ethnische Zuordnung) und die horizontale (Wohnsitz, Bildung, Beruf), sind miteinander zu einer sehr aufgefächerten Struktur verbunden worden, die den soziologischen Rahmen der Untersuchung bildet. Ein Index für die soziale Position ist dadurch errechnet worden, daß man dem Wohnsitz 6 Punkte,

21. Thomas A. C. Rennie, L. Srole, M. K. Opler und Th. S. Langner, »Urban life and mental health, socioeconomic status and mental disorder in the metropolis« (*Amer. Journ. of Psychiatr.*, 113, 1957, S. 175–182).

22. August B. Hollingshead und Frederick C. Redlich, *Social class and Mental Illness, a community study*, New York, 1958.

23. J. K. Myers und L. Schaffer, »Social stratification and psychiatric practice« (*Amer. Soc. Rev.*, 19, 3, 1954, S. 307–310). Vgl. auch von denselben Autoren, »Psychotherapy and social stratification« (*Psychiatry*, 17, 1954).

der Bildung und dem Beruf 7 Punkte zuteilte. So waren die beiden Autoren in der Lage, fünf verschiedene Klassen voneinander zu unterscheiden:

- Klasse I. Sie ist aus reichen Familien zusammengesetzt. Im allgemeinen sind sie durch Erbschaft zu ihrem Reichtum gekommen, haben Führungspositionen in Verwaltung oder Industrie inne, besitzen Hochschulbildung und genießen das höchste soziale Ansehen.
- Klasse II. Sie besteht aus in guten Wohngegenden lebenden Familien, die auch reich sind, den Reichtum aber mehr durch Erfolg als durch Erbschaft erworben haben. Ihre Glieder haben oft Hochschulbildung, zumindest aber Gymnasialbildung.
- Klasse III. Sie besteht aus kleinen Besitzern, Angestellten, Facharbeitern, deren Kinder manchmal die Universität besuchen, im allgemeinen aber eher technische Schulen. Sie leben oft in guten Wohngegenden, besuchen aber andere Clubs und Vereine als die Glieder der Klasse I und II.
- Die Klasse IV besteht aus nur halb ausgebildeten Facharbeitern, von denen zumindest die ältesten nur die Primärschule besucht haben. Sie leben in weniger guten Wohngegenden. Ihr soziales Leben beschränkt sich auf familiäre Beziehungen und die Teilnahme an der Gewerkschaft.
- Klasse V schließlich bildet die unterste Stufe. Sie besteht aus ungelernten Arbeitern, von denen die meisten noch nicht einmal ihre Primärschulbildung abgeschlossen haben. Sie leben in den ärmsten Wohngegenden. Ihr Leben konzentriert sich auf die Familie, die Straße und die Nachbarschaft.

Wenn man nun die Klassen I bis V nacheinander betrachtet, sieht man, daß die Zahl der Geisteskrankheiten stetig zunimmt.

Klassen	*Gesamtbevölkerung*	*Geisteskranke*
I	3,1	1,0
II	8,1	6,7
III	46,0	13,2
IV	22,0	38,6
V	17,8	36,8
Unbekannte	3,0	3,7
	100,0	100,0

Wie aber schon Rennie feststellt, muß man unterscheiden zwischen den in den Oberklassen dominierenden Neurosen und den Psychosen, die auf die unteren Klassen konzentriert sind. Die folgende Übersicht ist für diesen Gegensatz sehr aufschlußreich:

Klassen	*Neurosen*	*Psychosen*	*Insgesamt*
I	52,6	47,4	100,0
II	67,2	32,8	100,0
III	44,2	55,8	100,0
IV	23,1	76,9	100,0
V	8,4	91,6	100,0

Besonders die Schizophrenie herrscht immer stärker vor, je tiefer man die soziale Rangordnung hinuntersteigt. Die Prozentsätze von Klasse I zu V wachsen von 0,7 über 2,7, dann 9,8 zu 41,6 und schließlich auf 45,2 an. Um es kurz zu sagen, die Unterschicht liefert den größten Anteil psychotischer Geisteskranker. Und das gilt in jeder Hinsicht, ob man die erste Einlieferung oder den Rückfall in Betracht zieht, die akuten Krisen oder die chronischen Störungen (Übersicht für 100 000 Einwohner):

Klasse	*Index*	*Neueinlieferung*	*Chronische*	*Überwiegen der Schizophr.*	*Überw. Psych.*	*Insgesamt*
I u. II	6	14	97	111	188	97
III	8	20	148	168	291	114
IV	10	21	269	300	518	89
V	20	46	729	895	1505	139

Nach Ansicht unserer Autoren kann man diese so regelmäßige Verteilung auf die Klassen weder der geographischen noch der sozialen Mobilität zuschreiben. Was die Geographie betrifft, so lebten in New Haven 65 % der Schizophrenen seit langen Jahren in ihrem Wohnbezirk, und es gab nur 35 % Ab- bzw. Zuwanderer. Um nachzuprüfen, ob die Bewohner von Zonen sozialer Desorganisation sich, wie es Burgess annahm, dorthin geflüchtet haben oder aber ob, wie Faris und Dunham es behaupteten (siehe unser vorhergehendes Kapitel) das Milieu die Psychose hervorrief, sammelten die Autoren die Lebensgeschichten von den Kranken der Klasse V. Sie kamen dabei zu dem Ergebnis, daß diese Kranken immer in derselben Zone gelebt haben. Auch die Auswirkungen der sozialen Mobilität scheiden aus, denn die Personen, die dieselbe Position auf der sozialen Stufenleiter behalten haben, weisen die höchsten Prozentsätze auf (auf 100 000 Einw.):

Vertikale Mobilität	Kl. I u. II	Kl. III	Kl. IV	Kl. V
Kranke aus stabilen Familien	20	54	322	345
Kranke, die in höhere Schichten aufgestiegen sind	7	19	6	–
Kranke, die sozial abgestiegen sind	1	2	3	4
Ungenügende Angaben	1	8	21	39
	29	83	352	383

So kommen wir auf 91 % Kranke, die ihre Klasse nicht verlassen haben, dagegen nur auf 1,3 % Kranke, die zu einer niedrigeren Klasse als ihre Familien gehören und 4,4 % Kranke, die zu einer höheren Klasse aufgestiegen sind.

Aus all diesen Angaben läßt sich der Schluß ziehen (obwohl die Autoren angesichts der Kritik an ihrem Buch bekräftigt haben, daß sie keine ätiologische Untersuchung beabsichtigt hätten,) daß die Stellung in der Klassenstruktur der determinierende Faktor für die Zahl der Geisteskrankheiten sowie für den Typ der

Geisteskrankheiten, der Neurosen oder Psychosen ist. »Die Lebensweise der Unterschicht scheint so etwas wie ein Stimulans für die Entwicklung psychopathischer Störungen zu sein. Wir folgern (aus unseren Angaben), daß die große Zahl von Psychosen in den Elendsvierteln eine Folge der Lebensbedingungen der sozio-ökonomischen Unterschichten der Gesellschaft ist« (S. 242). Übrigens haben Hollingshead und Redlich sich mit dieser ätiologischen Untersuchung nicht zufrieden gegeben. Sie haben auch die Bedeutung des ökonomischen Faktors gezeigt, auf den bereits J. K. Myers und L. Schaffer hingewiesen haben. Denn bei der Therapie der Kranken werden die mit hoher sozialer Stellung leichter aufgenommen, von einen qualifizierteren Personal und längere Zeit behandelt[23]. Die Tabelle von Hollingshead und Redlich zeigt, daß der Behandlungstyp mit der Zugehörigkeit zu dieser oder jener Klasse in engem Zusammenhang steht:

Klassen	*Psychotherapie*	*Organische Therapie*	*Ohne Behandlung*	*Insgesamt*
I	73,7	10,5	15,8	100,0
II	81,7	11,4	6,9	100,0
III	52,7	28,7	18,6	100,0
IV	31,3	37,1	31,8	100,0
V	16,1	32,7	51,2	100,0

Wenn wir von diesem letzten Punkt absehen, der sogar in unseren demokratischen Gesellschaftsformen seine Gültigkeit hat, müssen wir feststellen, daß, was die Ätiologie betrifft, die Ergebnisse von Hollingshead und Redlich in New Haven von anderen, in anderen Gemeinden arbeitenden Autoren nicht bestätigt werden: Graham zum Beispiel findet in Pennsylvania schwere psychische Störungen, in ihrer schärfsten Form zumindest, mehr in den oberen als in den unteren Klassen[24]. Laughton findet in Ontario keine signifikanten Unterschiede zwischen Ober-, Mittel- und Unterschicht bei allen Krankheiten, psychiatrischen und psychosomatischen[25]. Im Gegensatz zu dem, was nicht nur von Hollingshead und Redlich, sondern auch von einer großen Zahl europäischer und amerikanischer Psychiater behauptet wird, ist der Prozentsatz der Neurosen nach Lumkau, Tietze und Cooper im Distrikt Baltimore kein Charakteristikum der Oberschicht, sondern ebenso wie der der Psychosen höher in den unteren Klassen[26]. Angesichts dieser Widersprüche können wir nicht gleichgültig bleiben. Sie wecken in uns Zweifel an den Schlüssen von »Classes sociales et maladies mentales«. Bevor wir diese Schlußfolgerungen übernehmen, müssen wir sie kritisch überprüfen.

24. Saxon Graham, »Socioeconomic status and illness«, and the use of medical services« (*Milbank Mem. Fund Quart.*, 35, 1957).

25. Katherine B. Laughton, »Socioeconomic status and illness« (*idem*, 36, 1958, S. 46–57).

26. Paul Lemkau, Christopher Tietze und Marcia Cooper, »Mental hygiene problems in an urban district« (*Ment. Hyg.*, 26, 1942).

27. Bert. Kaplan, Robert B. Reed und W. Richardson, »A comparison of the incidence of hospitalized and non-hospitalized cases of psychosis in two communities« (*Amer. Soc. rev.*, 21, 1951, S. 472–479).

Die kritischen Untersuchungen kann man in zwei Gruppen einteilen, von denen die eine sich auf die Methodologie und die andere auf die Interpretation bezieht.

Kaplan, der an den Statistiken über die hospitalisierten Fälle Kritik geübt hat, stellte fest, daß es für die Mitglieder der Oberschicht sehr viel leichter als für die der Unterschicht ist, sich zu Hause oder in Privatkliniken behandeln zu lassen. Da für letztere nur das öffentliche Krankenhaus in Frage kommt, findet man in den weniger begünstigten Klassen mehr Geisteskranke als in den anderen. Deshalb könnten die Psychosekranken in Krankenhäusern uns auch kein gültiges Bild für die Verteilung der Geisteskrankheiten auf die Klassen liefern[27]. Zwar haben Redlich und Hollingshead den Versuch unternommen, uns für New Haven ein vollständiges Bild zu geben. Doch es ist ihnen, wie sie selbst feststellen, nicht gelungen. Zwei Psychiater von Connecticut haben die Einsicht in ihre Akten verweigert. Und da die Kranken, die sie behandelten, zu den oberen Schichten der Gemeinde gehörten, sind sie in die statistischen Tabellen nicht aufgenommen worden. 19 New Yorker Psychiater waren bei ihren 30 Kranken, die auch wieder aus der Oberschicht stammten, zu keinen Auskünften bereit. Schließlich wurden 72 Fälle aus den Statistiken herausgelassen, weil die Autoren über sie keine klinischen oder soziologischen Angaben machen konnten oder nur die Diagnose kannten (sie sind auf Grund statistischer Wahrscheinlichkeit, ausgehend von der psychiatrischen Struktur 1895 bekannter Fälle klassifiziert worden). Wenn man alle herausgelassenen Fälle, die zu der Oberschicht gehören, hinzufügt, kommt man auf die Zahl von 50 weiteren Kranken, die, wenn man sie zu den 150 der Klassen I und II hinzufügt, für die beiden Klassen einen Prozentsatz von 10 % ergeben, der dem der Gesamtbevölkerung dieser Gruppen nahekommt (11,4)[28]. So wandelt sich das Bild, und die oberen Klassen scheinen nun nicht mehr, wie es anfangs aussah, durch ihre Lebensweise gegenüber den unteren Klassen begünstigt zu sein.

Was die Interpretation des gesammelten Materials betrifft, so muß man zuerst feststellen, daß Hollingshead und Redlich keine Relation zwischen den sozialen Klassen und den Geisteskrankheiten entdeckt haben. Das gilt sowohl für die Männer als auch für die Frauen in der Altersgruppe von 15–24 Jahren. Hier sehen wir uns einer zumindest eigenartigen Tatsache gegenübergestellt, die die Erklärung durch die soziale Klassifizierung zumindest in einer bestimmten Kategorie von Personen einschränkt. Zweitens haben Hollingshead und Redlich einen Zusammenhang zwischen familiärer Desorganisation und psychischer Desorganisation festgestellt:

28. V. D. Sanua, o. c., S. 61–63.

29. W. L. Warner, »The society, the individual and his mental disorder« (*Amer. Journ. of Psychiatr.*, 94, 1937). – Green, »The middle class male child and neurosis« (*Amer. Soc. Rev.* II, 1946). – G. H. Roberts und J. K. Myers, »Schizophrenia in the youngest male child of the lower middle class« (*Amer. Journ. of Psych.*, 112, 1955).

Klassen	*Beziehung zw. Verwitweten u. der Zahl der Geschiedenen oder Getrennten*	*Prozentsatz der zerbroch. Familien*	*Überwiegen der Schizophrenie*	*Überwiegen der Psychosen*
I	27 zu 1	3,4 %	111	188
II	9 zu 1	5 %		
III	6 zu 1	10 %	168	291
IV	2 zu 1	18 %	300	518
V	0,7 zu 1	41 %	895	1505

Wir können uns nun fragen, welcher von beiden Faktoren der wichtigste für die Klärung ist, die soziale Position oder die Desorganisation der Familie. Natürlich ist diese Desorganisation in den einzelnen Schichten verschieden. Aber nach dieser neuen Interpretation würde die Schicht keinen direkten, sondern einen durch die häusliche Gruppe vermittelten Einfluß ausüben.

Unter dem Einfluß der Psychoanalyse ist man noch sehr viel weiter gegangen. Obwohl man die Bedeutung der sozialen Klassen anerkannte, hat man sich gefragt, ob sie nicht weniger als strukturelle Schichten, sondern mittelbar durch die strukturelle Erziehung der Kinder Einfluß ausübten, durch die Strenge der auferlegten Disziplin oder die verschiedenen oralen oder analen Frustrationen. Auf dieses Problem werden wir noch ausführlich zurückkommen, wenn wir über die auf die Geisteskrankheiten wirkenden familiären Faktoren sprechen. Halten wir im Moment nur fest, daß sich W. L. Warner, Green, Roberts und Myers mit diesem Problem beschäftigt haben. Sie versuchen zu erklären, warum und in welcher Weise sich die Zugehörigkeit zu dieser oder jener Klasse auf die geistige Gesundheit ihrer Mitglieder auswirken konnte[29].

Muß man aber nicht, wie es übrigens auch Warner in demselben Artikel angeregt hat, neben der kindlichen Erziehung auch die soziale Mobilität berücksichtigen? Wie wir bereits gesagt haben, lehnen Hollingshead und Redlich diesen Faktor ab. Sie tun es unter dem Vorwand, daß die Geisteskrankheiten sich auf die nicht mobilen Familien konzentrieren. Aber gerade eine Gesellschaft wie die unsere vergöttert den Wettbewerb, den Kampf um die Verbesserung des Lebensstatus. Sie erhebt, was sehr ernst zu nehmen ist, die Mobilität zu einem Ideal. Da aber die Gesellschaft die Mobilität vergöttert und der Arbeiterklasse, vor allem aber den ungelernten Arbeitern, wegen der Lebensbedingungen der Arbeiterklasse diese Mobilität versagt ist, ergibt sich eine Ursache für eine besonders pathogene Frustration. Es ist nicht überraschend, daß man in Familien, deren Rang festgelegt ist, mehr Psychosen und Neurosen findet als in denen, die von einer Klasse zur anderen aufsteigen. Wir dürfen also die Rolle der Klasse nicht als statische Realität einschätzen, die nur durch ihre Position in einer Rangordnung von Schichten von Einfluß ist, sondern

30. »Social mobility and mental illness« (*Amer. Soc. Rev.*, 19, 5, 1954, S. 577–584). Vgl. auch E. Ellis, »Social psychological correlates of upward social mobility among unmarried career women« (*Amer. Soc. Rev.*, 17, 1952, S. 558–563).

vielmehr als dynamische Realität mit Engpässen, Barrieren und Durchzugskanälen. Hollingshead, Ellis und Kirby haben die Wirkung dieses neuen Faktors mit einer Kontrollgruppe für die Bevölkerung von New Haven zu messen versucht. Sie kamen zu folgendem Schluß:

Nicht der einzige und vielleicht auch nicht der wichtigste, aber ein bedeutender Faktor für die Entstehung der Schizophrenie und Psychoneurosen ist die verbreitete Furcht vor sozialem Druck, der zur Mobilität und zur Angst vor dem Versagen führt[30]. M. H. Lystad hat seinerseits für New Orleans festgestellt, daß beim Vergleich zweier Gruppen derselben Klasse, Rasse, desselben Geschlechts und desselben Bildungsgrads die Mobilität der Schizophrenen immer geringer als die der Kontrollgruppen ist. Daraus hat sie den Schluß gezogen, daß die Schizophrenen sich in dem Bevölkerungsteil befinden, der aufsteigen möchte, ohne jedoch seinen sozialen Status heben zu können[31]. Untersuchungen, die in England unternommen worden sind, führen zu ähnlichen Schlüssen. Morrisson hat bei den Schizophrenen eine klare Tendenz festgestellt, in der sozialen Rangordnung eine niedrigere Stufe als die Eltern einzunehmen. Das gilt in besonderem Maße für die Klasse V. Während 48 % der Kranken zu dieser Klasse gehören, findet man dort nur 18 % ihrer Eltern[32]). Wenn die Statistiken von Hollingshead und Redlich gültig sind, ist der erklärende Faktor für die größte Zahl von Geisteskrankheiten in den unteren Schichten weniger die soziale Stellung als die Starrheit des Klassensystems, die wachsenden Widerstände, die dem Willen zum Aufstieg begegnen, der Abbruch der in den Anfängen der kapitalistischen Gesellschaft noch bestehenden Verbindung zwischen den einzelnen Klassen. Diese Schlüsse gehen von der Voraussetzung aus, daß die Statistiken von Hollingshead und Redlich Gültigkeit haben.

3. PSYCHIATRIE DER INDUSTRIEGESELLSCHAFT

Die Ökologie hat das Modell der konzentrischen Kreise geliefert, das auf die Gesamtheit aller Phänomene der sozialen Pathologie angewendet worden ist, auf die Scheidung, die Jugendkriminalität und die Geisteskrankheiten, als ob ein und dasselbe Gesetz der räumlichen Verteilung, das der progressiven Abnahme vom Zentrum zur Peripherie, sich verifizierte oder sich verifizieren sollte. Die Zentren persönlicher Desintegration (Geisteskrankheiten) sind identisch mit den Zentren familiärer (Ausreißer, zerbrochene Familien) und sozialer Desintegration (Kriminalität). Hat die Soziologie auch ein Modell, das als Rahmen für eine allgemeine Pathologie dienen oder verwendet werden könnte? Als Rahmen, der es erlaubt, die zeitliche Dimension in die sozialen Strukturen zu integrieren?

Uns scheint, daß Durkheim in seiner *Division du travail social* genau diesen

31. Mary H. Lystad, o. c.
32. S. L. Morrisson, »Principles and methods of epidemiological research« (*Journ. Mental Sci.*, 105, 1959, S. 999–1011).

Rahmen geliefert hat. Er unterscheidet nämlich vier Formen der Solidarität: die mechanische Solidarität, die organische Solidarität, die erzwungene Solidarität (die der kolonialen und Sklavenhaltergesellschaften) und zum Schluß die Anomie. Durkheim hat das Verdienst gehabt, diesen soziologischen Rahmen in *Le Suicide* selbst auf ein erstes pathologisches Phänomen anzuwenden. Er hat gezeigt, daß den beiden ersten großen Formen der Solidarität, der mechanischen und der organischen, zwei Typen des Selbstmords, der altruistische und der egoistische Selbstmord, entsprechen. Den beiden letzteren, der erzwungenen und der anomischen Solidarität, dagegen entspricht ein anormales Hochschnellen der Selbstmordrate. Der Sklave tötet sich, um dem Joch seines Herrn zu entrinnen. Die Anomie mit ihrer Unruhe, dem grenzenlosen Ehrgeiz, mit der Fülle nicht realisierbarer Projekte und den zahlreichen Mißerfolgen eignet sich in besonderem Maße dazu, die Zahl der Selbstmorde zu vervielfachen. Ein paar Jahre später versuchte Gaston Richard in einer der ersten Nummern von *Année sociologique*, einer jungen, von Durkheim gegründeten Zeitschrift, zu zeigen, daß die Kriminalität sich veränderte und mit ihr auch die Typen der Solidarität. Der mechanischen Solidarität, die am Beispiel der Kriminalität im zaristischen russischen Kaiserreich studiert worden war, entspricht eine auf Verletzung der politischen und religiösen Ordnung zielende Kriminalität, die gegen die Glaubenslehren der Gemeinschaft und die kollektiven Werte und Gefühle gerichtet ist. – Der organischen Solidarität, die am Beispiel der Kriminalität der angelsächsischen Industrieländer untersucht worden war, entspricht eine auf Eigentumsdelikte gerichtete Kriminalität und Betrugskriminalität. – Der kolonialen Solidarität, am Beispiel der Kriminalität der Länder Mittel- und Südamerikas untersucht, entspricht eine auf sexuelle Verbrechen, Verbrechen gegen die Person, Morde und Überfälle gerichtete Kriminalität. Die in den städtischen Gesellschaften untersuchte Anomie weist in den Gangs oder Verbrecherbanden und in einer sich bildenden »Kultur der Gaunerwelt« alle Formen der Kriminalität in vervielfachter Zahl auf. Schließlich wies G. Richard in den Mittelmeerländern wie Spanien, Korsika, Süditalien auf eine aus historischen Gründen (Schwächung des Staates) blutige Kriminalität hin. Wenn die politische Gewalt unfähig ist, Gerechtigkeit zu üben, rächen die Individuen sich selbst für die Schäden, die sie erlitten haben. In dem Maße aber, wie der Staat wieder an Kraft gewinnt (Korsika) oder die Gesellschaft sich industrialisiert (Norditalien), verändert sich die Kriminalität und zeigt den industriellen Typ (Verbrechen gegen das Eigentum). Von den Beweisen, die er für den ätiologischen Wert dieser verschiedenen Formen der Solidarität lieferte, wollen wir nur einen behalten: Dieselbe soziologische Realität, dieselbe ökonomische Krise führt in einer mechanischen Solidarität zu anderen Erscheinungen als in einer organischen Solidarität, in Rußland zu Landstreicherei und Bettelei – im industrialisierten Deutschland zu einer Zunahme der Verbrechen gegen das Eigentum[33].

33. In dieser Zusammenfassung der Gedanken von G. Richard haben wir nicht den Artikel aus *Année sociologique* verwendet, sondern eine revidierte und vervollständigte Version, die er in einer unveröffentlichten Vorlesung an der Universität Bordeaux gegeben hat.

Es scheint, daß die Familienpathologie in den Idealtypen von Solidarität eine solide Interpretationsbasis finden kann. Man hat in der Tat feststellen können, daß das Ausbrechen in traditionellen und katholischen bäuerlichen Gesellschaften (katholisch mehr im sozialen als mystischen Sinn), das heißt in den Gesellschaften mit mechanischer Solidarität dominierte. Daß die Scheidung in den städtischen, industriellen und protestantischen Gesellschaften, das heißt, in Gesellschaften mit organischer Solidarität, dominierte, daß die simultane oder sukzessive Polygamie (in der Form des Konkubinats) in den alten vielrassigen Kolonialgesellschaften dominierte. Schließlich zeigt die Anomie sich in der Krise der modernen Familie.

Man könnte sich nun fragen, ob dieser Durkheimsche Rahmen auch für eine echte Soziologie der Geisteskrankheiten als Grundlage dienen kann. Leider haben wir aber darüber nicht so wertvolle und vor allem nicht so zusammenhängende Angaben wie über Selbstmorde und Verbrechen. Das gilt besonders für die primitiven Gesellschaften mit mechanischer Solidarität, die Gegenstand von Kontroversen zwischen den Ethnopsychiatern sind. Versuchen wir aber trotzdem hypothetisch, die allgemeinen Züge dieser »Soziologie des Wahnsinns« zu entwerfen. Was die mechanische Solidarität betrifft, so können wir nicht behaupten, daß die kleinen primitiven Gesellschaften oder die Gesellschaften des *folk* frei von Geisteskrankheiten sind oder daß sie die Formen der Schizophrenie, wenigstens die kleineren, tatsächlich nicht kennen[34]. Doch alle Untersuchungen, die wir darüber haben, scheinen zu beweisen, daß die Störungen der Persönlichkeit bei ihnen einen religiösen Charakter besitzen. Der Wahnsinn ist ein Ausdruck des Heiligen. So finden wir bei den Geisteskrankheiten dieselben Merkmale wieder wie beim Selbstmord (altruistisch) und Verbrechen (gegen die kollektiven Werte). Der organischen Solidarität unserer modernen Gesellschaften würden ebenfalls, wie beim Selbstmord und Verbrechen, »egoistische« oder »individualistische« Formen der Geisteskrankheiten entsprechen, ein Übermaß von Subjektivität, das aus jeder sozialen oder kulturellen Kontrolle ausbricht, und eine Verminderung der intermentalen Kommunikationen. Der erzwungenen Solidarität würde in den lateinamerikanischen Ländern der Dualismus zwischen der mentalen Pathologie der Weißen (konstitutionelle Psychosen) und der mentalen Pathologie der Eingeborenen oder der von Afrikanern Abstammenden (organische Psychosen) entsprechen. Dieser Dualismus spiegelt den Dualismus der Herren und Sklaven (oder der Leibeigenen) wider[35]. Schließlich haben die nordamerikanischen Psychiater, wie wir in unserem vorigen Abschnitt gesehen haben, der Anomie, das heißt dem nicht geregelten Wettbewerb zwischen den Klassen, zahlreiche Untersuchungen gewidmet. Aus diesen wenigen Überlegungen könnte man schließen, daß der Durkheimsche Gedanke eine brauchbare Grundlage für die Soziologie der Geisteskrankheiten abgeben könnte. Wir haben ihn jedoch nicht zur Grundlage unseres Buches gemacht, weil uns die gültigen statistischen Elemente feh-

34. Siehe zum Beispiel die Erörterung von N. J. Demerath, »Schizophrenia among primitives«, in Rose, o. c.

35. R. Bastide, »Les maladies mentales des Noirs en Amérique du Sud«, wird erscheinen in E. L. Margets, Hrsg., *Psychiatrie africaine*.

len, mit deren Hilfe wir die soeben vorgebrachten Hypothesen kontrollieren könnten. Signifikante Reihen haben wir tatsächlich erst seit der Entstehung der Industriegesellschaft, das heißt für zwei von vier Formen, die der organischen Solidarität und der Anomie entsprechen würden. Wir werden uns deshalb in diesem Kapitel darauf beschränken, eine Psychiatrie der Industriegesellschaft zu entwerfen[36].

Zuerst aber zwei einleitende Bemerkungen.

Wir müssen zunächst neben der sozialen Dimension im eigentlichen Sinne die kulturelle Dimension berücksichtigen. Man kann die Industriegesellschaft tatsächlich nicht verstehen, ohne sich in jedem Moment auf die Gesamtheit ihrer Werte, ihrer kollektiven Ideale und kulturellen Normen zu beziehen. Zum Beispiel üben die hohe Bewertung des individuellen Bemühens und der Initiative, das Ideal der Produktivität oder der Verbesserung des Lebensstandards durch ein ganzes System von Verhaltensnormen auf die Mitglieder dieser Gesellschaft Zwang aus und orientieren ihr Verhalten. Um uns auf ein einziges Beispiel zu beschränken: Karen Horney hat im Zusammenhang mit den Neurosen unserer Zeit aufgezeigt, welche Verbindung zwischen diesen Neurosen und den Normen des auf Wettbewerb beruhenden Kapitalismus besteht:

»Unter den verschiedenen Faktoren der westlichen Zivilisation, die potentielle Feindseligkeiten hervorrufen, steht an erster Stelle wohl der Umstand, daß diese Zivilisation auf dem Grundsatz des persönlichen Wettbewerbs aufgebaut ist. Dieses Prinzip des wirtschaftlichen Konkurrenzkampfes beeinflußt die menschlichen Beziehungen insofern, als es die Menschen veranlaßt, einander zu bekämpfen, einander zu übertreffen, und indem es den Vorteil des einen zum Nachteil des anderen macht. Bekanntlich beherrscht der Konkurrenzkampf nicht nur unsere beruflichen Beziehungen, sondern durchsetzt auch unsere gesellschaftlichen Verhältnisse, unsere Freundschaften, unsere sexuellen Beziehungen sowie die Beziehungen innerhalb der Familie und trägt so die Keime destruktiver Rivalität, der Herabsetzung, des Argwohns, der Mißgunst und des Neides in jede menschliche Beziehung[37].«

Der auf Konkurrenz beruhende Kapitalismus aber ist nur eine der möglichen Formen des Kapitalismus. Wir müssen an zweiter Stelle die historische Dimension berücksichtigen. Es gibt eine erste Periode, die der Entstehung des kapitalistischen Systems durch den Übergang von der religiösen zur rationalen Mentalität (Max Weber), oder, wie man heute sagt, durch die Säkularisierung. Gemeint ist die Epoche, in der die Industrie sich aus präindustriellen Elementen entwickelt, die aus dem Handwerkertum und dem Patrimonialismus stammen. Danach gab es die Periode

36. Wir ziehen für den soziologischen Gesichtspunkt vor allem das Werk von Georges Friedmann und seinen Schülern heran, für den psychiatrischen Gesichtspunkt Werke wie die von James S. Bossard, *Social Change and Social Problems*, New York, 2. Ausg., 1938. – Caudell, Redlich, Gilmoe und Brody, »Social structure and interaction processes in psychiatric needs« (*Amer. Journ. Orthopsych.*, 22, 1952). – Butler, »Industrial psychiatry« in *Symposium on Preventive and Social Psychiatry*, Washington, 1958. – A. H. McLean und G. C. Taylor, *Mental Health in Industry*, New York, 1958.

37. In *Neue Wege in der Psychoanalyse* (*New Ways in Psychoanalysis*), Stuttgart 1951, S. 175.

des liberalen Kapitalismus, der das ganze XIX. Jahrhundert beherrschte und zunächst auf der Konkurrenz basierte, danach auf der Bildung von Trusts und Kartellen, die verheerende Auswirkungen dieser Konkurrenz auf die Klasse der Industriellen verhindern sollten. Die Trusts und Kartells aber muß man in den liberalen Kapitalismus integrieren, weil diese mächtigen Vereinigungen nur durch ein unerbittliches Schwinden der schwächsten Unternehmen entstanden sind. Im XX. Jahrhundert findet »die zweite industrielle Revolution« statt mit dem Auftreten einer neuen Energiequelle, der nuklearen Energie, und den Fortschritten in der Produktionstechnik, von der Fließbandarbeit bis zur Automation. Wenn wir die Merkmale dieser neuen Industriegesellschaft kurz zusammenfassen wollten, könnten wir sagen, für sie ist charakteristisch die Entwicklung der Organisation, die Bürokratisierung der Unternehmen, der Bruch zwischen dem Eigentumsrecht an den Produktionsmitteln und der Leitung der Arbeit, außerdem unter der Einwirkung ökonomischer Krisen die ständig wachsende Einflußnahme des Staates auf die Industrie, auch auf die nicht nationalisierte, die Planung, die Berücksichtigung der Bedürfnisse der Massen, schließlich die immer größer werdende Bedeutung von Druck ausübenden Gruppen, wie Finanzgewaltige und Gewerkschaften, große Banken und organisierte Arbeiter. Im Verlauf der beiden letzten Jahrzehnte vor allem scheint sich eine neue Phase der Industrialisierung abzuzeichnen, die in den Vereinigten Staaten begonnen hat und jetzt auch Europa berührt: die Industrialisierung der Landwirtschaft.

Eine Soziologie der Geisteskrankheiten darf diese historische Dimension nicht vernachlässigen. Dafür wollen wir nur zwei Beispiele nennen. Fromm hat eines seiner berühmtesten Bücher *Die Furcht vor der Freiheit* der Periode gewidmet, in der die Industriegesellschaft auf den Ruinen der Feudalgesellschaft entstanden ist. Er zeigt darin, daß der Verlust der Sicherheit, die der Arbeiterklasse durch die Ständeherrschaft gegeben worden war, nicht dadurch ausgeglichen wurde, daß die Arbeiter jetzt Aufstiegsmöglichkeiten hatten, kleine Familienunternehmen und erste Fabriken gründen konnten. Selbstverständlich konnte der Arbeiter aufsteigen und Arbeitgeber werden – doch er konnte auch absinken und vom freien Handwerker zum einfachen Arbeiter werden, der seine Arbeitskraft verkauft. Deshalb ist für diese Periode eine Krise der Gesundheit charakteristisch. Für eine strukturelle Untersuchung der psychischen Störungen in dieser Zeit fehlt uns das Material. Wir können aber auf indirektem Wege Schlüsse ziehen, durch die Analyse der kompensatorischen Ideologien, wie der protestantischen Reformation. Als zweites Beispiel wählen wir die Gegensätze, die wir zwischen den Behauptungen von Hollingshead und Redlich einerseits, von Graham andererseits, gefunden haben. Wenn die Psychosen und die Neurosen nicht mehr in den untersten Schichten vorherrschen, dann könnte man mit einigen Psychiatern annehmen, daß der von den Gewerkschaften geführte Kampf für die Arbeiterklasse erfolgreich ist, daß die Einkünfte zunehmen und vor allen Dingen sicherer werden. Der Widerspruch zwischen den statistischen Ergebnissen würde dann verschwinden, denn er wäre der Reflex zweier aufeinanderfolgender Phasen der Industriegesellschaft.

Ein erstes, sehr auffallendes Merkmal der augenblicklichen Industriegesellschaft ist, daß sie die ganze Welt erobert, nachdem sie lange auf die westliche Welt beschränkt gewesen war. Wir können die Industrialisierung der unterentwickelten Länder freilich nicht dem gleichsetzen, was in Europa seit dem XVIII. Jahrhundert geschehen ist. Denn in letzterem Fall war die Entwicklung endogen. Heute ist sie in den ländlichen Nationen exogenen Ursprungs, folglich überspringt sie Etappen, akzeleriert sie und gefährdet deshalb die psychische Gesundheit unendlich viel mehr. Ganze Völker müssen, fast ohne Übergang, den Sprung von der vorkapitalistischen zur kapitalistischen Mentalität machen, von einer zyklischen Zeitauffassung zu einer linearen, von der Tradition zum prometheischen Sakrileg übergehen. Die moderne Fabrik schafft die Stadt, und die Stadt ihrerseits, die Menschenfresserin, zieht die Landbewohner an, löst den Stammesverband auf, versucht, die neuen Formen zu assimilieren, zerstreut die Großfamilien und verwandelt sie in Kleinfamilien. So kommt es, daß Asien, Afrika u. a. zu großen Baustellen geworden sind, die im Moment mehr dem allgemeinen Abbruch als dem Wiederaufbau dienen. Der Preis für diese Operation ist schwer zu errechnen. Die Unesco hat Margaret Mead gebeten, eine erste Bilanz für die dritte Welt aufzustellen[38]. Die Auswirkungen der Verstädterung sind gewiß bei den Neurosen bedeutender als bei den Psychosen, denn die traditionellen Kulturen haben auch ihre Pathologie[39] und wenn die Akkulturation sich langsamer vollzieht, gibt es dank den »kulturellen Alternativen« für die Basispersönlichkeit gewiß die Möglichkeit, sich den Veränderungen besser anzupassen[40]. Doch es ist nicht zu leugnen, daß vor allem seit der Entkolonialisierung Angstneurosen an Zahl und Schwere zugenommen haben und daß sich auch die atyptischen Reaktionen in schizophrener Form wie Fälle von Verfolgungswahn vervielfachen. Diese Erscheinungen stehen in Zusammenhang mit der Zunahme der Angst, die die neuen Kader, die Industriellen oder die in der Verwaltung Arbeitenden, davor haben, uneffektiv zu sein und ihre Stellen zu verlieren, oder den Ängsten der Männer, die sehen, wie ihre Autorität über die Frauen und Kinder zusammenbricht, ebenso mit der Vereinsamung der Landbevölkerung in der Stadt, mit dem Versagen bei der Aneignung der neuen Lebensformen. Carothers rechnet für ganz Afrika, daß man in den traditionellen Zonen 2, 3 Fälle von Geisteskrankheiten

38. M. Mead, Hrsg., *Sociétés, Traditions et Technologie,* Unesco, 1953.

39. Einige Autoren haben sich zu Recht gegen die Vorstellung gewandt, daß allein die Industrialisierung für die Geisteskrankheiten in den Entwicklungsländern verantwortlich sei, u. a. Geoffrey Tooth, *Studies in Mental Illness in the Gold Coast,* London, 1950, oder Hollowell, »Values acculturation and mental health« (*Amer. Journ. of Orthopsychiat.,* XX, 1950).

40. Ein gutes Beispiel dafür findet Dévereux bei den Mohave, Indianern aus den Vereinigten Staaten, die, daran gehindert, ihre aggressiven Tendenzen in Stammeskriegen zu befreien, sie nicht verdrängt, sondern auf einen andern Weg gelenkt haben, den sexuellen Erfolg (*Mohave Ethnopsychiatry and Suicide,* Washington, 1961). Andererseits haben alle Ethnologen festgestellt, daß die Akkulturation sich in einer Zunahme der Zauberei, einer kompensatorischen Lösung der Neurose, äußert.

auf 100 000 Einwohner findet, während sich bei den urbanisierten Afrikanern diese Ziffer auf 13,3 erhöht[41].

Diese »Pathologie des Übergangs«, wie sie D. Lambo, einer von den Forschern nennt, der sie am besten von innen her kennt, gibt es auch bei uns, denn die Industriegesellschaft ist eine Gesellschaft des fortwährenden »Übergangs«. Wie Leighton feststellt, ist nicht die Schnelligkeit der Entwicklung, sondern ihre Unregelmäßigkeit für das Individuum schädlich. Die verschiedenen Sektoren der Gesellschaft – oder die verschiedenen Ebenen der sozialen Realität auf demselben Sektor, wovon G. Gurvitch spricht – entwickeln sich nicht alle mit derselben Geschwindigkeit. Wir leben in einer Gesellschaft mit vielfältigen Geltungsbereichen, und die Brüche zwischen den verschiedenen Stufen, das Aufeinanderstoßen der Geltungsbereiche, ist nach Ansicht vieler Psychiater verantwortlich für die »Neurosen unserer Zeit«. Karen Horney hat richtig gezeigt, daß das Individuum in der Familie die traditionellen christlichen Werte der Aufopferung für den anderen, des Opfers und des Altruismus kennenlernt und dann in eine Welt geworfen wird, die auf dem Wettbewerb beruht, wo man sich schlagen, kämpfen, nur an sich selber denken muß. Es gibt eine »kulturelle Verzögerung« der familiären Werte gegenüber den ökonomischen, die sich in einem zerreißenden Konflikt des Individuums, in Schuldkomplexen und einem permanenten Klima der Angst äußert[42]. Die Angst wird außerdem durch die immer schneller werdenden Fortschritte der Produktionstechniken, des Maschinenwesens und der Rationalisierungstechniken ausgelöst. So kommt es, daß die Fähigkeit, die in immer stärkerem Maße vom Arbeitgeber wie vom Arbeiter gefordert wird, die »Plastizität« ist, die Fähigkeit, sich den Veränderungen anzupassen. Als Proletarier muß man seinen Wohnort ändern, von einem Beruf zu einem anderen überwechseln, sein Verhalten ändern können – als Manager muß man eine unsichere Zukunft berechnen, sich auf Grund von Daten entscheiden, die sich auf lange Sicht vielleicht als falsch erweisen. Daher rührt die zugleich nervöse und psychische Erschöpfung des heutigen Menschen. »Wenn die Furcht auch nicht die Pioniere und Helden lähmt, Müdigkeit und Angst neutralisieren die Durchschnittsmenschen[43].« Es gibt aber auf der Welt mehr Durchschnittsmenschen als Helden.

Die Arbeit ist in immer größerem Maße entweder Teilarbeit geworden und läßt den Arbeiter ohne eine Befriedigung – oder sie ist mit den Fortschritten der Automatisierung immer mechanischer geworden. Dadurch wird zwar die Ermüdung der

41. Carothers, o. c. – Neben den Auswirkungen der Industrialisierung gibt es die der Urbanisierung, die eine Folge der Industrialisierung ist. (Tsung-Yi Ling, »Les effets de l'urbanisation sur la santé mentale«, *Rev. int. des Sc. sociales,* Unesco, XI, 1, 1959).

42. Karen Horney, *The Neurotic Personality of Our Time,* New York, 1932. Dtsch.: *Der neurotische Mensch unserer Zeit,* Stuttgart 1951. Vgl. Clyde Kluckhohn, Initiation à l'anthropologie, frz. Übers., Brüssel, 1964: »Das Erziehungssystem ... bleibt zerrissen zwischen einer sich nach den Idealen der Kooperation richtenden Erziehung und einer Erziehung, die das Kind auf die Realitäten in einer Wettbewerbsgesellschaft vorbereitet.«

43. M. Montassut und Cl. Leroy, »De quelques répercussions psychologiques et psychiatriques contemporaines« (*Gaz. méd. France,* 69, 1962, S. 1107–1126).

Muskeln ausgeschaltet, aber dafür gibt es die nervöse Müdigkeit. Die Arbeit, die früher als Mittel zur Wahrung des seelischen Gleichgewichts der Person betrachtet wurde (die Psychiater hatten sogar eine Methode, die Ergotherapie, entwickelt, mit der sie Geisteskranke heilten, indem sie ihnen zur geistigen Disziplin verhalfen), wird heute im Gegenteil zu einem Zerstörer dieses seelischen Gleichgewichts. In einem ausgezeichneten Bericht, den er dem letzten Kongreß für Psychiatrie und Neurologie in französischer Sprache vorgelegt hat, schreibt Y. Pélicier:

»Die Trennung zwischen den Führungsaufgaben, den verantwortungsvollen Posten und den Aufgaben, die sich auf sich wiederholende Tätigkeiten beschränken, wird schärfer. Erstere führen bei den leitenden Angestellten, Ingenieuren, Technikern, den »Managern« zu einer intellektuellen und emotionalen Überanstrengung, die an der Verbreitung kleinerer psychischer Störungen und psychosomatischer Leiden sichtbar wird.

Die demonstrativste Illustration dafür ist das von uns so genannte *Syndrom der frisch Beförderten,* die sich von den zu erfüllenden Aufgaben erdrückt fühlen und Sehnsucht nach einer obskuren und beruhigenden Beschäftigung haben.

Allgemein betrachtet, scheint die Entwicklung der Arbeitsbedingungen (die Automatisierung, die mechanische Handhabung) eine Verringerung der physischen Müdigkeit und eine Zunahme der psychologischen Überanstrengung zu begünstigen. Wenn es auch weniger schwierige Aufgaben gibt, rufen der für manche Posten vorgeschriebene schnelle Arbeitsrhythmus und die Zeitpläne, die den menschlichen Faktor nicht immer berücksichtigen, bei sehr vielen Beteiligten Anpassungsschwierigkeiten und Unbehagen hervor[44].

Gewiß nimmt dank der technischen Fortschritte die Muße einen immer größer werdenden Raum im Leben der proletarischen Klasse ein. Sie könnte als ein Sicherheitsventil dienen, das den Menschen für eine freudlose, absurd gewordene Arbeit entschädigt. Aber der heutige Mensch verwirklicht sich in der Muße auch nicht mehr als bei der Arbeit, denn die Entwicklung der Massenmedien ist im Begriff, an die Stelle des alten einen neuen, noch unmenschlicheren Stumpfsinn zu setzen[45].

Es gibt ein weiteres Merkmal der Industriegesellschaft, das in besonderem Maße pathogen ist. Man produziert nur, um zu verkaufen. Folglich muß man die Bedürfnisse des Individuums vergrößern, in ihm unaufhörlich neue Bedürfnisse und neue Wünsche wecken. Wir leugnen nicht die gute Seite des Phänomens, das man »die Überflußgesellschaft« genannt hat. Die Individuen wollen nicht mehr nur leben, sondern richtiger und besser leben. Es kommt jedoch ein Moment, in dem sich zwischen den ständig wachsenden Bedürfnissen und den Möglichkeiten, sie zu rea-

44. Yves Pélicier, *Intégration des données sociologiques à la psychiatrie clinique,* Masson et Cie., 1964. Die Auswirkungen der gegenwärtigen Arbeitsbedingungen auf die psychische Gesundheit sind in Frankreich Gegenstand bedeutender Arbeiten von Sivadon und Cl. Veil gewesen. Für die soziologische Seite siehe G. Friedmann, *Le travail en miettes,* S. 218 und S. 333–334.

45. Dumazedier, *Vers une civilisation du loisir,* 1962.

lisieren, ein Bruch vollzieht. Der Traum entfernt sich immer mehr von der Wirklichkeit, die begrenzt ist durch die Lohntarife, die Zahl der Überstunden, die Einträglichkeit eines »Zweitberufes«, der die vom Erstberuf übrigbleibenden Mußestunden ausfüllt. So vervielfältigt der allgemeine Überfluß die Gründe für die Frustration. Kluckhohn prangert den *american way of life* an: »Er hat eine ständige Übererregtheit hervorgerufen, die viele von uns in einen Zustand fortwährender neurotischer Unentschlossenheit versetzt hat[46].« Read Bain sieht in diesem Widerspruch zwischen der Aufspeicherung von Wünschen (manipuliert durch die kommerzielle Werbung) und der Unmöglichkeit, sie zu befriedigen, die Quelle einer ganzen Reihe von pathologischen Phänomenen, die vom Masochismus und von der Paranoia bis zu Phänomenen der Regression und zu Fluchtmechanismen ins Imaginäre reichen[47].

Die Psychiatrie vor dem letzten Kriege hatte die Rolle der Abwanderung vom Land und der nicht gelungenen Anpassung des Landbewohners an die Stadt aufgeklärt, ein Phänomen, das mit dem Übergang von einem lebendigen, organischen zu einem aus Artefakten bestehenden künstlichen Milieu verbunden ist. Die Instabilität der Industriegesellschaft ist jedoch heute noch mehr durch fortwährende Ortsveränderung der Bevölkerung gekennzeichnet, weshalb die Bevölkerung nirgends mehr Wurzeln schlagen kann, um harmonisch zu wachsen. Die Volkszählung von 1960 in den Vereinigten Staaten zeigt, daß zwischen 1955 und 1960 nahezu 30 Millionen Personen (das sind 18 % der Bevölkerung über 5 Jahre) von einem Staat Amerikas in einen anderen verzogen sind, während mehr als 13 Millionen innerhalb der *Counties* verzogen sind. Mobilität gibt es, wenn auch weniger stark, auch in Frankreich. Und man kann feststellen, daß die psychiatrische Krankheitsquote in Paris bei den zugezogenen Provinzlern höher als bei den Einheimischen liegt, ferner daß die aus bestimmten Westprovinzen, aus dem Elsaß und dem Zentrum Stammenden besonders stark unter der Verpflanzung leiden[48]. Die Wohnungspolitiker können diesen Zustrom niemals bewältigen oder (wir haben das schon für die Ballungsgebiete festgestellt) nur inadäquate Lösungen finden. Die Slums charakterisieren die Vorstädte der Entwicklungsländer. Die Psychiater, zum Beispiel die peruanischen, interessieren sich für die Auswirkungen auf die psychische Gesundheit. Die überbelegten Wohnungen, seien es nun die alten Elendsquartiere oder die modernen Wohnungen mit niedriger Miete, entwickeln bei ihren Bewohnern die »Neurose der schlecht Wohnenden«, über die Y. Girard eine Dissertation geschrieben hat[49]. Sie kann bei entsprechend veranlagten Personen sogar zu Verfolgungswahn führen: »Das enge Zusammenleben, die Hellhörigkeit, die zu automatischen mentalen Reaktionen führen, haben ein Gefühl des Bedrängtseins zur Folge, das aus dem Anderen einen allgegenwärtigen Feind macht und den Vertrauten ihr

46. Cl. Kluckhohn, o. c., S. 291.

47. Read Bain, »Our schizoid culture« (*Sociol. and Social Research*, 19, 1935).

48. A. und H. Torrubia, »Contribution à une psychopathologie sociale« (*Inst. Nat. d Hygiène*, Monographie, Nr. 7, 1955). – Y. Champion, *Migration et maladie mentale*, Paris, 1958.

49. Dissertation Alger, 1962.

Privileg nimmt. Der Vertraute, der durch die räumlichen Bedingungen unter die Fremden gemischt ist, partizipiert an diesen Gefühlen des Bedrängtseins und ist außerdem Opfer desselben Mißtrauens und derselben Ablehnung[50].«

Ein wesentliches Merkmal der augenblicklichen Industriegesellschaft ist die Planung. Sie nimmt jedoch verschiedene Formen an, die G. Gurvitch gut zu unterscheiden wußte: die dirigistische Gesellschaft des vollkommen organisierten Kapitalismus – die faschistische Gesellschaft mit technobürokratischer Basis – die kommunistische Gesellschaft mit staatlicher Planung – die nach den Prinzipien des pluralistischen Kollektivismus geplante Gesellschaft[51]. Sind diese Typen in gleicher oder in unterschiedlicher Weise für Geisteskrankheiten anfällig? Es ist schwer, diese Frage zu beantworten, denn wir verfügen über keine wirklich gültigen statistischen Werte. Man muß sich mit Eindrücken begnügen. Jedenfalls zeigt die Tatsache, daß in Jugoslawien kürzlich ein Lehrstuhl für Sozialpsychiatrie eingerichtet wurde, daß das Problem einer psychiatrischen Soziologie sich sogar für eine Planung mit pluralistischer Basis stellt, die theoretisch gesehen, am wenigsten davon betroffen sein sollte. In Rußland haben die Statistiken eine ideologische Basis. Die Psychosen, deren Ursprung als organisch gilt, sind bekannt, ihre Zahl aber muß unveränderlich bleiben. Was die Neurosen betrifft, sind die Kommunisten der Auffassung, daß sie verschwunden sind. Denn das Ende des Klassenkampfes führt zum Ende der Spannungen der kapitalistischen Welt. Sind sie aber tatsächlich verschwunden? Nach dem Urteil der Psychiater, die das Land besucht haben, haben sie sich nur verlagert, um in Form von psychosomatischen Störungen aufzutreten. Man findet sie also in den allgemeinmedizinischen Kliniken mit rein somatischen Krankheitsfällen zusammen. Die politische Propaganda der verschiedenen Regierungsformen, vom Faschismus bis zum Kommunismus, verbirgt die Realitäten der mentalen Pathologie und hindert uns daran, eine Forschung weiter voranzutreiben, die zu den instruktivsten für unsere Zukunft gehört.

Wir haben die Psychiatrie der Industriegesellschaft nur in ihren wichtigsten Charakteristiken gezeigt. Es gibt auch noch andere. Wir können hier nur auf das allgemeinere Bild von dem Krankheitstand der heutigen Gesellschaft verweisen, das der bereits zitierte Bericht von Y. Pélicier entwirft. Es ist allerdings interessanter für die soziale Psychopathologie und die soziale Pathologie als für die Psychiatrie im eigentlichen Sinne.

Welche Schlüsse können wir nun aus all diesen Fakten ziehen?

1. Wir haben am Anfang dieses Buches die Zahlen des Krankheitsstandes von denen der Hospitalisierung unterschieden. Die Erhöhung der Zahl hospitalisierter Kranker hängt damit zusammen, haben wir gesagt, daß sich heute für die Heilung von Fällen weit mehr Möglichkeiten aufgetan haben, die vorher unbekannt waren. Wir wollen jetzt diese erste Feststellung wieder aufgreifen, um sie zu präzisieren. Man muß feststellen, daß die von dem Krankheitsstand ausgehenden Forschungen

50. J. M. Sutter, zitiert von Y. Pélicier, o. c., S. 189, als Anmerkung.

51. G. Gurvitch, *La vocation actuelle de la sociologie,* P. U. F., Hrsg., 1950, und *Traité de Sociologie,* P. U. F., 2 Bde, 1958–60.

modern sind und folglich in den Rahmen unserer Industriegesellschaft gehören. Wenn wir von ihnen ausgehen, können wir also nicht versichern, daß mit dem progressiven Übergang von der mechanischen zur organischen Solidarität oder der vorindustriellen zu industriellen Zivilisationen keine Zunahme der Geisteskrankheiten verbunden gewesen wäre. Zweifellos ist die Zahl der »prädisponierten Personen« fast konstant geblieben. Die frühere Gesellschaft aber beschützte sie, verhinderte den Ausbruch der Krankheiten, besonders der schweren Störungen. Dagegen können wegen der Anhäufung der Probleme, die durch die heutige Welt gestellt werden, wegen der ständig wachsenden Schwierigkeiten im Leben keine Lösungen mehr gefunden werden. Und so werden die, die früher gerettet werden konnten (indem sie ein wenn auch ungesichertes psychisches Gleichgewicht bewahrten), heute in die Abgründe der Krankheit gestürzt. H. Duchêne stellt fest, daß zwischen 1900 und 1942 die Zahl der organischen Psychosen nahezu konstant blieb, die Zahl der reaktionellen Psychosen dagegen in ständigem Anwachsen begriffen war, als würden die Individuen in zunehmendem Maße dazu gezwungen, durch die Geisteskrankheit ihre Reaktion des Leidens oder der Verteidigung gegenüber sozialen Situationen auszudrücken, aus denen es für sie künftig keinen anderen Ausweg als den »Wahnsinn« gibt[52].

2. Die Psychiater aber, die mit den Problemen der industriellen Psychiatrie beschäftigt waren, haben sich vor allem auf das Gebiet der Neurosen beschränkt. Man kann annehmen, daß diese Vorliebe damit zusammenhängt, daß die Analyse leichter ist, während die Ursachen der Psychosen verborgener bleiben und schwieriger zu erkennen sind. Wir können uns übrigens fragen, ob Neurosen und Psychosen als empirische nosologische Einheiten betrachtet werden sollen oder ob sie nicht vielmehr in einem bipolaren System zwei »Idealbilder« im Weberschen Sinne darstellen, zwischen denen sich ein ganzes Kontinuum konkreter Störungen ausbreitet. Die moderne Psychiatrie der dynamischen Schule scheint sich in letzterer Richtung zu orientieren, wenn sie von Neurosen spricht, die sich progressiv zu Psychosen oder zu »fehlgeschlagenen« Psychosen entwickeln. Es ist nicht Aufgabe des Soziologen, eine Frage anzuschneiden, die in das Gebiet der Psychiatrie gehört. Begnügen wir uns damit, folgendes zu sagen: Wenn die heutige Industriegesellschaft pathogen ist, so stellt sich diese Pathogenie für die Psychiater mehr als Zunahme der Neurosen denn als Zunahme der Psychosen dar.

52. In der Sondernummer von *Esprit*, »Misère de la psychiatrie«, XX, 12, 1952. Hier scheint uns der Begriff psychologische Schwelle, der, wie wir in unserem historischen Kapitel gesehen haben, sich aus den Untersuchungen von Pierre Janet ergibt, grundlegend zu sein. Vgl. J. Vie, »A propos de l'augmentation du nombre des aliénés, le seuil de résistance psychique et les difficultés de la vie« (XVII. *Congrès int. d'Hyg. ment.*, 1, 1937).

Sechstes Kapitel

Psychiatrie der sozialen Gruppen

1. Die religiösen Gruppen

Das Individuum ist zweifellos ein Rädchen im Getriebe einer ganzen Gesellschaft und einer Kultur. In unserer Welt der Arbeitsteilung aber spielt es nur einige von den fast unbegrenzten möglichen Rollen. Und es integriert sich in die ganze Gesellschaft nur auf einigen Sektoren. Man kann sich deshalb fragen, ob der Einfluß, den die Gruppen auf das Individuum ausüben, nicht tiefer geht als der der übergreifenden Gemeinschaft, ob seine psychische Gesundheit und ihre Störungen nicht mehr durch diesen direkten Einfluß als durch den diffusen Einfluß des Ganzen auf die konstituierenden Elemente bestimmt werden. Auf jeden Fall ist es für die Untersuchung der Fälle und die statistische Prüfung leichter, und es gibt mehr Mittel zur Kontrolle, wenn man, anstatt eine Bevölkerung und eine Kultur in ihrer Gesamtheit zu betrachten, die Untersuchung auf eingegrenzte Sektoren beschränkt. Wir wollen also dieses Kapitel und die beiden folgenden dazu verwenden, die Forschungen zu prüfen, die auf dem Gebiet der Psychiatrie der sozialen Gruppen unternommen worden sind.

Was wir am Ende des letzten Kapitels skizziert haben, könnte man eine psychiatrische Soziologie im Rahmen der Durkheimschen Gedanken nennen. Gerade Durkheim hat gezeigt, daß die Religion eine integrierende Kraft besitzt. Er hat nachgewiesen, daß die Selbstmordrate sich gegenläufig zum integrierenden Charakter der Religion verändert: es gibt mehr Selbstmorde bei den Protestanten als bei den Katholiken, mehr Selbstmorde bei den Katholiken als bei den Juden. Es hat den Anschein, daß die Unterwerfung unter eine Kirche von gemeinschaftlichem Typ das Individuum von der Qual befreit, die ihm seine eigenen Probleme bereiten. Ferner sieht es so aus, als ob die Selbstmordrate in dem Maße wächst, wie man von diesen gemeinschaftlichen Religionen zu mehr individualistischen Religionen übergeht. Es stellt sich nun die Frage, ob es für die psychische Gesundheit ähnliche Fakten gibt. Deyton fand bei den Geisteskrankheiten, daß, genau wie bei den Selbstmorden, bei den Protestanten mehr Personen davon betroffen waren als bei den Katholiken und bei den Katholiken mehr als bei den Israeliten. Er berücksichtigte dabei, welchen Prozentsatz diese religiösen Gruppen in der Gesamtbevölkerung ausmachen[1].

1. Zitiert in H. Duchêne, Le Mappian und Y. Roumajon, o. c. Jaspers dagegen wies darauf hin, daß die Zahl der Geisteskrankheiten mit dem Übergang von den Christen zu den Juden und von den Juden zu den nicht-konformistischen Sekten zunimmt, d. h. daß sie bei den mehr gemeinschaftlichen Religionen größer wäre als bei den mehr individualistischen. Hier aber ist der religiöse Faktor bei den Juden mit der Aktion der sozialen Diskriminierung verbunden. Und die nicht-konformistischen Sekten ziehen die Geisteskranken mehr an, als daß sie sie hervorbringen (Karl Jaspers, *Psychopathologie*), aus diesem Grunde würden die Jasperschen Statistiken nicht im Gegensatz zu denen von Dayton stehen.

Wir begegnen hier, bei einem genau umrissenen Faktor, dem Gegensatz der beiden Pathologien wieder, die wir unterschieden hatten, dem der mechanischen und organischen Solidarität. Es trifft zu, daß andere Autoren, wie zum Beispiel Stonequist, das Gegenteil behaupten, wenn sie sagen, daß das jüdische Volk für Geisteskrankheiten anfälliger als die anderen Völker ist[2]. Dazu muß man aber bemerken, daß die Juden zugleich eine religiöse und ethnische Gruppe bilden. Als religiöse Gruppe können sie (aus den von Durkheim dargelegten Gründen) eine psychisch weniger anfällige Gruppe bilden. Als ethnische Gruppe, die oft unter Diskriminierung und Bedrückung gelitten hat und noch heute leidet, kann sie dagegen psychischen Spannungen unterworfen sein, die für die psychische Gesundheit gefährlich sind. Klinebergs Statistiken über New York zeigen, daß 1917, als die jüdische Gesamtbevölkerung 16 % des Staates ausmachte, die Zahl der hospitalisierten Kranken nur 11,6 % betrug. In der Stadt New York selbst betrugen die Prozentsätze 25,8 % beziehungsweise 16,5 % (1918 sogar nur 14,5 %). Dagegen weisen die Juden zu derselben Zeit den höchsten Prozentsatz an Psychoneurosen in den Vereinigten Staaten auf (25,2 % gegenüber 17 % bei den gebürtigen Amerikanern)[3]. Dieser Gegensatz zwischen den Psychosen und Neurosen zeigt, wie wir glauben, deutlich: Es gibt zwischen dem Religiösen und dem Ethnischen eine Ambivalenz, oder besser gesagt, es gibt eine Ambivalenz zwischen der solidarischen, gemeinschaftlichen Gruppe, die entsprechend ihrer religiösen Kultur lebt, und der verfolgten, abgelehnten Gruppe, die dann ungeschickt versucht, aus ihrer Gemeinschaft zu fliehen, um sich den Werten der gesamten Gesellschaft anzupassen, was ihr aber wegen der Schranken, denen sie bei ihrer nationalen Integration begegnet, nicht gelingt.

Als Ausgangspunkt können wir also die Durkheimsche Hypothese über die soziale Rolle der Religion übernehmen. Was soll man aber unter »Religion« verstehen? Sollen wir unter diesem Begriff einen einfachen statistischen Wert verstehen, die Zugehörigkeit zu einer Gruppe, deren Glauben man nicht leben kann, der lediglich etwas über die Herkunft aussagt und die Tatsache des Getauftseins? Oder muß man dieses Wort in seiner vollen Bedeutung auffassen, als mystische Erfahrung, die in den Tiefen der Seele erlebt worden ist? Übt die Religion nicht nur in dieser zweiten Bedeutung eine integrierende Funktion aus und bleibt sie nicht in der ersten Bedeutung ohne Wirkung auf die, die nur dem Namen nach Christen sind und sich am kirchlichen Leben nicht beteiligen? Manche Forscher sind dieser Auffassung, so zum Beispiel Oates, nach dem man die Religion des Individuums, nicht seine Zugehörigkeit zu einer Kirche berücksichtigen soll. Muß man aber nicht doch festhalten, daß die katholischen, protestantischen, israelitischen oder nichtreligiösen Personen ihre Kindheit in Milieus verbracht haben, die selbst, wenn sie unkirchlich waren, als Erbe die verschiedenen, mehr solidaristischen oder individualistischen Werte ihrer alten Religion bewahrten? Sollte man ferner nicht auch berücksichtigen, daß die Kinder in den verschiedenen konfessionellen Milieus unterschiedlich erzogen werden? In Frankreich gibt es Atheisten mit katholischer Verhaltensweise, die

2. Stonequist, O *Homen Marginal,* port. Übers., S. Paulo, 1948.
3. Klineberg, *Race differences,* New York, 1935.

immer noch nach den von den Vorfahren übernommenen Werten leben und die christlichen Ideale nur säkularisiert haben, ohne ihre Mentalität im Grunde zu verändern[4]. Der Psychiater hat eine religiöse Kultur in demselben Maße zu berücksichtigen, wie er persönliche Religionen zu analysieren hat.

Wir werden also nacheinander diese zwei Aspekte der Religion überprüfen, die Religion als Gruppe der Abstammung ohne Berücksichtigung, in welcher Weise sie gelebt wird, und dann Religion als die Gesamtheit individueller Erfahrungen, die durch Dogmen, an die man glaubt, und streng ausgeübte religiöse Praxis geformt ist.

1. DIE GEISTESKRANKHEITEN BEI DEN VERSCHIEDENEN KONFESSIONEN

Über die israelitische Gruppe besitzen wir zwei Datenreihen, je nachdem, ob wir sie heute im Staate Israel oder aber in der Diaspora aufstellen.

1931 ergab die Erfassung der Geisteskrankheiten in Israel bei den Juden einen höheren Anteil von Störungen als bei den Nichtjuden. 211 auf 100 000 erwachsene Juden, 167 auf 100 000 erwachsene Christen und 112 auf 100 000 erwachsene Moslems. Es ergab sich eine größere Zahl kranker Frauen als kranker Männer. 1936 findet L. Halphen in einer Untersuchung in den psychiatrischen und neurologischen Krankenhäusern wieder den größeren Anteil bei Frauen (726 Fälle). Er unterscheidet aber nach der Religion die verschiedenen Typen von Psychosen:

	Juden	*Christen*	*Moslems*
endogene Psychosen	81,7	68,1	71,1
Alkohol- oder Syphilis-Psychosen	1,2	6,8	10,1
Andere	17,1	25,1	18,8
	100,0	100,0	100,0

Später stellt Halévi eine Besserung der psychischen Gesundheit fest. Der Prozentsatz der Ersteinlieferungen liegt nicht höher als 140 auf 100 000 Einwohner. Dabei überwiegen bei den manisch-depressiven Psychosen die Frauen, bei der Schizophrenie und den Psychopathien die Männer. Vor allem aber hat Halévy folgendes erwogen:

1. Es spielt möglicherweise bei den Juden, die aus vielen verschiedenen Ländern herbeigeströmt sind, eine Rolle, daß sie in ein neues Land eingewandert sind. Die psychischen Störungen aber können mehr die Probleme des Ursprungslandes widerspiegeln[5] (das war schon 1958 von Hes bemerkt worden: auf 124 auf Europa eingewanderte Kranke kommen 11 Hypochondrien mit 4 Schizophrenien, auf 124 aus orientalischen Ländern eingewanderte 40 Hypochondrische, von denen 24

4. Ausführlichere Auseinandersetzungen mit diesem Problem in: *Religion, Culture and Mental Health,* New York, 1961.

Schizophrene sind. Nach seiner Ansicht muß man dafür keinen anderen Grund suchen als den, daß die orientalische Kultur mehr als die westliche zur Hypochondrie neigt[6]. Dann gibt es vor allem bei den orientalischen Juden, die in einen modernen Staat mit westlicher Kultur verpflanzt worden sind, die Anpassungsprobleme[7]. Ferner stellt man fest, daß die Psychosen bei den alten Einwanderern dominieren, die vor der Gründung des Staates Israel angekommen sind, die Neurosen bei den Juden, die während der Periode der Masseneinwanderung angekommen sind, bei den in Israel Geborenen dagegen finden wir ein Minimum von Neurosen.

2. Die mögliche Rolle der ökologischen und gemeinschaftlichen[8] Faktoren zeigt sich darin, daß vor allem die Dörfer mit noch nicht organisierten Einwanderern das Maximum an Störungen aufweisen, die landwirtschaftlichen Kooperativen mit ihrem Gemeinschaftsgeist dagegen das Minimum. Die Ausnahme, die dabei die Kibbuzzim machen, würde sich nach Meinung des Autors durch das hohe kulturelle Niveau ihrer Bewohner, folglich durch die größere Inanspruchnahme von medizinischer Behandlung erklären[9]. So finden wir in »säkularisierter« Form die integrieren-

5

	Psychosen	Neurosen und Störungen der Persönlichkeit (auf 100 000 Einw.)
Israelis	138,7	273,4
– aus Osteuropa	124,3	160,2
– aus dem Balkan	144,6	180,8
– Aus Zentraleuropa	137,7	191,6
– aus dem Irak	140,4	235,3
– aus dem Jemen	123,3	221,2
– aus Nordafrika	140,2	254,5
– aus der Türkei	184,5	279,8
– aus dem Iran	197,3	318,1

6. Zitiert bei Y. Pélicier, o. c., S. 155–156.

7.

	Gebürtige	Vor 1948 Eingewand.	Einwand. von 1949–54	Einwand. nach 1955
Psychosen	62,1	75,6	63,8	63,8
Neurosen	10,8	13,9	19,6	14,1
Schwachsinn	5,0	0,6	2,4	2,1
Persönlichkeitsstörungen	22,1	9,9	14,2	20,0
	100,0	100,0	100,0	100,0

8. Auf 100 000 Einw.:

Diagnose	Städte	Dörfer	Kooperativen	Kibbuzzim
Psychosen	91,3	100,8	70,3	90,8
Neurosen	20,9	25,5	12,6	24,0
Schwachsinn	2,9	2,0	2,4	2,5
Persönlichkeitsstörungen	20,4	15,7	15,0	20,1
	135,5	144,0	100,3	137,4

9. H. S. Halevi, »Frequency of Mental Illness among Jews in Israel« (*Int. Journ. of Soc. Psychiat.*, IX, 4, 1963).

de Rolle der religiösen Gruppe wieder. Dieser Überblick war notwendig, denn er zeigt uns die Unterschiede zu den jüdischen Gruppen in der Diaspora.

In England und Wales unterscheidet sich das klinische Bild nicht sehr von dem in Israel (Psychosen: 67 auf 100 000 gegenüber 67,2 in Israel, Neurosen: 17 gegenüber 15,6). Weiter oben haben wir die Zahlen von Klineberg für New York angegeben. Damals war uns aufgefallen, daß die Zahl der Neurosefälle mit dem Übergang vom Staate Israel zur Diaspora zunimmt. Hängt aber die so hohe Rate neurotischer Juden nicht einfach damit zusammen, daß die Juden, wenn sie Probleme haben, viel eher als die Mitglieder anderer Religionen einen Psychiater aufsuchen? Stole und seine Mitarbeiter stellen 40 % Konsultationen von Juden gegenüber 22,7 % von Protestanten und 11,2 % von Katholiken fest[10]. Ebenso finden Hollingshead und Redlich in New Haven, daß die Juden sich am meisten in Behandlung begeben[11]. Außerdem müssen wir den wichtigen Umstand erwähnen, daß diese Sorge um die psychische Gesundheit von den Juden der Unterschicht ebenso wie von den Juden der Mittelschicht geteilt wird. Deshalb dürfen uns die Ziffern der Ersteinlieferungen für Israel in der Diaspora nicht täuschen. Um so weniger, als Sanua in einer Untersuchung, auf die wir noch zurückkommen werden, gezeigt hat, daß es bei dem Wahn schizophrener Juden nur in sehr seltenen Fällen Bezüge zu einer Verfolgung durch das umgebende Milieu gibt. Um die Bedeutung der Zugehörigkeit zu einer religiösen, christlichen oder nichtchristlichen Gruppe zu entdecken, muß man notwendigerweise alle möglichen Variablen sorgfältig untersuchen.

Wie wir schon zu Anfang gesagt haben, unterscheidet sich die Kindererziehung in den verschiedenen Milieus oder religiösen Traditionen. Wir haben hier eine erste Variable, die für das Auftreten der Schizophrenie um so bedeutender ist, als man oft die dominierende Rolle der Mutter und die passive des Vaters bei der Familienkonstellation der Schizophrenen beobachtet hat. Um uns auf ein Beispiel zu beschränken: Barrabee und von Mering schließen aus einer Untersuchung von 69 Psychosekranken in Boston, zu denen Protestanten, Katholiken und Juden gehören, daß die jüdische Mutter in stärkerem Maß überprotektioniert als die protestantische Mutter, daß der jüdische Vater die Erziehungskontrolle der Frau überläßt, während es in der protestantischen Familie einen Wettstreit der beiden Eltern in der Zuneigung zu ihren Kindern gibt[12]. Mit der familiären Variablen haben wir jedoch noch nicht die soziale Klasse kontrolliert. Und bekanntlich ist die Kindererziehung auch in den einzelnen Klassen verschieden.

Myers und Roberts teilen die Katholiken (ausländischen Ursprungs), die Protestanten (Angelsachsen) und die Juden, insgesamt 50 Fälle, in zwei Klassen, die Klassen III und V, ein (von Hollingshead und Redlich). Dann aber ergibt sich, daß die allgemeinen Bedingungen der Klasse, zum Beispiel die Desorganisation der

10. L. Srole, T. S. Languer, S. T. Michel, M. K. Opler, T. A. C. Rennie, Hrsg., *Mental health in the metropolis: the midtown study*, Bd. I, New York, 1962.

11. o. c.

12. P. Barrabee und O. von Mering, »Ethnic variations in mental stress in families with psychotic children« (*Social Forces*, 1953, S. 48–53).

Familie in der Klasse V, die Merkmale der mentalen Pathologie erklären. Die religiöse Variable ist nicht mehr von Bedeutung[13].

Das große Verdienst der Untersuchung von Sanua ist der Versuch, alle Variablen, die familiäre, ökonomische, sexuelle, ethnische (die Katholiken gehören zu Gruppen italienischer oder irischer Einwanderer) in Relation zu den verschiedenen Kategorien der Schizophrenie zu kontrollieren, um zu sehen, was die Zugehörigkeit zur religiösen Gruppe ausmacht[14]. Die folgende Übersicht zeigt die Verteilung der von ihm untersuchten Schizophrenen:

TYPEN	MÄNNER *Unterschicht*	*Mittelschicht*	FRAUEN *Unterschicht*
Juden:			
Paranoide	69	13	25
Katatone	71	12	33
Hebephrene	29	–	–
Protestanten:			
Paranoide	64	30	–
Katatone	21	10	28
Hebephrene	24	–	31
Iren:			
Paranoide	34	–	–
Katatone	16	–	–
Hebephrene	20	–	–
Italiener:			
Paranoide	26	–	–
Katatone	20	–	–
Hebephrene	17	–	–

Vom wirtschaftlichen Gesichtspunkt aus scheint es, daß die Protestanten weniger mobil als die Juden sind, daß die Schizophrenie aber nicht mit der auf- oder absteigenden vertikalen Mobilität verbunden werden kann. Die jüdischen Eltern haben freilich großen Ehrgeiz, was ihre Kinder betrifft und sind ängstlich auf deren Erfolg bedacht. Die Frage aber, ob der Mißerfolg der Grund für die Krankheit ist oder ob die bereits vorhandene Krankheit den Mißerfolg hervorruft, kann nicht gelöst werden, ohne daß man vorher eine Kontrollgruppe Juden und normale Protestanten gebildet hat. Vom familiären Standpunkt aus scheint der israelitische Vater unterwürfiger, die Mutter labiler zu sein. In der protestantischen Gruppe ist die Mutter ebenso überprotektionierend wie in der jüdischen, der Vater ist hier aber strenger. Selbstverständlich muß man den Typus der Schizophrenie (bei den Fällen von paranoider Schizophrenie gibt es mehr Ablehnung der Eltern als bei den Katatonen), der sozialen Klasse und der Religion berücksichtigen (die Prozentsätze von

13. K. Myers u. B. H. Roberts, *Family and Class Dynamics in Mental Illness*, New York, 1959.

14. Victor D. Sanua, *A comparative study of schizophrenics of different backgrounds (Italian, Irish, Jews and Protestants), hektographiert.*

Ablehnung-Überprotektion sind analog für die Juden der Mittelschicht und der Unterschicht, es gibt aber mehr Ablehnung (70 %) in der protestantischen Mittelschicht als in der Unterschicht (38 %). Bei den Katholiken muß man eine andere Variable, die Herkunft, berücksichtigen, denn es gibt mehr Überprotektion in der italienischen Gruppe und mehr Ablehnungen in der irischen Gruppe. Wenn also die Familie eine Rolle spielt, dann in dem Maße, wie es eine jüdische, eine protestantische und eine katholische Kultur gibt. Die verschiedenen Variablen sind nur innerhalb dieser allgemeinen Charakteristika der Gruppen im Spiel. Im Laufe seiner Untersuchung, die viele andere Angaben enthält, liefert Sanua dafür zahlreiche Nachweise. Wir wollen nur einen davon festhalten, der Durkheim bestätigt: Tendenz der paranoiden Juden zum Selbstmord 20 %, Tendenz der Protestanten 40 %. Dagegen zeigen die Katholiken eine mehr aggressive und impulsive Tendenz, wir müssen aber hier die Herkunft in Rechnung setzen (die Tendenz zum Mord ist bei den Iren stärker als bei den Italienern).

Aus dieser Analyse können wir folgenden Schluß ziehen: Die Werte und Normen, die die religiöse Kultur einer ethnischen Gruppe bilden, dominieren in der Ätiologie der Geisteskrankheiten. Der familiäre Faktor wird von den kulturellen ethnoreligiösen Traditionen determiniert. Es gibt aber Unterschiede bei diesen Werten und Normen in den sozialen Klassen. Allerdings scheinen diese Unterschiede in der jüdischen Gruppe geringer als in der protestantischen zu sein. In diesem letzten Punkt können wir für die katholische Gruppe keine Schlüsse ziehen. Alle Schizophrenen dieser Gruppe gehören nämlich in der Studie von Sanua zur Unterschicht.

Die religiöse Erfahrung oder die gelebte Religion hat mit diesem ersten Typ der Forschung nichts zu tun. Sanua erklärt eindeutig, daß Fälle psychischer Konflikte, die aus religiöser Identifizierung entstanden, in der von ihm untersuchten Bevölkerung sehr selten sind. In den seltenen Fällen, in denen er ihnen begegnet ist, war das Interesse für religiöse Dinge nicht Voraussetzung, sondern eine Folge der Krankheit und bestand nur vorübergehend. Wir müssen deshalb auf andere Informationstypen zurückgreifen, um den Gegenstand der religiösen Erfahrung zu erfassen und zu sehen, ob er die Durkheimsche These vom integrativen Wert dieser Erfahrung bestätigt.

2. DER KULT DER FINSTERNIS

Realisiert der religiöse Gottesdienst die Gemeinschaft der Gläubigen in der Teilnahme am Heiligen, oder ist er in manchen Fällen vielleicht nicht nur der pathetischste Kult der Finsternis, das Ritual, das dem Abstieg in die Nacht seinen Rhythmus verleiht? Verhelfen die Kirchen dazu, die psychischen Konflikte dadurch zu überwinden, daß sie dem Leben einen Sinn geben, wie Jung es will, der in der Religion den eigentlichen Weg zur mentalen Gesundheit sieht. Oder sind die Kirchen vom Leben abgetrennte Zellen, in denen die Kultur der Morbidität entsteht? Dies sind Fragen, die wir noch untersuchen müssen.

Es scheint, daß sie heute die Psychiater oder die Priester weitaus mehr beschäftigen als die weiter oben behandelten Probleme, die die einfache Zugehörigkeit der Individuen zu religiösen Gruppen betreffen. Auf der israelitischen Seite hat H. Baruk oft betont, daß am Ursprung der mentalen Störungen das Abweichen unseres sozialen Verhaltens von den großen Gesetzen des Dekalogs stehe, wodurch das Individuum in immer stärkerem Maße allein gelassen werde. Auf katholischer Seite hat M. Choisy seine Zeitschrift *Psyché* zum Organ der Zusammenarbeit zwischen Priestern und Psychiatern gemacht. Der Priester entdeckt in Gewissenszweifeln der Beichte oft etwas, das außerhalb des Willens zu moralischer Reinheit und Nähe zu Gott steht, eine pathologische Tendenz nämlich, die der Intervention des Psychiaters bedarf. Der Psychiater seinerseits kann die Heilung seiner Kranken vollenden, indem er den Priester bittet, mit brüderlicher Hand bei der Rehabilitierung des Patienten zu helfen. In Italien hat man sich damit befaßt, die Echtheit der Berufung zum Priesterberuf zu überprüfen. Und in diesem Zusammenhang ist das Problem der Tests ausführlich diskutiert worden. Auf protestantischer Seite schließlich hat Bergman nachdrücklich auf die Bedeutung des religiösen Handelns für die Heilung mentaler Störungen hingewiesen[15]. Auch Tiébout fiel es nicht schwer, zu zeigen, wie wichtig es bei durch Alkohol bedingten Störungen ist[16]. V. Frankl wiederum sieht in der Unterdrückung oder Verkümmerung unseres geistlichen Lebens die eigentliche Pathologie unserer Epoche[17].

Jede Religion hat ihren Geist. Muß man, wie es Durkheim beim Selbstmord und Dayton bei den Geisteskrankheiten tut, sich auf deren mehr oder weniger gemeinschaftlichen Aspekt beschränken und zwischen der Gemeinschaft und dem Individualismus ein Kontinuum herstellen? Oder muß man bei der Analyse weitergehen und die Dogmatik, den Ritus und die Ethik untersuchen? Man hat oft, ohne es durch Tatsachen belegen zu können, behauptet, daß das Fehlen der Beichte bei den Protestanten die Besessenheit von der Sünde und das ausgeprägte Schuldgefühl zur Folge habe, was schließlich zur Gehemmtheit führe. Andererseits hat man behauptet, daß die nicht heimliche, sondern öffentliche Beichte, wie sie in manchen Sekten üblich ist, Exhibitionismus erzeuge. Viele Psychiater finden dagegen im Zusammenhang mit der Beichte bei den Katholiken mehr Störungen als bei den Protestanten. Der Katholik, der nicht alles gebeichtet und also die Absolution durch eine Lüge erlangt hat, sei in den Irrenhäusern häufiger zu finden als der durch die Unmöglichkeit einer Beichte gequälte Protestant. Hat aber nicht die jüdische Idee von einem Pakt zwischen dem Volk Israel und seinem Gott größere Bedeutung für die mentale Gesundheit als die Tatsache der engen Solidarität der jüdischen Gemeinde? Gewiß ist das gemeinschaftliche Element sehr gegenwärtig, der göttliche Schutz gilt einem ganzen Volk (von Fällen kollektiver, nicht individueller Untreue abgesehen). Ist aber die Hoffnung oder die Überzeugung von der Hilfe Gottes

15. Paul Bergman, »A religious conversion in the course of psychotherapy« (*Amer. Journ. of Psychotherapy*, VII, 1, 1953).
16. *Amer. Journ. of Psychiatr.*, I, 1944.
17. D. Victor Frankl, *Ärztliche Seelsorge*, Wien, 1946.

nicht eine weit größere Stärkung als die Solidarität, die der Soziologe allein untersucht hat? Diese und ähnliche Punkte können wir hier nicht erörtern. Es handelt sich um reine Interpretationen, die freilich auf klinischen Eindrücken beruhen, denen aber kein ausreichend überprüftes Material zugrunde liegt. Über die Rolle des religiösen Faktors stehen uns drei Forschungsreihen zur Verfügung.

1. Einige Psychiater untersuchten diese Variable bei kleinen Gruppen von Kranken. So zeigen von 68 Fällen ländlicher Psychosen im Krankenhaus von Kentucky mehr als die Hälfte (51,5 %) keine Spur irgendeines religiösen Einflusses. 20,5 % weisen eine religiöse Färbung auf, doch kann man nicht sagen, ob die Religion für die Auslösung der Psychose eine Rolle gespielt hat. 17,2 % stellen eine Auflehnung des Individuums gegen den Glauben der Kindheit dar. Eine gründliche Analyse zeigt aber, daß diese Auflehnung in Wirklichkeit nur eine Rationalisierung des Eltern-Kind-Konfliktes ist. In 10,3 % der Fälle schließlich hat der Kranke versucht, in der Religion eine Lösung seiner Probleme zu finden, es ist ihm aber nicht gelungen. Dieser Mißerfolg hat den Abstieg in den Abgrund der Geisteskrankheit beschleunigt[18]. Oates hat bei den Missionaranwärtern, Baptisten aus dem Süden, viele Fälle von affektiver Frustration und elterlichen Konfliktsituationen gefunden. Diese Studenten aber haben sich durch ihr religiöses Leben vor der Psychose gerettet. Der gute Hirte ersetzte den brutalen Vater, und die kirchliche Gemeinschaft schuf ein Klima der Sicherheit, das die Angst allmählich schwinden ließ. Derselbe Autor entdeckt, von 76 klinischen Beobachtungen in Louisville ausgehend, daß eine doppelte Wirkung der Religion möglich ist. Die eine ist negativ (Besessenheit von der Sünde, Bedeutung der Verbote, wie zu trinken, zu tanzen, sexuelle Beziehungen zu haben, rufen bei manchen Patienten einen Zustand der Ängstlichkeit hervor). Die andere Wirkung ist positiv (die Religion und vor allem das Gebet beruhigen die Nerven, festigen den Geist, trösten den Kranken, mildern die Ängstlichkeit). Aus all diesen Untersuchungen kann man den Schluß ziehen, daß weniger die Religion als die Reaktion des Individuums auf die Religion wichtig ist, je nachdem, ob er sie annimmt oder sich gegen sie auflehnt oder bei seiner Suche nach dem Göttlichen erfolglos bleibt. An zweiter Stelle zählt weniger die Religion als die Art und Weise, in der die religiöse Erziehung durch den Vater oder die Mutter vermittelt worden ist. So gesehen, sind es die Eltern-Kinder-Beziehungen, die letzten Endes unter der Maske der Religion auf die mentale Gesundheit des Individuums einwirken. Und schließlich: die gelebte Religion spielt bei der Therapie der Geisteskrankheiten eine größere Rolle als bei ihrer Ätiologie[19].

2. Die zweite wichtige Gruppe von Forschungen beschäftigt sich mit den Sekten. Wir haben bereits über die Untersuchung von Eaton und Weil über die hutterschen Kolonien von Kanada und den Vereinigten Staaten gesprochen, um die Auswirkung der Isolierung von Gemeinschaften auf die mentale Gesundheit beurteilen zu

18. Simon Dominger, Hrsg., *Religion and Human Behavior,* New York, 1954. Wohlgemerkt ist die Zahl der Fälle, in denen man kein direktes oder indirektes Einwirken der Religion findet, in der Stadt höher (Samuel Southard, zitiert bei Oates).

19. Wayne E. Oates, *Religious Factors in Mental Illness,* New York, 1955.

können. Aber diese geschlossenen Gemeinschaften sind religiöse Gemeinschaften, die in ihrem Wesen durch mystische Werte zementiert werden. Wir haben gesehen, daß es im Gegensatz zu der Vorstellung, die man sich davon machte, auch in diesen Gruppen Psychosen und Neurosen gab. Doch traten sie in weniger schweren Formen und mehr latent als offen auf. Uns bleibt noch zu untersuchen, welchen Platz die Religion bei den Hutterschen Brüdern einnimmt. Die Religion erklärt zum großen Teil den paradoxen Charakter ihres Krankheitsstands im Vergleich mit den Vereinigten Staaten, das fast völlige Fehlen von organischen Psychosen, weil Alkohol, Drogen und Erotik verboten sind, die ganz geringe Zahl von Schizophrenen, den großen Anteil manisch-depressiver Reaktionen, die Seltenheit schwerer Neuroseformen. Eaton und Weil zeigen in der Tat, daß die Atmosphäre von Frömmigkeit, das Klima von Gebeten und brüderlicher Liebe, für diese Kolonien charakteristisch sind, Zweifel und Ängste verhindern und Sicherheit schaffen. Wir kommen hier wieder zu demselben Schluß wie soeben: die Wirkung ist mehr therapeutisch als ätiologisch und, wie wir jetzt hinzufügen müssen, darüber hinaus präventiv. Wenn aber Geisteskrankheiten auftreten, wird ihre Richtung durch die religiösen Werte bestimmt. Hieraus erklärt sich, warum wir bei den Hutterschen Brüdern im Gegensatz zu den säkularisierten Nordamerikanern mehr Phänomene der Depression als der Angst finden, die nur der ins Pathologische übertragene, zyklische Rhythmus des gelebten religiösen Lebens ist, mit seinen Perioden geistlicher Unfruchtbarkeit, die auf die Zeiten mystischer Ekstasen folgen[20]. Oates kommt zu analogen Schlüssen. Die Sekten bilden geschlossene Gemeinschaften, die die Individuen vor Geisteskrankheiten schützen. Von den 173 von Southard untersuchten Kranken gehörten nur 4 % zu religiösen Sekten. Wenn man von den Sekten den entgegengesetzten Eindruck gewinnt, sie ihrem Wesen nach für krankhaft hält, so liegt das daran, daß die meisten von ihnen in den Mittelpunkt ihres Glaubens die Inspiration durch den Heiligen Geist stellen. Und dieser inspiratorische Charakter (Bemühen um Trance, Taufe durch den Heiligen Geist, Glossolalie) gibt dem, was eigentlich ein kulturelles Faktum ist, den Anschein eines »klinischen Faktums«. Im Zusammenhang mit den ekstatischen Besessenheitskrisen in den afro-brasilianischen Religionen haben wir selbst eine entsprechende Meinung gegenüber den Medizinern vertreten. Man muß aber mehrere Sektentypen unterscheiden. Während einige eine positive, beschützende Rolle spielen, spielen andere eine negative Rolle, indem sie die psychischen Konflikte zwischen dem Wunsch nach absoluter Vollkommenheit und den Instinkten, besonders dem Sexualtrieb, verstärken, oder durch die Revolte gegen »die Welt« die Starrheit des Verhaltens begünstigen – oder schließlich (das gilt besonders für die städtischen und esoterischen Sekten, die sich heute in unseren Großstädten immer stärker ausbreiten), indem sie alle Ängstlichen und Deprimierten, die große Masse der Besiegten unserer Industriegesellschaft in ihren Schoß rufen. Sie bilden wahre Brutstätten für psychiatrische Störungen, die von den Sekten gepriesen werden, während die Kirchen sie kontrollieren und unterdrücken. Die brasilianischen Psychiater zum Bei-

20. J. W. Eaton und R. J. Well, o. c.

spiel haben die Rolle des Spiritismus bei der Entwicklung der Geisteskrankheiten (wenn auch mit gewissen Übertreibungen) aufgeklärt, und in Frankreich haben Chombart de Lauwe, Colinon, Delay und andere auf diesen Aspekt der Sekten hingewiesen[21].

3. Schließlich verfügen wir über eine Reihe von Falluntersuchungen, die uns Klarheit über die verschiedenen Typen religiösen Lebens geben. Einige von ihnen bringen uns in die Nähe von Geistesstörungen, während andere uns davon entfernen. Es gibt ein regressives und pathologisches religiöses Leben, und es gibt ein religiöses Leben, das progressiv ist und gesunde Persönlichkeiten formt. Oates[22] ist zu dieser Feststellung durch die Untersuchung der religiösen Interpretationen seiner Kranken gekommen. Er hat in ihren Delirien die Besessenheit von der Sünde gefunden, von der endgültigen Verurteilung der Störungen sexuellen Ursprungs (wie bei dem Kranken, der in seinen ehelichen Beziehungen seine Frau in eine Prostituierte verwandelt), ferner die Furcht vor dem Anderen bei denen, die im »Legalismus« die reale oder imaginäre Feindschaft des umgebenden Milieus kristallisieren, die Vereinigung des individuellen Ichs mit Gott (zum Beispiel bei denen, die sich wie Christus für gekreuzigt halten), die messianische Träumerei (bei denen, die vor ihrer Angst fliehen wollen, indem sie sich von der störenden Gesellschaft trennen). Er ist zu dem Ergebnis gekommen, folgende Formen der Religion zu unterscheiden: eine Religion der Feindseligkeit (in den Sekten der Rebellion), eine Religion der Abhängigkeit (an sie dachte Freud, als er Gott zu einer Vaterfigur machte), eine Religion der spirituellen Armut und schließlich eine Religion des Geistes, die die allein gültige ist. McKenzie[23] hat vor allem die drei folgenden Typen untersucht: die »legalistische« Religion, die ihrem Wesen nach eine verbietende Religion ist und einer neurotischen Struktur des Perfektionismus entspricht, der eine Verbindung mit der Strenge des biblischen Über-Ichs eingegangen ist. – Die Religion der Abhängigkeit, die im Grunde nur die Kehrseite einer latenten Rebellion ist, gegen die man im Namen des christlichen Gedankens kämpft, entspricht einer neurotischen Struktur, für die Furcht vor Freiheit und Konflikten charakteristisch ist, die negativistische und zwanghafte Tendenzen hat (wir haben hier in der Religion einen Typ, der dem entspricht, dem man in der Politik in totalitären Parteien begegnet). – Schließlich die Religion des Geistes, in der der religiöse Glaube weit davon entfernt ist, hemmend oder auflösend zu wirken, sondern im Gegenteil die Tendenzen, Gefühle, Ideen vereinigt und der Aktivität des Individuums in der Liebe zum Nächsten einen Mittelpunkt gibt. Damit ist klar, daß Krankheit oder Gesundheit der Religion vorausgehen. Die Neurosen können die Religion in eine pathologische Konstruktion verwandeln und die Psychosen damit ihre Delirien nähren. Die Religion selbst aber ruft weder die einen noch die anderen hervor.

21. P. Chombart de Lauwe, »La maladie mentale comme phénomène social« (*Monog. 7, Inst. Nat. d'Hygiène*, Paris, 1955). – M. Colinon, *Faux prophètes et sectes d'aujourd'hui*, Plon, 1953. – Delay, Pichot, Brisson, etc. »Etude d'un groupe d'adeptes d'une secte religieuse« (*Encéphale, etc.*).

22. O. c.

23. J. G. McKenzie, *Nervous Disorders and Religion*, London, 1951.

Am Ende dieses Kapitels versteht man besser, aus welchen Gründen die Psychiater und die Glieder verschiedener Kirchen zu einem Dialog gedrängt werden. Einerseits handelt es sich darum, das religiöse Leben von allen von außerhalb gekommenen Parasiten, den innerfamiliären Konflikten oder der Unmenschlichkeit der industriellen Verhältnisse zu befreien, die es von innen aushöhlen und in Neurosen scheitern lassen. Anderseits handelt es sich darum, in dem gemeinschaftlichen Geist oder in der Disziplin der Kirchen eine Kontrolle für das Gefühlsleben des Menschen, ein schützendes Milieu, eine Erziehung des Geistes und eine Orientierung an einer gesunderen Welt zu suchen.

Siebtes Kapitel

Psychiatrie der sozialen Gruppen

2. Die ethnischen Gruppen

In den Untersuchungen über die religiösen Gruppen in den USA überschneidet sich die religiöse Gruppe mit der ethnischen. Deshalb ist es sehr schwierig festzustellen, was ethnisch und was religiös bedingt ist. Sogar die nicht gelebte, vergessene Religion hat von einer Generation zur anderen die Kultur eines Volkes geformt und die Sitten, ganz besonders die Kindererziehung, nach ihren verborgenen Regeln gestaltet. Der Glaube konnte sterben. Die Kultur aber bleibt als seine Totenmaske zurück. Wenn wir also in diesem neuen Kapitel über die ethnischen Gruppen sprechen wollen, so nicht mehr, insofern sie kulturelle Gruppen, sondern insofern sie Minderheiten bildende Gruppen sind. Wir leben in einer besonders mobilen Welt, in der ganze Volksteile von einem Land in das andere, von einem Kontinent in einen anderen fernen Kontinent ziehen. Claudel hat gesagt, Amerika sei die neue »österliche« Tafel, an der verschiedene Rassen, Inder, von verschleppten Sklaven abstammende Neger, zu den verschiedensten Völkern gehörende Weiße, Söhne von Spaniern, Portugiesen, Italienern, Polen, Libanesen ... das Abendmahl in beiderlei Gestalt, in der der Arbeit und des Brotes, nehmen. Aber nicht nur Amerika vermischt die Völker. Um uns in Europa auf unser Land zu beschränken: Tendiert nicht Frankreich dazu, eine Nation von Funktionären zu werden, die eine Armee von mit den einfachsten manuellen Tätigkeiten beauftragten Ausländern dirigieren, von den Polen bis zu den Nordafrikanern?

Wir müssen uns also fragen, welche Auswirkungen diese Vermischung von Völkern auf die mentale Gesundheit haben kann[1].

Eine schon alte Statistik von Laughlin, die von O. Klineberg überarbeitet worden ist, zeigt den Gegensatz auf, der in den Vereinigten Staaten zwischen den eingesessenen Weißen, den eingesessenen Weißen mit ausländischen Eltern und den Zuwanderern besteht[2]:

Eingesessene Weiße	(beide Eltern eingesessen)	73 auf 100 000 Einwohner
	(1 Elternteil ausl.)	104 auf 100 000 Einwohner
	(2 Eltern ausl.)	108 auf 100 000 Einwohner

Japaner	42 auf 100 000	Holländer	171 auf 100 000
Schweizer	69 auf 100 000	Griechen	172 auf 100 000
Chinesen	76 auf 100 000	Deutsche	174 auf 100 000
Rumänen	100 auf 100 000	Portugiesen	181 auf 100 000
Kanadier	124 auf 100 000	Skandinavier	193 auf 100 000

1. Wir lassen in diesem Kapitel das Problem der Schwarzen ganz beiseite. Wir beabsichtigen, darüber in Zusammenarbeit mit Doktor Raveau ein spezielles Buch zu schreiben.

2. Otto Klineberg, o. c.

Österreicher – Ungarn	134 auf 100 000
Mexikaner	137 auf 100 000
Engländer	156 auf 100 000
Italiener	157 auf 100 000
Franzosen	158 auf 100 000
Türken	200 auf 100 000
Russen, Finnen, Polen	265 auf 100 000
Bulgaren	300 auf 100 000
Iren	305 auf 100 000
Serben	400 auf 100 000

Von einigen Fällen, wie denen der Japaner und der Schweizer, abgesehen, erkennt man, daß der Anteil der Ausländer mehr oder weniger den Anteil der Eingesessenen übertrifft. Stonequist stellt fest, daß der Prozentsatz der Zuwanderer in den psychiatrischen Kliniken der Vereinigten Staaten bei jedem Volk zwei- oder dreimal höher liegt als im Ursprungsland[3]. Diese hohen Zahlen können wir also nicht irgend einer rassischen Konstitution zuschreiben. Verantwortlich für die Erhöhung des Prozentsatzes ist der Umzug von einem Land ins andere: In der Statistik von Laughlin beträgt der Anteil der Ausländer 225,26 auf 100 000 gegenüber 73,27 bei den eingesessenen Amerikanern. Der Prozentsatz der Geisteskranken derselben Ausländer in ihrem Ursprungsland betrug zur selben Zeit nur 193,36 in Nordwesteuropa und 188,50 in Osteuropa[4]. Man kann diese Zahlen jedoch kritisieren[5]. Der Anteil der Nationalamerikaner weißer Farbe gilt für das ganze Land mit seinen Landzonen, seinen kleinen Provinzstädten ebenso wie für die großen Metropolen. Und wie wir an Hand des Krankenhausmaterials gesehen haben, gibt es auf dem Land und in den Kleinstädten weniger Geisteskranke als in den Großstädten. Die Ausländer konzentrieren sich aber vor allem auf die großen Industriestädte, wo es leichter ist, sich in Behandlung zu begeben. Oft sind sie Junggesellen und finden so im Krankheitsfall keine andere Unterstützung als die Hospitalisierung. Dies ist sicherlich einer der Gründe für den hohen Prozentsatz der Hospitalisierung von Einwanderern. Es gibt aber noch andere, so das Geschlecht und das Alter. Da vor allem die Männer emigrieren, gibt es in den Vereinigten Staaten mehr Kranke in der männlichen als in der weiblichen Gruppe, was besonders für die Gruppe der 15–25jährigen gilt. Nicht nur die Männer, sondern vor allem die jungen Männer, die sich eine Karriere aufbauen wollen, emigrieren. Sie gehören also in der Mehrzahl zur Altersklasse der 15–25jährigen. Dr. Laughlin hat diese Kritiken später berücksichtigt und seine Statistik auf die Basis der 20jährigen und Älteren genormt, wodurch der Prozentsatz der Ausländer auf 34,9 absinkt. Aber noch andere Korrekturen müssen eingeführt werden. Die von uns zitierten Zahlen stellten die Gesamtsumme der hospitalisierten Kranken dar, und die Dauer der Psychosen ist bei ihren einzelnen Typen verschieden. So kommt es, daß man zu einem bestimmten Zeitpunkt das Produkt der Akkumulation der chronisch Kranken oder der Schizophrenen und Paranoiker vorfindet, die lange Zeit ohne Behandlung bleiben. Deshalb muß man sich auf die Ersteinlieferungen beschränken. Dann stellt man fest, daß die Dinge wieder anders liegen. Wir finden zum Beispiel für den Staat New York in einer Periode von drei Jahren (1929–1931), daß von 26 765 Ersteinlieferungen

3. Stonequist, o. c.
4. Henry Pratt Fairchild, *Immigration*, New York, 1913.
5. Wir fassen hier die Kritiken von B. Malzberg, o. c. (Kap. VI) zusammen.

15 704 in New York gebürtig (58,7 auf 100 000) und 10 987 Ausländer sind (der Anteil beträgt nicht mehr als 115,1 von 100 000). Wenn wir Korrekturen vornehmen, um die durch Geschlecht und Alter bedingten Unterschiede zu eliminieren, haben wir 91,8 auf 100 000 Gebürtige, 108,8 auf 100 000 Ausländer. Die Unterschiede sind also noch geringer geworden. Da die hospitalisierten Kranken überwiegend zu den benachteiligten Klassen der Bevölkerung gehören und da die Ausländer zu diesen unteren Klassen gehören, während die Eingesessenen der Oberschicht oder der mittleren Oberschicht sich in Privatkliniken oder zu Hause behandeln lassen, haben wir Grund anzunehmen, daß der Unterschied unbedeutend werden würde, wenn wir die Klasse in Rechnung setzen. Malzberg stellt folgendes fest: Beschränkt man sich auf die Rohzahlen, so beträgt der Überschuß der Ausländer gegenüber den Eingesessenen 96 %. Korrigiert man aber die durch Unterschiede des Geschlechts und des Alters bedingten Abweichungen, so ist der Überschuß nicht höher als 19 %. Korrigiert man den ökologischen Faktor (d. h. eliminiert man die reichen Zonen ohne Ausländer), so ist der Überschuß nicht höher als 8 %. Bestätigen nun die neuesten Untersuchungen diese Ergebnisse?

Odegaard hat 1932 die in den Staat Minnesota emigrierten Norweger untersucht und ist zu dem Ergebnis gekommen, daß in den letzten vierzig Jahren die norwegischen Zuwanderer einen höheren Prozentsatz an Hospitalisierung als die eingesessenen Amerikaner des Staates und die Norweger in Norwegen aufwiesen. Als er aber 1945 dasselbe Problem, die Auswirkungen der Mobilität, in Norwegen untersuchte, stellte er wider alle Erwartungen fest, daß die Einwanderer einen weniger hohen Prozentsatz als die Nichteinwanderer hatten. Es scheint also zwei Typen der Mobilität zu geben, den einen könnte man als »interne« (siehe das Kapitel über die Ökologie), den anderen als Mobilität von einem Land in ein anderes bezeichnen. Die Auswirkungen der beiden wären verschieden[6]. Malzberg hat 1956 mit Lee die Untersuchung der New Yorker hospitalisierten Kranken der Periode zwischen 1939 und 1941 neu durchgeführt. Er kam zu dem Schluß, daß man vor allem das Ankunftsdatum in Rechnung setzen muß. Wenn die Zahl der Ausländer in Krankenhäusern höher ist als die der Einheimischen, so liegt das daran, daß die Ersteinlieferung für die Neuankömmlinge viel wichtiger ist als für die aus ehemaligen Einwanderern und Nichteinwanderern bestehende Bevölkerung[7]. Das heißt, sobald die Krise der Verpflanzung und der Schock des Anfangs überwunden sind, zeigt die Anfälligkeit des Ausländers für Geisteskrankheiten den durchschnittlichen Wert der psychischen Anfälligkeit. Um die höheren Prozentsätze der Einwanderer verstehen zu können, müssen wir noch ein letztes Element betrachten. Wandern nicht gerade die aus, die bereits krank waren oder eine Veranlagung für die Krankheit haben? Könnte die Auswanderung nicht weit mehr als die Suche nach einem besseren Leben ein erstes Symptom – die vagabundierende Manie – der Störungen

6. Ornuev Odegaard, »Emigration and insanity« (*Acta Psychiatr. et Neurol. Scand. Suppl.*, 1932, 4) und »The distribution of mental diseases in Norway« (*idem*, 1945, 20).

7. Benjamin Malzberg und Everett S. Lee, *Migration and Mental Disease*, New York, 1956.

sein, die sich bald in der Psyche einstellen werden? Dies ist ein Gesichtspunkt, auf den viele südamerikanische Psychiater großen Wert legen. Sie fordern eine strengere Kontrolle der mentalen Gesundheit bei den Einwanderern, die von ihrem Land aufgenommen werden. Es versteht sich von selbst, daß die Kontrolle dieser Variablen sehr schwer durchzuführen ist. Bei den internen Wanderungen kann man sie leichter errechnen. Keeler und Vitols haben errechnet, daß sie bei der schizophrenen Negerbevölkerung von Nordkarolina 14 % beträgt[8]. Es besteht zwar immer noch eine Abweichung zwischen den Eingesessenen und den Gliedern der ethnischen Minderheiten in den Vereinigten Staaten. Aber in dem Maße, wie die Forschungsmethoden besser werden, kann man feststellen, daß diese Abweichung weniger bedeutend ist, als sie in den ersten Statistiken zu sein schien.

Die Untersuchungen, die in Frankreich unternommen worden sind, wo dieses Gebiet besonders die Soziologen und die Psychiater[9] interessiert hat, bestätigen die amerikanischen Ergebnisse. Zunächst einmal gibt es in den Krankenhäusern eine größere Zahl Ausländer, als es Eingesessene und Geisteskranke desselben Volkes im Ursprungsland gibt. Das gilt sogar dann, wenn die ausländische Kolonie geographisch ganz in der Nähe des Heimatlandes liegt, wie es für die Italiener in Nizza der Fall ist. Zunächst aber muß man die regionalen Unterschiede und den ökologischen Faktor in Rechnung setzen: In den städtischen Mittelpunkten erreichen die Einwanderer bei der Hospitalisierung einen hohen Prozentsatz. Wenn es sich um ländliche Siedlungen wie im Gers handelt, sind die Zahlen auffällig gleich, als ob die engen Beziehungen zwischen Mensch und Erde die schädlichen Auswirkungen der Entfremdung verhinderten. In zweiter Linie muß man die Zersplitterung oder Konzentration in Gemeinschaften berücksichtigen, die ihre kulturelle Tradition treu bewahren. Im letzteren Fall erweist sich die feste und gut organisierte Gruppe tatsächlich als immun gegenüber den pathogenen Einflüssen der Verpflanzung. Es ist fast so, als hätten die Einwanderer auf einem anderen Boden eine Fortsetzung ihres Heimatlandes geschaffen und lebten im großen und ganzen zu Hause weiter.

8. Martin H. Keeler und Mintauts Vitols, *Migration and Schizophrenia in North Carolina Negroes,* zitiert bei V. D. Sanua, *The epidemiology and etiology of mental illness,* o. c.

9. Vom soziologischen Standpunkt liefern die Studien von J. Stoetzel und A. Girard, de Liepvre und Bousquet, die vom Institut national des Etudes démographiques veröffentlicht worden sind, den Rahmen, innerhalb dessen die psychiatrische Forschung notwendigerweise unternommen werden muß. Von den zahlreichen Arbeiten der Psychiater zitieren wir Ch.-Fr. Darlet, *Les psychopathes étrangers à l'hôpital Henri-Rouselle,* Diss., 1920, – G. Boitelle und Cl. Boitelle-Lentulo, »Psychoses réactionelles au dépaysement des travailleurs étrangers« (XLVII Congrès méd. und neurolog., Clermont-Ferrand, 1949, und II. Congrès, Luxemburg, 1952). – J. Cohen, »La santé mentale chez les sujets transplantés et sans foyer« (*Bull. Féd. mond. pour la santé ment.*, August 1950). – Gilon, H. Duchêne und Y. Champion, »Pathologie mentale de la mobilité géographique« (*Encyclopédie médico-chirurgicale, Psychiatrie*). – Y. Champion, *Migration et maladie mentale,* Arnette, 1958. – Y. Pélicier, »Aperçus généraux sur la psychologie des transplantés« (*Concours médical,* 86, 1964). – Vgl. auch A. und H. Terrubia, »Contribution à une psychopathologie sociale, recherche sur la transplantation« (*Monogr. 7 de l'Inst. Nat. d'Hygiène,* Paris, 1955).

In einem früheren Kapitel haben wir gesehen, daß dies für die holländischen Kolonien in Frankreich gilt[10]. Die Bedeutung des ersten Schocks und mithin die Notwendigkeit, zwischen den Neuankömmlingen und den alten Einwanderern zu unterscheiden, ist von Daumézon und seinen Mitarbeitern am Beispiel der Nordafrikaner aufgezeigt worden. Im allgemeinen fällt die Krise in die ersten sechs Monate nach der Ankunft. Wenn diese Schwelle überschritten ist, paßt der Nordafrikaner sich an das neue Milieu an[11]. Pélicier hat bei den aus Algerien nach Frankreich geflüchteten Franzosen eine »primäre Krise« mit Katastrophenreaktionen gefunden (Bestürzung, Angst, Depression, paradoxes Verhalten), die man von den späteren, sekundären psychologischen Reaktionen unterscheiden muß, die nur eine kleinere Zahl von Personen befallen[12]. Schließlich haben die französischen Psychiater, obwohl sie die Gültigkeit des Faktors Ortsveränderung anerkennen, verlangt, daß man die Veranlagung der Personen vor ihrer Auswanderung berücksichtigt. Bei vielen Verpflanzten sei die Anpassung an das ursprüngliche Milieu bereits mangelhaft gewesen. Das Auswandern in ein anderes Land sei ein erster Versuch gewesen, eine Lösung ihrer Konflikte zu finden[13]. In Frankreich ist es ebenso wie in den Vereinigten Staaten schwierig, eine ernsthafte Untersuchung dieser Variablen durchzuführen. Der Lektüre von Akten aus Guadeloupe oder Martinique, die wir herangezogen haben, entnehmen wir sehr oft Hinweise auf frühere Krankenhausaufenthalte in diesen Überseegebieten oder auf Störungen, die vor ihrer Ankunft in Frankreich aufgetreten sind. Natürlich gibt es wie in den Vereinigten Staaten auch bei uns Schwankungen zwischen den einzelnen ethnischen Gruppen. Je größer das kulturelle Gefälle zwischen dem ursprünglichen und dem neuen Milieu ist, desto größer sind die Chancen für die Zunahme der Störungen. Die Bedeutung dieses Gefälles ist bereits bei den internen Wanderungen offenkundig (wie Le Guillant und Torrubia am Beispiel der mehr oder weniger betroffenen bretonischen Dienstmädchen zeigten, je nachdem, ob sie aus dem Arcoat oder dem Armor kommen). – Um so mehr Grund haben wir diesen Gesichtspunkt bei den Ausländern zu berücksichtigen. Bei den Einwanderern aus Westafrika ist die Zahl der Krankenhausaufenthalte dreimal so hoch wie bei den aus europäischen Ländern stammenden Einwanderern[14].

*

Es gibt also eine Psychiatrie der Verpflanzung und der Entwurzelung. Hat sie besondere Charakteristika? Ein Statistik von Malzberg zeigt uns folgende Verteilung auf 100 000 Personen (Staat New York):

10. Über diesen Faktenkreis siehe Sivadon, »Géographie humaine et psychiatrie«, o. c.

11. G. Daumézon, Y. Champion und J. Champion-Basset, »L'assistance psychiatrique aux malades d'origine nord-africaine musulmane en France« (*Monogr. 14 Inst. Nat. d'Hygiène,* 1957).

12. Y. Pélicier, o. c.

13. P. Koechlin, »Perturbations de mécanismes instrumentaux d'insertion au milieu« (*Evol. psychiatr.*, 3, 1956).

14. H. Duchêne, »La société vécue« (*Evol. psychiatr.*, I, 1956).

	Nationale	*Ausländer*
Alterspsychosen	4,8	12,1
Zerebrale Arteriosklerose	7,3	18,2
Allegemeine Paralyse	5,1	12,1
Alkoholpsychosen	3,2	7,4
Manisch-depressive Psychosen	8,2	14,9
Dementia praecox	15,2	30,2

Einige dieser Unterschiede hängen mit der Aufstellung der Gruppen nach Lebensaltern zusammen. Klammert man sie aus, dann gibt es keine bedeutenden Unterschiede mehr bei der allgemeinen Paralyse und den Alkoholpsychosen. Tatsächlich legt der Einwanderer nicht vollkommen und sofort seine alten Gewohnheiten ab. Er bringt sie auf den neuen Boden und setzt sie fort, als ob er sich an sein verlorenes Vaterland gierig anklammern wollte. Der Alkoholismus mag manchmal zweifellos eine Reaktion der Panik gegenüber dem Wechsel sein. Wir müssen aber feststellen, daß er meistens an bestimmte Gruppen gebunden, folglich ein kultureller Zug ist. So haben die Iren einen Prozentsatz von 18 bei den Alkoholpsychosen (in Relation zur Gesamtheit ihrer Psychosen), die Skandinavier 6,6 %, während der Prozentsatz nur 3 % für die Vereinigten Staaten beträgt. Ein Beweis dafür, daß es sich hier um einen kulturellen Zug handelt, ist die Tatsache, daß mit der Assimilierung an die amerikanischen Wertvorstellungen diese hohen Prozentsätze abnehmen: in der zweiten Generation haben die Iren nur noch einen Prozentsatz von 9,4 %, die Skandinavier von 2,8 %, wogegen die Italiener, maßvolle Leute, in ihrem neuen Vaterland an alkoholischen Getränken Geschmack finden. Daher kommt es, daß bei ihnen der Prozentsatz in der zweiten Generation am höchsten ist und von 0,2 auf 1,2 % ansteigt.

Mit der einfachen Gegenüberstellung Eingesessene-Fremde dürfen wir uns aber nicht begnügen. Wir müssen jede ethnische Gruppe einzeln untersuchen, um feststellen zu können, welche Krankheitsformen für sie charakteristisch sind. In den oben zitierten Statistiken von Malzberg weisen die Iren bei der Ersteinlieferung bei Altersschwachsinn und Alkoholpsychosen die höchsten und bei allgemeiner Paralyse die niedrigsten Prozentsätze auf. Die Skandinavier nehmen in der Hierarchie des Krankheitsstandes den zweiten Platz ein, und zwar auch mit den Alkoholpsychosen, zu denen aber jetzt ein hoher Prozentsatz von allgemeiner Paralyse hinzutritt. Danach kommen die Deutschen, die Italiener und die Engländer. Wie die Arbeiten von Opler über die Schizophrenie der irischen und italienischen Emigranten im Verhältnis zu den amerikanischen Schizophrenen zeigen, sind »in der italienischen Gruppe Konflikte wegen des Prestiges sehr viel häufiger[15]«. Sanua stellt bei kollektiven Vorstellungen von der Sexualität fest, daß die Iren sie mit der Sünde verbinden, wogegen die Italiener sehr viel toleranter sind. Bei den ersteren findet man in Zusammenhang mit diesen Sexualvorstellungen ein Schuldgefühl, das bei letzte-

15. K. M. Opler, *Culture, Psychiatry and Human Values*, Springfield, Ill., 1956.

ren nicht auftritt[16]. Opler und Singer stellen den passiven Charakter der schizophrenen Iren dem aggressiven, impulsiven Charakter der italienischen Schizophrenen gegenüber. Hier zeigt sich auf pathologischer Ebene der verschlossene Charakter der ersteren und der expansive der letzteren[17]. Uns selbst ist im psychiatrischen Krankenhaus von Sao Paulo in Brasilien aufgefallen, daß bei den Japanern die katatonen Formen der Schizophrenie bei weitem überwiegen, im Gegensatz zu den paranoiden Formen bei den Spaniern. Wir meinen, daß dieser Unterschied mit der Gegensätzlichkeit der beiden Kulturen zusammenhängt, auf der äußeren Unterdrückung der affektiven Äußerungen in der japanischen Kultur und der spanischen Tendenz, die man als »Don Quichotterie« bezeichnen könnte. In Frankreich führte Koechlin an Stelle der ethnischen zeitliche Kategorien ein. Die drei Störungstypen, die sich bei den Einwanderern zeigen, treten tatsächlich in einer Reihenfolge auf, die von ihrem nationalen Ursprung unabhängig ist. Zuerst depressive Zustände, bei den erst kürzlich angekommenen Einwanderern (von einigen Monaten bis maximal zwei oder drei Jahre) Zustände, die von Gereiztheit oder übermäßigem Alkoholgenuß begleitet sind. In einem zweiten Zeitraum kann aus diesen depressiven Zuständen eine hysterische Neurose oder eine wahnhafte Hypochondrie entstehen. »Die aus dem Gefühl, anders als der Nächste zu sein, entstandene Angst wird durch die Krankheit gelöst, die es ermöglicht, an den Rand der sozialen Welt zu treten.« Der dritte Typ, der uns bei den Einwanderern am häufigsten begegnet, tritt später auf. Es handelt sich um den zum System ausgebauten Beziehungs- und Verfolgungswahn, der übrigens niemals als eine Verfolgung durch die ganze französische Gesellschaft, durch die Polizei oder Regierung aufgefaßt wird (von einigen ehemals geflüchteten Russen abgesehen, die überall Kommunisten sehen), sondern im allgemeinen nur als eine Verfolgung durch Arbeitskollegen, Wohnungsnachbarn oder durch die Familie der Frau bei Verheirateten[18]. Stanciu behandelt auch die Ausländer im allgemeinen und unterscheidet drei oder vier besonders häufig vorkommende Geisteskrankheiten: bestimmte Formen der geistigen Pseudodebilität, paranoische und Rachehaltungen, Ängste, manchmal bis zum Selbstmord führende Depressionen[19]. Boitelle stellt bei einer in extremer Form heterogenen Gastbevölkerung keine bedeutenden Unterschiede bei den Störungen fest, die die Italiener, Polen, Marokkaner, Ungarn und Jugoslawen befallen. Bei fast allen von ihnen tritt dieselbe Ideenflucht auf, die gleich nach der Ankunft in Frankreich beginnt und schnell weicht, wenn der Kranke nicht interniert wird[20–21].

16. V. D. Sanua, A comparative study, o. c.
17. M. K. Opler und B. H. Singer, »Ethnic differences in behavior and psychopathology in the Italian and the Irish« (*Int. Journ. Psychiatr.*, 2, 1956, S. 11–12).
18. P. Koechlin, o. c.
19. V. V. Stanciu, »Quelques suggestions pour une hygiène mentale chez les immigrés« (*Congrès de la Santé mentale de septembre 1961 à Paris*).
20. B. Boitelle u. Cl. Boitelle-Lentulo, o. c.
21. Ein anderer Umstand, für den sich die französischen Psychiater interessiert haben, ist das häufigere Vorkommen des Wahns zu zwei oder mehreren Personen bei den Ausländern als bei den Franzosen. Es ließe sich durch die Isolierung erklären, in der die Einwanderer-

Man kann sich fragen, warum die Amerikaner sich um die ethnischen Differenzierungen mehr als die Franzosen kümmern. Der Grund dafür ist zweifellos darin zu suchen, daß das wissenschaftliche Klima in den beiden Ländern sehr verschieden ist. Amerika ist das Land der »kulturellen Anthropologie«, und folglich richtet sich die Aufmerksamkeit auf die Auswirkungen der verschiedenen Nationalkulturen. Frankreich ist das Land der Soziologie, und deshalb richtet sich hier die Aufmerksamkeit auf die allgemeinen Phänomene der Verpflanzung. Andererseits hat die Psychoanalyse sich in den Vereinigten Staaten leichter und radikaler als bei uns durchgesetzt. Deshalb war man dort, wie wir gleich sehen werden, geneigt, die tiefen Wurzeln für die Psychosen in der unterschiedlichen Erziehung der Kinder in den Einwanderernationen zu entdecken. Man mußte sie deshalb zwangsläufig getrennt untersuchen. In Frankreich interessiert man sich mehr für die soziale Situation, in der die Ausländer leben müssen. Bei uns sucht man die erklärenden Faktoren mehr außerhalb als innerhalb der ursprünglichen Kultur. Wir müssen jetzt also zu den Problemen übergehen, die sich aus der Interpretation der soeben kurz zusammengefaßten Tatbestände ergeben.

*

Wir wollen mit den Interpretationen beginnen, die der Psychoanalyse am nächsten stehen und nach und nach zu den mehr soziologischen Interpretationen übergehen.

Manche Psychoanalytiker sehen in der Ortsveränderung einen Faktor, der die primitiven Ängste im Zusammenhang mit der ersten Ortsveränderung mobilisiert, die Ängste des Kindes, das sich von der Mutter löst, um die ersten Schritte zu machen. Diese Trennung wird tatsächlich nicht als Freiheit, sondern als Imstichgelassensein durch das beschützende Wesen empfunden. Diese Mobilisierung einer archaischen Angst durch die Verpflanzung ist aber viel traumatischer als die ursprüngliche, denn hier ist die Verlassenheit durch alle administrativen Schritte legalisiert, die der Ausländer unternehmen muß, wenn er in einem neuen Land wohnen und arbeiten will, und sie entsprechen mehr dem Durchschneiden der Nabelschnur, der neuen »Entwöhnung«, der neuen Entfernung von der Mutter. Das neu gewählte Vaterland erscheint auch als »Rabenmutter«, als »schlechte Mutter«, die die gute ersetzt. Die ohne Hoffnung auf Rückkehr aufgebrochen sind, würden von ihr gerne adoptiert werden, aber eine innere Panik schaffende Unruhe beherrscht sie: Ob sie mich will? Erwähnen wir noch, daß unter der Einwirkung des kulturellen Schocks eine Regression zum Ödipuskomplex möglich ist. Dabei erhält der Gendarm, der Polizist, der Fabrikant die Rolle des hemmenden, untersagenden Vaters, der sogar sadistisch und kastrierend sein kann. Alle Bemühungen um die Anpassung an die Werte des Gastlandes nehmen einen Aspekt phallischer oder analer Aggression an, der ganz besonders störend bei denen ist, die keine Gemeinschaft aufbauen konnten, in der sie Werte des Ursprungslandes traditionell wahren konnten (Re-

familien leben. Siehe zum Beispiel Bonnafé, Bollette, Gest, Heyward und Sifflet, »Trois cas de délire de conjoints chez les transplantés« (XL. *Congrès des méd. et neur. de Langue française*, Masson, 1953).

konstitution des Mutterschoßes, Ort der Sicherheit und des intimen Glücks). Eine solche Interpretation, so suggestiv sie auch sein mag, soll uns nicht länger beschäftigen, obwohl sie bestimmt gültige Elemente enthält (selten schläft man, wenn man reist, gut in einem fremden Bett, in einem Hotelzimmer, die ursprüngliche Angst vor der Trennung von der Mutter erwacht dann im Unbewußten). Denn dieses Buch soll sich nur mit der Soziologie beschäftigen.

Es gibt aber eine zweite Perspektive, die ebenfalls psychoanalytischen Ursprungs ist und uns auf das soziologische Gebiet führt. Es handelt sich um die Rolle der Erziehung in der Familie, um die Sozialisation der Kinder, um die Typen elterlicher Disziplin in den verschiedenen ethnischen Kulturen. Für diesen Punkt verfügen wir über mehrere gute nordamerikanische Untersuchungen, an erster Stelle zum Beispiel über die Untersuchung von Barrabee und Mering[22]: In den irischen Familien ist die Bindung des Kindes an die Mutter sehr ausgeprägt. Das gilt vor allem für die Kinder desselben Geschlechts. Diese Zuneigung aber geht Hand in Hand mit einer sehr strengen, vom Vater überwachten Disziplin. Wir finden hier also den ganzen Puritanismus, der die akzeptierten Verdrängungen verallgemeinert und später als Schuldkomplex, als Angst vor sexueller Sünde zum Vorschein kommt. Die italienische Familie, und das gilt vor allem für die aus dem Süden stammenden Italiener, ist in den Vereinigten Staaten die patriarchalische, typisch mediterrane Familie geblieben. Der Vater straft, kontrolliert, lenkt, die Mutter reagiert auf die Strenge des Vaters durch eine noch einmal so große Liebe zu dem Kind. Wir haben hier also eine überprotektionierende Mutter und sind damit an der Quelle der italienischen Schizophrenie. Frazee hat festgestellt, daß Schizophrenie sich vor allem in den Familien entwickelt, in denen »die Väter von grausamer Strenge und abweisend sind«[23]. Sperling hat in einer Gruppe italienischer Kranker feindliche Tendenzen gegenüber dem Vater (60 %) und gegenüber der Mutter (50 %) festgestellt, in einer Gruppe irischer Kranker feindliche Haltung gegenüber dem Vater und ambivalente Haltungen gegenüber der Mutter[24]. Sanua hat die Familien seiner Kranken verglichen und mehr Überprotektion bei italienischen Eltern und mehr Ablehnung bei irischen Eltern festgestellt. Die italienischen Väter seiner Kranken charakterisierte aber auch Heftigkeit, Mangel an Selbstkontrolle, Herrschsucht und Brutalität, während das Hauptproblem der irischen Väter der eingefleischte Alkoholismus war. Was die Mütter der jeweiligen Gruppe betrifft, so war eine große Zahl der irischen Mütter Hausangestellte oder Angestellte mit schlecht bezahlten Arbeiten, während die meisten italienischen Mütter zu Hause blieben. Alle diese Fakten haben ihre Bedeutung für die Entstehung und die Orientierung, die Ätiologie und die Semiologie der Geisteskrankheiten[25].

22. P. Barrabee und Otto von Mering, »Ethnic variation in mental stress in families with psychotic children«, in Rose, Hrsg., o. c.

23. Helen E. Frazee, »Children who later become schizophrenic« (*Smith, Col. Stud. in Soc. Work*, 23, 1953).

24. R. P. Sperling, *A study of the psychotic within three ethnic groups*, Diss. Harvard, 1953.

25. V. D. Sanua, o. c.

Diese Eltern-Kinder-Beziehungen, die später schwere psychische Rückwirkungen haben können, werden durch die Kultur der Gruppe determiniert. Wir können diese Beziehungen jetzt unter einem anderen Aspekt betrachten, dem der Sozialisation, das heißt der Übertragung von Werten, der Bildung der Basispersönlichkeit. Die Untersuchungen, die in den Vereinigten Staaten unternommen worden sind, beziehen sich auf Kinder, die außerhalb ihres Landes erzogen wurden, während uns im Moment die Einwanderer interessieren, die zu Hause erzogen wurden und plötzlich in eine neue Welt aufgebrochen sind. Ist das zugrundeliegende Phänomen nicht der kulturelle Schock? Muß man, wenn man die Familie in Rechnung setzt, dies nur in dem Maße tun, in dem sie die unterschiedlichen Strukturen der Basispersönlichkeiten erklärt? So kommen wir zu einer dritten Erklärung, nämlich zur Akkulturation[26]. Wir erinnern uns an die berühmte Auseinandersetzung, die André Gide und Maurice Barrès in Frankreich im Zusammenhang mit der Entwurzelung hatten und die unter dem Namen »querelle du peuplier« (Diskussion über die »Pappel«) bekannt geworden ist, denn sie wendet die botanischen Gegebenheiten der Vermehrung durch Stecklinge auf den Menschen an. Barrès betont die unglücklichen Auswirkungen der Entwurzelung, während Gide darin die *conditio sine qua non* der schöpferischen Originalität sieht. Tatsächlich haben sowohl der eine als der andere recht. Alles hängt von der Veranlagung ab. Die starken Persönlichkeiten bereichern sich, und allein die Akkulturation erklärt die Fortschritte der Menschheit. Es gibt aber immer eine Krise, und sie ist für manche vielleicht schwer zu überwinden.

Wie Koechlin bemerkt, ist es nach der Epoche der kindlichen Formbarkeit tatsächlich sehr schwierig, neue kulturelle Mechanismen zu erlernen. Der Erwachsene, der sich darum bemüht, versagt dabei oft. So kommt es, daß das neue soziale Milieu, dessen Beherrschung einem nicht gelingt, als feindlich empfunden wird, auch wenn es gar nicht so ist. Deshalb lehnt H. Duchêne zum Beispiel den ökonomisch-sozialen Faktor als ungültig ab. Man findet unter den Franzosen Leute, die genau denselben Lebensstandard wie die Ausländer haben, aber frei von diesen Störungen sind. Folglich ist die Heimatlosigkeit, und zwar die erlebte Heimatlosigkeit, der vorherrschende Faktor. Le Guillant meint in gleicher Weise, daß die ökonomische-sozialen Bedingungen (Wohnung, Arbeit usw.) den Verpflanzten zumindest nicht direkt stören. Sie spielen mit durch Vermittler, die entweder affektive Phänomene sind (Heimweh, für das die Depression, das Zurückziehen auf sich selbst mit Passivität und Resignation charakteristisch ist), an erster Stelle aber durch »Widerspruch«: das neue Milieu wird nicht als verschiedenartig, sondern als dem ursprünglichen Milieu widersprechend empfunden. Der Verpflanzte wird davon gleichzeitig angezogen, wie er dagegen revoltiert. An zweiter Stelle durch »Entfremdung«: Der Auswanderer fühlt sich von den anderen getrennt, isoliert, aus der Gruppe, in die er sich einfügen soll, ausgeschlossen. Er kann mit den Mitmenschen nicht die Kom-

26. Ruesch, Jacobsen u. Loebe, »Acculturation and illness« (*Psychol. Monogr.*, 62, 5, 1948). – Chombart de Lauwe, »La maladie mentale comme phénomène social« (*Monog. 7 Inst. Nat. d'Hygiène*, 1955).

munikation herstellen, die allein geeignet ist, den Menschen zu realisieren und heimisch zu machen[27]. Schließlich sagt Sivadon, daß die Auswanderung nur unter der Bedingung pathogen sei, daß eine bedeutende Abweichung zwischen der ursprünglichen Kultur und den neuen Institutionen besteht und es sich um Menschen handelt, die auf ihre Basispersönlichkeit fixiert bleiben[28].

Wir sehen also, daß die Franzosen vor allem den Zwiespalt zwischen der Basispersönlichkeit und der neuen kulturellen Umgebung betonen. Die Amerikaner vernachlässigen diesen Aspekt zwar nicht (Ruesch zeigt, daß die Akkulturation deutlich wird an der Frustration, die durch das Versagen der alten, durch die ursprüngliche Kultur aufgebauten Mechanismen hervorgerufen wird, wodurch Ängstlichkeit und Feindseligkeit entstehen), sie haben sich aber vor allem mit den Veränderungen beschäftigt, die in der Persönlichkeit in dem Maße vorgehen, wie sie neue Werte und neue Lebensnormen assimiliert. *L'homme marginal* von Stonequist ist ganz diesem Aspekt des Problems gewidmet. Es gibt eine erste Periode, und zwar die, die unmittelbar auf die Einwanderung folgt, in der das Individuum der Kontrolle der ursprünglichen Gesellschaft entflieht. Es ist von den alten Zwängen befreit und empfindet die neuen Zwänge noch nicht. So besteht die Möglichkeit, daß asoziale und amoralische Neigungen entfesselt werden. In dem Maße aber, wie der Einwanderer sich seinem neuen Milieu anpaßt, wird er von diesem geprägt. Seine alte Erziehung wird dadurch jedoch nicht zerstört. Sein Ich spaltet sich so in zwei Teile. Zwei Menschen wohnen in ihm, die sich im Grunde seines Wesens bekämpfen. Um den Ursprung der Geisteskrankheiten bei den Ausländern verstehen zu können, wäre gerade der Moment wichtig, in dem der Konflikt zwischen den beiden Kulturen nicht mehr als eine äußere Sache (Konflikt zwischen der Basispersönlichkeit und dem neuen Milieu), sondern als innere Angelegenheit zwischen zwei in gleicher Weise »mir« gehörenden und doch einander widersprechenden Ichs empfunden wird. Der Konflikt befindet sich im Innern des Individuums und zerstört sein psychisches Gleichgewicht, nämlich das zwischen dem alten Menschen und dem neuen, der entsteht.

Diese beiden Gesichtspunkte erscheinen uns nicht widersprüchlich, sondern vielmehr komplementär zu sein. Es genügt, wenn man die primären Krisen von den sekundären unterscheidet. Bei den ersteren ist der Konflikt zwischen der Basispersönlichkeit und dem neuen Milieu ganz äußerlich, er kompliziert sich durch die sprachliche Isolierung[29] und das Syndrom des Heimwehs.

»... das durch den Verlust der gewohnten Horizonte und die fehlende Vertrautheit mit den Menschen und Dingen entsteht. Zu Hause sind die Wesen und Gegenstände, die Gebäude und Landschaften Anhaltspunkte, die uns beruhigen und ein-

27. L. Le Guillant, »Psychopathologie de la transplantation« u. A. u. H. Torrubia, »Recherche sur la transplantation« (*Monogr. 7 de l'Inst. Nat. d'Hygiène*, o. c.).

28. Sivadon, o. c.

29. Ombredane hat dafür einen bemerkenswerten Fall in Brasilien genannt, bei dem der Beziehungswahn mit schlecht verstandenen Wörtern beginnt. (*Etudo de Psychologie médicale*, Bd. III, Rio de Janeiro, 1944, S. 117–165).

ordnen ... Die neue Lage dagegen hat keine Beziehung zu meiner Person, hat weder Höhlen noch Hügel, die ich erobern und zu meinen machen könnte. E. Minkowski und sein Schüler J. Solanes haben meisterhaft analysiert, wie beim Leben im Exil die Zeit beschädigt und verzerrt wird[30].«

Bei den später auftretenden sekundären Störungen aber ist nicht mehr die Opposition, sondern die Randexistenz des Individuums beherrschend. Es ist gleichzeitig dasselbe gelieben und hat sich geändert, ist durch den einen Teil seines Wesens alt und durch einen anderen neu. Die Symptome für diese sekundären Störungen sind die durch Loyalität gegenüber zwei einander entgegengesetzten Gruppen hervorgerufene Unbeständigkeit, die Ambivalenz des Verhaltens, die Verzweiflung. Denn man kann nicht zur gleichen Zeit zwei Strömen folgen, wenn sie in entgegengesetzte Richtungen ziehen. Die Unmöglichkeit, eine Synthese zu realisieren, führt zum Anwachsen der Erregbarkeit, zur Hypersensibilität ... Manche finden natürliche Mechanismen der Kompensation. Diese Mechanismen aber sind in einem solchen Klima der Angst auch wieder tote Mechanismen, wie die »Maske«, die Isolierung, die Schaffung persönlicher Mythen.

Der neue kulturelle Faktor steht nicht im Gegensatz zu dem psychoanalytischen Faktor, den wir oben dargelegt haben. Einige Autoren verstehen es, beide auf glückliche Weise miteinander zu vereinigen. Als Prange zum Beispiel den Fall einer chinesischen Einwanderin untersuchte, hob er die Rolle hervor, die der Zusammenprall von Basispersönlichkeit und neuem Milieu spielt. Die Persönlichkeitsstruktur, die in ihrem Lande adäquat war, ist es in den Vereinigten Staaten nicht mehr. Hier ist sie von ihrer Familie, von ihrer gewohnten Arbeitswelt und ihrer Auffassung von der Liebe getrennt. Diese Frustrationen aber werden als Mangel an oraler Befriedigung erlebt. Prange weist besonders auf den oralen Charakter der Frustrationen von Einwanderern hin. Die ursprüngliche Welt, die der ersten Kindheit mit der Wärme der Mutterbrust, der Freude des Tastens und der Freude des Mundes wird durch den Abschied von der »mütterlichen« Welt neu belebt. So ist es nicht von ungefähr, daß die Ausländer auf die Heimatlosigkeit mit Eßgier oder Appetitlosigkeit reagieren und daß der Alkoholismus oft an erster Stelle bei den Krankheiten der Einwanderer steht[31]. Wenn eine Untersuchung der Geisteskrankheiten der Einwanderer wirklich aufschlußreich sein soll, muß sie nach dem Mauss'schen Begriff als »totales soziales Phänomen« und gemäß der Interpretation durchgeführt werden, die Gurvitch in seiner Soziologie »en profondeur« gegeben hat. Das heißt, es gibt einander überlagernde Schichten, die der Psychiater nacheinander untersuchen muß, um zu einer umfassenden Erklärung zu kommen.

Aber gerade weil die Psychosen ebenso wie die Anpassungsneurosen totale Phänomene sind, müssen wir neben ihrer kulturellen Dimension ihre soziale Dimension berücksichtigen. Die Minderheitengruppen können unterdrückte Gruppen sein. Die

30. Y. Pélicier, o. c., S. 211.

31. A. J. Prange, »An interpretation of cultural isolation and alien's paranoid reaction« (*The Int. of Social Psychiat.*, IV, 4, 1959).

Schwarzen in den Vereinigten Staaten sind dafür ein Beispiel, das die großartige Analyse veranlaßt hat, die Kardiner von dem »Unterdrückungsmerkmal« gemacht hat. Viele Züge, die wir bei dem unterdrückten Schwarzen finden (Flucht in den Alkohol oder in das Laster, Sinken der Intelligenz, die durch die umgebende feindliche Welt abgestumpft worden ist, hohe Frequenz der selbstverstümmelnden Antworten im Rorschachtest ...) können wir natürlich in anderen sich absondernden Gemeinschaften wiederfinden[32]. Wo aber die Absonderung ein Minimum erreicht, befindet der Einwanderer sich immer in einer Welt der Konkurrenz, in der er sich allein, ohne Unterstützung für den Sieg findet. Die sexuelle Konkurrenz läßt ihm manchmal als einzig mögliche Gesellschaft nur Frauen mit schlechtem Lebenswandel oder zweifelhafter Vergangenheit. Die Konkurrenz auf dem Arbeitsmarkt läßt ihm nur die Arbeiten, die von den Eingesessenen abgelehnt und als niedere Arbeiten betrachtet werden, die ihn im Falle von Wirtschaftskrisen zuerst der Arbeitslosigkeit ausliefern. Die ökologische Konkurrenz verweist ihn in den sehr großen Städten in die sozial zerfallenden Viertel oder in die Slums der Vorstädte[33].

Boitelle hat diesen sozialen Faktor bei den Kranken des Hospitals Lorquin im Département Moselle aufgeklärt. Sie waren in Unkenntnis der französischen Sprache, isoliert, unterernährt (weil sie den größten Teil ihres Lohns an ihre Familie sandten), waren schlecht untergebracht, lebten in einer Gegend, in der sich siebenundzwanzig Nationalitäten gegenseitig anrempelten, waren die Zielscheibe von Verwaltungsschikanen, wurden von ihren französischen Kameraden nicht gern gesehen, waren an die industrielle Arbeit schlecht angepaßt (die meisten von ihnen waren ehemalige Ackerbauern), hatten manchmal keine Nachricht von ihrer Familie (wie die Polen)[34]. Daraus ergibt sich: Selbst wenn man auswandert, um seinen sozialen Status zu verbessern, macht sich der Wechsel zunächst in einem Absinken des Status bemerkbar. Wir haben gesehen, welche Rolle der Abstieg auf der sozialen Stufenleiter für die Ätiologie der Geisteskrankheiten spielt. Wir finden, wie man sieht, die pathogenen Faktoren wieder, auf die wir in den früheren Kapiteln hingewiesen haben: die Auswirkungen der ökologischen Situation oder der niedrigen sozialen Klasse, die aber durch die Ortsveränderung verschlimmert und potenziert worden sind.

*

Was geschieht nun in der zweiten Generation? Man sollte meinen, daß hier die Situation weniger traumatisch ist. Thomas und Znaniecki aber haben in ihrer Untersuchung *The Polish Peasant in Europa and Amerika* überzeugend dargelegt, daß die Konflikte für die Kinder noch schlimmer als für die Eltern sein können. Das Kind ist in der Schule gewesen und hat sich weitgehend an die neue Kultur angepaßt. Neben der Schule aber wirkt der Einfluß seiner Familie, die auf die Ver-

32. A. Kardiner u. L. Oussay, *The Mark of Oppression*, New York, 1951.

33. Vgl. zum Beispiel W. F. Whyte, *Street Corner Society, the social organization of an italian slum*, Chicago, 1958.

34. G. Boitelle und Cl. Boitelle-Lentulo, o. c.

pflanzung mit einer Idealisierung des verlorenen Landes reagiert hat. Sie gibt sich alle Mühe, besonders durch die Mutter, die traditionalistischer als der Vater ist, in dem Kind die Werte der heimatlichen Kultur zu erhalten. Das Kind steht so zwischen zwei antagonistischen Kulturen, der Kultur der Familie (oder der Straße, falls es in einem Einwandererviertel lebt) und der Kultur der Schule. Zweierlei kann nun geschehen: Entweder dient das Kind als Vermittler zwischen seiner nicht assimilierten Familie und dem neuen Milieu, dann wird es seiner Bedeutung bewußt, entzieht sich der Kontrolle durch seine Eltern und wird ein Rebell. Aus dieser ersten Gruppe rekrutieren sich die Kriminellen – oder das verhätschelte, überprotektionierte Kind bleibt immer unangepaßt. Die Untersuchungen, die von Psychoanalytikern in den Vereinigten Staaten durchgeführt worden sind, zeigen, daß die zu enge Bindung zwischen Söhnen und ihren ausländischen Müttern die Amerikanisierung der Erwachsenen retardiert[35]. Bei Mischehen will jeder zu einer anderen Zivilisation gehörende Elternteil sein Kind zur eigenen Kultur hinziehen. So wird in der Psyche des Kindes ein doppeltes System widersprüchlicher Normen verinnerlicht, die sein Außenseitertum bestärken. In einer Testuntersuchung von Problemkindern in Sao Paulo, Brasilien, haben wir in den zweisprachigen Familien einen höheren Prozentsatz von Störungen als in den anderen festgestellt (auch wenn die einzige verwendete Sprache eine Fremdsprache war). McBee hat bei 102 Studenten mit Persönlichkeitsstörungen 57 % gefunden, bei denen die Mutter Ausländerin war, 47 %, bei denen der Vater Ausländer war, gegenüber nur 30 %, bei denen beide Eltern Ausländer waren. Man könnte natürlich denken, daß die Mischehe besonders zerbrechlich ist und oft mit dem Zerreißen der ehelichen Bande endet, so daß hier ein anderer Faktor, der Faktor »zerbrochene Familie« mitspielt. Aber so ist es nicht. Denn in der Untersuchung von McBee finden wir nur 40 % zerbrochene Familien gegenüber 57 % (wenn einer der beiden Elternteile ausländisch ist) und 30 % (wenn beide Eltern Ausländer sind) heilen Familien. Der Grund für die Störungen liegt also nicht im familiären Konflikt als solchem, sondern in dem Konflikt der Kulturen[36]. Terashima hat ebenfalls am Beispiel von drei schizophrenen Japanern, die seit einer Generation nach Kanada ausgewandert waren, gezeigt, welche bedeutende Rolle der Generationenkonflikt bei den Geistesstörungen der Kinder spielt[37].

Diese Untersuchungen aber kann man kritisieren, denn es gibt keine Kontrollgruppe. Deshalb ist es nicht erstaunlich, wenn andere Untersuchungen zu anderen Ergebnissen kommen. Malzberg, der sich mit der Frage der Geisteskrankheiten bei den amerikanischen Kindern mit ausländischen Eltern beschäftigte, hat herausgefunden, daß, von zwei Ausnahmen abgesehen (den viel jüngeren Bevölkerungsgruppen, die später eingewandert sind) diese amerikanischen Kinder ohne Zweifel höhere Prozentsätze aufwiesen als die eingesessenen Amerikaner oder deren Kinder,

35. Siehe das Kapitel von Barclay Murphy in *Personality and the Behavior Disorders*, *o. c.*
36. McBee, »A mental hygienic clinic in a high school« (*Ment. Hyg.*, 19).
37. Zitiert von Y. Pélicier, o. c., S. 163.

aber auch viel schwächere Prozentsätze als die Gruppen erwachsener Ausländer. Da das rassische Element von einer Generation zur anderen wahrscheinlich konstant ist, zog er folgenden Schluß: Der Beweis ist erbracht, daß der Faktor Umgebung bei der Genese der Geisteskrankheiten die wichtigste Rolle spielt. Das von ausländischen Eltern in den Vereinigten Staaten geborene Kind ist an die nordamerikanische Lebenweise schon besser angepaßt und leidet weniger darunter[38]. Wir meinen, daß in dem Maße, wie die Assimilierung gelingt, die Chancen für eine Erkrankung parallel dazu immer geringer werden. Hinkle und Wolff haben in ihre Untersuchungen drei Generationen einbezogen. Zumindest in der dritten Generation sehen wir den Übergang aus der Zone der Elendsquartiere in die der anständigen Wohnungen oder die der Mittelklasse, den Übergang von der Primärschule zu höheren Schule, schließlich den Aufstieg zu Facharbeiterposten. Wir können also feststellen, daß zu diesem Zeitpunkt die Integration in die neue Gesellschaft abgeschlossen ist. Der ethnische Faktor wirkt nicht mehr in der Weise, daß er eine soziale Gruppe bildet[39].

38. B. Malzberg, o. c., Kap. VIII.

39. L. E. Hinkle Jr. und H. G. Wolff, »Health and the social environment, experimental investigation« in A. H. Leighton, J. A. Clausen und R. A. Wilson, Hrsg., *Exploration in Social Psychiatry*, New York, 1957.

Achtes Kapitel

Psychiatrie der sozialen Gruppen
3. Die familiäre Gruppe

Man hat feststellen können, daß alle unsere vorhergehenden Kapitel uns auf die familiäre Gruppe verweisen. Welche Faktoren man auch ins Auge faßt, die ökologischen Zonen, die sozialen Klassen, die religiösen oder ethnischen Gruppen, für manche Psychiater können sie nur durch Vermittlung der Familie und durch die Kindheitserfahrung wirksam werden. Wir wollen also diese Untersuchung der sozialen Faktoren beschließen, indem wir die häusliche Gruppe untersuchen.

Man kann die Familie unter zwei verschiedenen Gesichtspunkten betrachten. Zunächst als eine organisierte soziale Institution, die vom Staat durch Standesamt oder durch Kirche kontrolliert wird, die das eheliche Band als unzerreißbar betrachtet. Auch wenn der Staat die Scheidung akzeptiert, ist der Bruch des Heiratsvertrages dem Bürger nicht freigestellt. Die Scheidung ist mit Bedingungen verknüpft und muß, wenn sie gültig werden will, offiziellen Charakter haben. Das ist der Standpunkt Durkheims und der meisten französischen Soziologen. Oder man kann die Familie als eine strukturierende soziale Gruppe betrachten. Nach bestimmten kulturellen Normen schafft sie eine Gesamtheit von interindividuellen Beziehungen zwischen dem Gatten und der Ehefrau, zwischen Eltern und Kindern, zwischen Brüdern und Schwestern, eventuell zwischen den Großeltern, den Eltern und den Enkeln. Dies ist der beherschende Gesichtspunkt der amerikanischen Soziologie. Wir sehen uns also zwei möglichen Psychiatrien der Familie gegenübergestellt. Je nachdem, ob wir die Familie unter dem einen oder dem anderen Gesichtswinkel betrachten, befinden wir uns innerhalb der institutionellen oder der relationellen Psychiatrie der Familie.

1. DIE PSYCHIATRIE DER FAMILIE AUS DER PERSPEKTIVE DER INSTITUTION

Die ersten statistischen Untersuchungen über die Geisteskrankheiten berücksichtigten immer den Familienstand. Man kann dabei feststellen, daß manche Gruppen für Störungen der Persönlichkeit weit anfälliger sind als andere. So 1923 in den Vereinigten Staaten:

	Männer (auf 100 000 Einw.)	*Frauen* (auf 100 000 Einw.)
Verheiratete	170,9	255,9
Ledige	292,7	189,3
Verwitwete	428,2	423,0
Geschiedene	1112,5	1120,3

Man erklärt mitunter die Tatsache, daß psychische Störungen in größerer Zahl bei Ledigen als bei Verheirateten vorkommen, damit, daß die Heranwachsenden sexuelle Frustrationen erfahren. Die Heirat bringt den Gatten sexuelle Sicherheit[1]. Wir sind der Ansicht, daß der Durkheimsche Gesichtspunkt richtig ist und daß diese Statistik, die der Statistik der Selbstmorde so nahe steht, in den Rahmen der Soziologie der mentalen Pathologie gehört, die wir oben im Zusammenhang mit der *Division du Travail social* skizziert haben. Die Ehe ist natürlich nicht nur eine Reglementierung des sexuellen Lebens. Sie schafft vor allem eine affektive Gruppe mit sozialer Kooperation. Auf diese Weise bringt sie dem Mann eine Kontrolle des psychischen Lebens und damit ein Gleichgewicht, das er im Junggesellenleben nicht fand. Wenn im Gegensatz dazu, wie diese Statistik zeigt, die Junggesellin weniger als die verheiratete Frau durch Störungen gefährdet ist, so liegt das daran, daß die Frau vor ihrer Ehe mehr als der junge Mann an die Familie gebunden und in sie integriert ist. Die Ehe stellt sie vor schwere Probleme, sie muß die Initiative ergreifen, hat neue Rollen zu erlernen, muß ihren Haushalt führen. Diese neuen Probleme, an die sie vorher nicht gewöhnt war, können manchmal traumatisch werden. Die Familie aber bleibt immer ein beschützendes Milieu. Und die Auflösung der ehelichen Bande, sei es durch den Tod des einen Ehegatten oder durch die Scheidung, ist für die mentale Gesundheit der bedrohlichste Faktor, sehr viel ernster noch als die Lebensbedingungen des Junggesellen. Das gilt sowohl für den Selbstmord als auch für die Psychosen.

Die neueren Statistiken von Malzberg, die für die hospitalisierten Kranken des Staates New York gelten, bestätigen die früheren. Bei den Ersteinlieferungen von 1929 bis 1931 haben wir die folgende Verteilung (errechnet für die Bevölkerung über 15 Jahre):

Ledige	10 473 Personen	(111,3 auf 100 000)
Verheiratete	12 817 Personen	(77,7 auf 100 000)
Verwitwete	4 387 Personen	(203,1 auf 100 000)
Geschiedene	443 Personen	(280,1 auf 100 000)

Wir finden jetzt aber beim Stand der Ledigen und Verheirateten keinen Unterschied mehr zwischen den beiden Geschlechtern. Katherine Bement-Davis schon sah in der Ehe ein Instrument der geistigen Gesundheit, das für das weibliche Geschlecht genauso brauchbar sei wie für das männliche Geschlecht[2]. Malzberg aber weist trotz allem auf zwei Ausnahmen hin, auf die Syphilis- und die Alkoholpsychosen. Wenn die Junggesellinnen weniger Fälle von allgemeiner Paralyse als die Männer aufweisen, so liegt das daran, daß sich die Frauen im allgemeinen bei der Syphilis ihres Mannes anstecken. Trotz der Lockerung der Sitten haben die Junggesellinnen weniger Gelegenheit zur Ansteckung als die Männer. Ebenso lassen die Sitten den Alkoholgenuß eher für die verheirateten Frauen als für die jungen

1. James S. Bossard, *Social Change and Social Problems,* o. c.
2. Katherine Bement-Davis, *Factors in the Sex Life of 2 200 Women,* New York, 1929.

Mädchen zu[3]. Aber von diesen Ausnahmen abgesehen, gibt es keinen bedeutenden Unterschied.

Bisher hat das amerikanische Material uns die Wirkungsweise eines soziologischen Faktors erklärt. Aber kann man diese Statistiken nicht anders interpretieren? Es ist in der Tat leicht, die erklärenden Gründe umzuwerfen, ohne dabei die Korrelation zwischen dem Stand und der Anzahl der Geisteskrankheiten zu zerstören. Wenn man bei den Ledigen mehr Psychosen als bei den Verheirateten findet, liegt das nicht viel eher daran, daß die von geistigen Störungen Betroffenen keine Ehepartner finden oder vor der Ehe zurückschrecken[4]? Wenn wir den größten Prozentsatz bei den Geschiedenen finden, könnte das nicht daran liegen, daß die Geisteskrankheit im Verlauf des gemeinsamen Lebens ausgebrochen ist, die das gute eheliche Einvernehmen zerstört oder den betroffenen Gatten daran gehindert hat, sich dem gemeinsamen Leben anzupassen? Die Leute, die sich scheiden lassen, sind Menschen, denen es schwer fällt, sich miteinander zu verstehen, folglich die unausgeglichensten oder labilsten Menschen. Bei den verwitweten Frauen schließlich fällt es schwer, zwischen zwei Erklärungen zu wählen, zwischen der Erklärung durch den familiären Faktor (durch den Tod Zerstörung der affektiven Bindungen) und den wirtschaftlichen Faktor (finanzielle Schwierigkeiten, die durch das Verschwinden des Familienchefs entstanden sind). Trotz dieser Fragen ist nichtsdestoweniger gültig, daß die Ledigen zwölfmal so viel Alkohol- oder Syphilis-Psychosen haben als die Verheirateten, daß die Verwitweten ebenfalls eine sehr hohe Rate von Alkoholpsychosen aufweisen und die Geschiedenen eine sehr hohe Rate von allgemeiner Paralyse und Alkoholpsychosen. Dies sind Zeichen dafür, daß die Familie immerhin eine stabilisierende Rolle spielt und daß sie ein nicht zu vernachlässigender Faktor für die Realisierung oder die Stabilisierung der geistigen Gesundheit ist. Die Fragen, die wir eben gestellt haben, schränken zweifellos die ätiologische Erklärung ein, aber sie heben sie nicht ganz auf.

Eine zweite Untersuchungsreihe bezieht sich auf das Kind in der Familie. Hier handelt es sich – obwohl diese Untersuchungen auch als Übergang zwischen der institutionellen und der relationellen Betrachtungsweise bei der Untersuchung der häuslichen Gruppe dienen können – um die Wirkung der Familie als Institution auf die geistige Gesundheit der Kinder.

Zunächst zur Größe der Familie. Manche Soziologen sind der Ansicht, daß Kinder mit Geschwistern besser auf das Leben vorbereitet werden als Einzelkinder. In der Tat lernen sie ganz klein die Kooperation kennen und entdecken die Lösungen für die Probleme, die daraus entstehen. Man muß es verstehen, sich den Charakteren anzupassen, einander kleine Opfer zu bringen. Andere Wissenschaftler

3. Benjamin Malzberg, o. c., Kap. 3 und 4.

4. Die Literatur liefert uns wunderbare Beispiele für das Zurückweichen von Neurotikern vor der Ehe, etwa mit Kierkegaard oder Kafka. Von allen Geisteskrankheiten dominiert nach den Statistiken von Malzberg die Schizophrenie bei den Ledigen. Das ist nun eine Form der Psychose, die früh auftritt (ehemalige Dementia praecox). So versteht man besser, daß sie eher ein Grund für die Nichtheirat als die Wirkung der Nichtheirat ist.

sagen, daß die Eltern, wenn sie viele Kinder haben, sich kaum mit allen beschäftigen können. Außerdem können sie für das eine oder andere eine Vorliebe haben. Das Kind aber muß in einem Klima der Zuneigung aufwachsen. Wenn es in einem entgegengesetzten Klima, einem Klima der Eifersucht, des Mißtrauens und der Rivalität aufwächst, wird es aggressiv. Wahl, der das familiäre Milieu von 392 Schizophrenen untersucht hat, stellte fest, daß viele seiner Kranken aus Familien mit vier oder mehr Kindern stammten, daß die Formen der Schizophrenie selbst von der einfachen Form (3, 2 Kinder pro Familie) bis zu komplizierteren Formen variiert, und zwar in dem Maße, wie die Zahl der Kinder zunimmt, die ein Maximum beim hebephrenen Typ erreicht (4, 9). In diesem Zusammenhang äußert er die Vermutung, daß die Hebephrenie der Ausdruck des Wunsches nach Rückkehr zum kindlichen Zustand sei[5]. Sanua hat diese Schlußfolgerungen kritisiert. Er zeigte auf, daß 34 % dieser Kranken aus katholischen Familien kämen, die vor allem in den unteren Klassen fruchtbarer als die Protestanten sind. Wenn man eine Kontrollgruppe dazugenommen hätte, würde man wahrscheinlich in den normalen Familien eine Kinderzahl finden, die der analog ist, die er in Familien mit schizophrenen Söhnen gefunden hat. Bei der Verteilung der Kinder auf die Geschlechter dagegen hat er bei den Juden 30 % schizophrene Mädchen in den Familien festgestellt, die nur Mädchen haben. Es ist möglich, daß dieser hohe Prozentsatz eine Folge des Wunsches der Juden ist, Jungen zu haben. Denn der Familientyp der Juden ist patriarchalisch. Die Töchter könnten also empfinden, daß sie nicht erwünscht, nicht geliebt und nur geduldet sind[6].

Wenn nun die Familie, sei sie nun groß oder klein, als ein Milieu erschienen ist, das die geistige Gesundheit günstig beeinflußt, so muß deren Auflösung (durch den Tod eines der Eltern, durch Flucht, Trennung oder Scheidung der Gatten) auf die Kinder des Paares ebenso pathogene Wirkungen ausüben wie auf die Gatten selbst. Weiter oben zitierten wir die Statistik von Hollingshead und Redlich über die zerbrochenen Ehen in der Klasse 5 der sozialen Schichten, das heißt in der untersten Klasse. Leider haben sie bei ihrer Interpretation diesen Faktor nicht berücksichtigt. Erinnern wir daran, daß 41 % der Kinder unter 17 Jahren aus zerbrochenen Familien kamen, daß die Zahl der Schizophrenen besonders in dieser Klasse achtmal so hoch war wie in den Klassen 1 und 2 zusammen. Auch hier meldet Sanua Zweifel an der Bedeutung der Auflösung der Familie für die Entstehung von Geisteskrankheiten an. Wahl hat bei seinen Untersuchungen im Elgin State Hospital eine Gruppe von 43 % Kranken gefunden, die ein oder zwei Elternteile durch Tod, Trennung oder Scheidung verloren hatten. Sanua bemerkt, daß man andere Variablen wie Geschlecht, soziale Klasse und Religion ebenso wie den Typ der Schizophrenie in Rechnung setzen muß: 51 % paranoide Protestanten stammen aus der Unterschicht, aber nur 13 % paranoide Juden, die aus zerbrochenen Familien stammen. In

5. C. W. Wahl, »Some antecedent factors in the family histories of 392 schizophrenics« (*Amer. Journ. of Psychiatry*, 110, 1954).

6. V. D. Sanua, *A comparative study of schizophrenics...*, o. c.

allen Gruppen dominiert übrigens die paranoide Form über die katatone (zweimal so viel). Was das Geschlecht betrifft, so finden wir bedeutende Unterschiede in den ethnischen und religiösen Gruppen (die Frauen sind bei den Juden stärker vertreten: 17 % Frauen gegenüber 10 % Männern. Bei den Protestanten sind die beiden Geschlechter in gleicher Stärke vertreten: 51 % Männer und 50 % Frauen bei der paranoiden Form) sowie bei demselben Geschlecht und derselben religiösen Gruppe in den verschiedenen ethnischen Gruppen (41 % paranoide Iren gegenüber nur 11 % Italienern). Zweitens müßte man Kontrollgruppen haben. So hat Fischer errechnet, daß 6,3 % der Gesamtbevölkerung der Vereinigten Staaten vor dem 18. Lebensjahr ein oder beide Elternteile verloren hat. Wenn man berücksichtigt, daß der Verlust der Eltern in den jüdischen Familien der Versuchsgruppe bei 10 % eingetreten ist und daß Trennungen und Scheidungen eingeschlossen sind, so hat es den Anschein, daß in der jüdischen Gruppe zumindest das Fehlen der Eltern keine bedeutende Variable ist.

Gegenwärtig konzentrieren sich die Untersuchungen mehr auf die Neurosen als auf die Psychosen. Auf diesem neuen Gebiet erfahren wir folgendes: 1. Die Korrelation zwischen dem Fehlen von Eltern und der Zahl der Neurosen ist nicht bedeutend. Es gibt aber einen Einfluß der Trennung oder Scheidung und der Geistesstörungen bei Eltern auf kleine Kinder, bei denen sich später Störungen der Persönlichkeiten zeigen. 2. Wenn in der vorhergehenden Generation die Mutter aus einer unvollständigen Familie kommt und eine komplizierte Kindheitsgeschichte hinter sich hat, trägt sie in sich neurotische Tendenzen, die selbst, wenn sie bei ihr nicht zum Ausbruch kommen, auf das Kind, das sie erzieht, übergehen. Wenn der Vater dagegen aus einer unvollständigen Familie kommt und darunter gelitten hat, so tut er alles, damit sein Kind nicht leidet. Und in diesem Fall hat das Kind alle Chancen für gute geistige Gesundheit[7]. 3. Eines der wichtigsten Elemente ist die Einigkeit und Harmonie zwischen den Eltern. Die Statistiken von Duhrsen sind dafür sehr aufschlußreich. Andere Autoren zeigen sogar: Wenn das Paar sich nicht versteht, ist es für das Kind besser, wenn die Gatten sich trennen oder scheiden lassen, als sich fortgesetzt vor ihrer Nachkommenschaft zu hassen oder zu streiten[8]. 4. Eine nicht zu vernachlässigende Rolle spielen die Probleme, die durch die Gesellschaft gestellt werden, welche die Familie umgibt. Der Lebenskampf um die Verbesserung des sozialen Status der Familienglieder spielt zum Beispiel besonders dann eine Rolle,

7. Annemarie Duhrsen, »Psychiatrische Aspekte zur Familiensoziologie« (*Kölner Zeitschr. für Soziol. und Sozialpsych.*, Köln, 3, 1958):

	Klinische Gruppe	Kontrollgruppe
Mutter aus vollständ. Familie	27	34
Mutter aus unvollständ. Familie	23	15
Vater aus vollständ. Familie	39	33
Vater aus unvollständ. Familie	11	17

8. Dr. Dracondes, »Le développement du psychisme des enfants et le milieu familial« (*Psyché*, V, 45–46, 1950, S. 580–595).

wenn die Eltern gezwungen sind, das Kind bei den Großeltern zu lassen, wo das Kind den Eindruck der Verlassenheit hat, oder wenn der ehrgeizige Vater, der selbst nicht aufsteigen kann, seinen Aufstiegswunsch auf die Söhne überträgt. 5. Die religiösen Ideologien (besonders die Zugehörigkeit der Eltern zu kleinen Sekten), die Mischehen (zwischen Katholiken und Protestanten, wo man sich um das Kind streitet) sind auch von Duhrsen auf pathogene Auswirkungen hin untersucht worden. Die Mischehe hat eine direkte Wirkung. Die religiösen Ideologien dagegen kennzeichnen eher den neurotischen Charakter der Eltern. So wirkt nicht direkt die religiöse Kultur, sondern die neurotischen Tendenzen, die diese zum Ausdruck bringt, werden übertragen[9]. Außerdem hat man die Rolle der familiären Ursachen für die Entwicklung von »schwachsinnigen Kindern« untersucht. Dabei hat man festgestellt, daß es eine große Bedeutung für die Behinderung oder die Retardierung sowohl der intellektuellen als auch der affektiven Entwicklung des Kindes hat, wenn es von der unverheirateten Mutter verlassen wird. Bis zu einem gewissen Grad kann auch die halbe Abtretung eines Kindes (an alte Eltern oder an Waisenhäuser) bei getrennten Haushalten[10] solche Folgen haben. Sie sind hier allerdings weniger ausgeprägt, wenn das Kind eine Pseudoheimat findet.

Wir können schließen, daß ein harmonisches Familienmilieu für das psychische Gleichgewicht des Kindes notwendig ist und daß die Störungen, die während der Kindheit und später auftreten können, zum großen Teil von den Konflikten zwischen den Eltern herrühren. Die Zweifel – wir haben darauf hingewiesen – die manche Psychiater am Einfluß der zerbrochenen Familien haben, sprechen nicht gegen diesen Schluß. Einmal, weil sie sich auf die Psychosen, ganz besonders auf die Schizophrenie beschränken und weil wir die mentale Pathologie in ihrer Gesamtheit ins Auge fassen müssen, wenn wir ein gültiges Urteil fällen wollen. Zweitens ist es, wie wir bereits gesagt haben, besser, wenn das Ehepaar sich trennt, anstatt vor dem Kind in einem Klima des Hasses und der unaufhörlichen Beschuldigung weiter zusammenzuleben.

*

Zwei Themen haben zu interessanten Arbeiten angeregt und die Aufmerksamkeit zahlreicher Soziologen und Psychiater auf sich gelenkt. Es handelt sich um den Einfluß der Trauer und den der Stellung des Kindes in der Geschwistergruppe. Deshalb wollen wir nach diesen allgemeinen Betrachtungen über die Psychiatrie der Familie etwas ausführlicher auf diese beiden Themen eingehen.

1. Die Trauer wird durch kulturelle Normen geregelt. Deshalb hat dieses erste Thema mehr als andere eine fruchtbare Zusammenarbeit zwischen Ethnologen, Soziologen und Psychiatern erlaubt. Doch neben den kulturellen Bindungen, die die Beziehungen zwischen Ehemann und Ehefrau regeln, und all den Riten, die auf

9. Duhrsen, o. c.

10. Siehe die Sondernummer von der *Revista de Psicologia Normal e Patologica Sao Paulo,* Brasilien, VI, 4, 1960, die den schwachsinnigen Kindern gewidmet ist.

das Schwinden des einen der beiden Gatten folgen, gibt es auch das psychologische, affektive, intime Band, das Ehemann und Ehefrau miteinander verbindet. Die kulturellen Normen können diese affektive Bindung intensivieren oder schwächen. Deshalb müssen wir, wenn wir die Wirkung der Trauer recht verstehen wollen, sie in ihrem doppelten, im relationellen und kulturellen Zusammenhang untersuchen. Das heißt an erster Stelle, im Zusammenhang mit »dem Ich und seinen Beziehungen zu den anderen«, an zweiter Stelle im Zusammenhang mit den »Rollen«, die von der umgebenden Zivilisation geliefert, von dieser auferlegt werden, die während einer durch die Konvention festgelegten Zeit eingehalten werden müssen[11]. Welche Normen hat nun unsere westliche Kultur? Stoetzel betont drei Elemente: 1. Unsere Familie ist eine Kernfamilie, die aus wenigen Personen besteht, in der normalerweise Mann und Frau affektiv sehr stark miteinander verbunden sind, in der jeder eine besondere Rolle spielt, die er allein innehat. Die Folge davon ist, daß der Verlust eines der Ehepartner »unersetzlich« wird. 2. Da die Familie klein ist und das gemeinsame tägliche Leben trotz der affektiven Befriedigungen nicht ohne feindselige Gefühle verlaufen kann, die zwar schnell unterdrückt werden, aber bei dem Überlebenden eine Angst auf Grund eines Schuldgefühls hinterlassen, gibt es eine zweite Quelle für mögliche psychische Störungen. 3. Schließlich ist die Rolle der trauernden Person schwierig. Man erwartet von ihr bestimmte Verhaltensweisen, die nicht erlernt worden sind, auf die man also schlecht vorbereitet ist. Man muß hinzufügen, daß, je weniger diese Rollen von der Zivilisation definiert sind (und in der gegenwärtigen Periode werden sie es immer weniger), um so mehr die verwirrte Person Gefahr läuft, psychischen Problemen zum Opfer zu fallen, die auf die Dauer ihre geistige Gesundheit angreifen können[12]. Was nun die affektive Bindung und Veränderungen der Persönlichkeit betrifft, die auf einen Todesfall in der Familie folgen, so zerstört die Trauer eine Gefühlseinheit und läßt den Überlebenden in Verwirrung zurück. Der Tod zerstört auch eine Reihe von Gewohnheiten, die man gemeinsam angenommen hatte, die man miteinander teilte und die durch das brutale Verschwinden das Gefühl der »Leere« wecken, die unmöglich ausgefüllt werden kann. Eliot hat, von dieser Krise ausgehend, die, wie man feststellt, nicht eine einfache psychologische, sondern eine soziologische Krise ist, alle möglichen Wirkungen katalogisiert. Unmittelbare Wirkungen: Gefühl der Verlassenheit, Ablehnung und Zurückweisen des Todes (die bis zu dem Gefühl der Irrealität der Ereignisse führen können), Ruhe, Neurose, Überspanntheit, gegen die eigene Person gerichtete Angriffe (die bis zu Selbstmordversuchen führen können), Unterdrückung des Schmerzes, Schuldgefühle (man klagt sich an, am Tode des geliebten

11. Über diese verschiedenen und andere Dimensionen wie Alter zur Zeit des Trauerfalls, soziale Klasse, ethnische Herkunft, Religion, Größe der Familie, Gesundheitszustand der sterbenden Person (ob es ein gebrechlicher Mensch ist, der von seinen Leiden erlöst wird oder ein Mensch in voller Lebenskraft) usw. siehe E. H. Volkart in Zusammenarbeit mit S. T. Michel, »Bereavement and mental health«, in A. H. Leighton, J. A. Clausen und R. N. Wilson, o. c.

12. J. Stoetzel, *Psychologie sociale*, Flammarion, 1963.

Menschen schuldig zu sein, man hat vielleicht nicht alles getan, was möglich war), Groll gegenüber den anderen (Ärzten, anderen Familienmitgliedern ...). Sekundäre Reaktionen: Alkoholismus, Selbstmord und andere Fluchtlösungen – Kompensationsrituale, zum Beispiel Fortdauer der Erinnerung an den Toten durch eine Art Totenkult – Masochismus und Exhibitionismus (eingeschlossen bleiben, niemanden sehen wollen ...) – Identifikation (man reinkarniert den Toten, indem man sich mit ihm identifiziert, um ihn weiterleben zu lassen – Transfer und Substitution (die Zuneigung wird auf ein anderes Glied der häuslichen Gruppe übertragen). Wie wir sehen, zieht nach Eliot die Trauer Folgen nach sich, von denen einige pathologisch und andere für unsere Kultur normal sind. Wenn dem Überlebenden die Neuanpassung an das Leben, das für ihn weitergeht, nicht gelingt, dann bilden sich die Wurzeln der Psychose (Selbstmord, unbewußt erwünschter Tod, Wahnsinn). Wenn es sich nicht um ein totales Versagen bei der Anpassung handelt, finden wir nur neurotische Reaktionen (totale Entkräftung, Willenlosigkeit, Verlust der Lebensfreude, Vereinsamung, Beschwerden, Selbsthaß ...)[13].

Diese verschiedenen Analysen helfen uns, besser zu verstehen, warum in den Statistiken zu Anfang dieses Kapitels die Verwitweten einen so wichtigen Platz einnahmen. Das gilt besonders für die Verwitweten in den höchsten Altersklassen. Ein Beweis dafür ist eine neue Statistik über die Anpassung der Alten in New York 1950:

Verheiratete Männer	17,9 %	Witwer	25,8 %
Verheiratete Frauen	17,8 %	Witwen	27,9 %
Beide Gruppen	17,9 %	Beide Gruppen	28,1 %
Männer, getrennt, geschieden	36,6 %	Männer, ledig	26,0 %
Frauen, getrennt, geschieden	29,4 %	Frauen, ledig	24,1 %
Beide Gruppen	33,3 %	Beide Gruppen	25,0 %

Wenn man aber gleichzeitig Familienstand, Alter und wirtschaftliche Lage berücksichtigt, (der Tod des einen Ehepartners kann den Lebensstandard der häuslichen Gruppe senken), so stellt man fest, daß der Unterschied beim Prozentsatz der Geisteskrankheiten zwischen den Verwitweten und Verheirateten, statistisch gesehen, nicht bedeutend ist. Eine Ausnahme bilden die Männer und Frauen in der Altersgruppe zwischen 65–74 Jahren, die einen niedrigen Lebensstandard haben und von guter körperlicher Gesundheit sind[14].

2. Die Psychoanalyse hat unterstrichen, welche Bedeutung die Stellung in der Geschwisterreihe und der Gegensatz der Psychologie der Ältesten und der Jüngsten für die Entwicklung der Persönlichkeit hat. Man kann sich fragen, ob diese

13. Thomas D. Elliot, »The bereaved familiy« (*The Annals of the Am. Acad. of Pol. and Soc. Science*, Philadelphia, 2501, 1932).

14. S. S. Bellin und R. H. Hardt, »Marital status and mental disorders among the aged« (*Amer. Soc. Rev.*, 23, 2, 1958, S. 155–162).

Unterschiede sich nicht auch auf dem Gebiet der mentalen Pathologie auswirken. Bei der Schizophrenie zum Beispiel hat Wahl herausgefunden, daß sie bei den Jüngsten dominiert, was sowohl für die paranoide als auch für die katatone Form gilt[15]. Schooler, der nur eine weibliche Gruppe hospitalisierter Schizophrener in Betracht gezogen hat, findet ebenfalls in der jüngeren Hälfte der Geschwistergruppe einen höheren Prozentsatz als in der ersten Hälfte. Dagegen herrscht bei ihnen die katatone, nicht die paranoide Form vor[16]. Analoge Feststellungen macht Sanua: Vorherrschen der Schizophrenie bei einzelnen oder jüngsten Söhnen, Dominieren der katatonen Form gegenüber der paranoiden. Er erklärt das aus der dominierenden Liebe der Mutter zu dem einzigen Sohn oder dem Zuletztgeborenen, die seine normale Entwicklung verhindert hat:

	Paranoide	*Katatone*
	–	–
Einziger Sohn	14,0 %	21,0 %
Jüngster Sohn	25,0 %	43,5 %
Ältester Sohn	35,0 %	21,5 %
Mittlerer Sohn	16,5 %	14,0 %[17]

Malzberg hat über dieses Problem eine sehr weit angelegte Untersuchung durchgeführt, für die er verschiedene mathematische Methoden verwendete. Er ist von der gängigen Auffassung ausgegangen, daß der Erstgeborene für Geisteskrankheiten anfälliger als die Spätergeborenen ist, was auch aus den Ergebnissen von Heren im Krankenhaus von Perth hervorzugehen schien.

	Auf 1000 Kranke	Auf 1000 Kranke im Familienbestand
	–	–
Erstgeborener	230,8	167,5
Zweitgeborener	170,9	159,5
Drittgeborener	166,7	150,4
Viertgeborener	151,7	129,6
Fünftgeborener	87,6	112,4
Sechstgeborener	70,5	86,6 usw.

Er hatte aber den Eindruck, daß viele von diesen Erstgeborenen Geistesschwache oder Epileptiker und nicht Psychotiker im medizinischen Sinne des Wortes waren. Er wählte deshalb eine Psychose im eigentlichen Sinne, die *Dementia praecox* aus, untersuchte sie bei einer Gruppe von 549 Kranken aus dem Staat New York und verglich sie in bezug auf Kinderzahl mit der Familienzählung von 1930. Er erhielt dabei die folgenden Ergebnisse:

15. C. W. Wahl, o. c.
16. C. Schooler, »Birth order and schizophrenia« (*Arch. Gen. Psychiat.*, 4, 1961, S. 91–94).
17. V. D. Sanua, *A comparative study...*, o. c.

	Familienzählung	*Dementia praecox*
	–	–
1. Kind	33,2 %	4,9 %
2. Kind	28,8 %	13,3 %
3. Kind	18,0 %	17,3 %
4. Kind	10,0 %	**12,6 %**
5. Kind	5,1 %	12,2 %
6. Kind	2,5 %	11,8 %

Es ist aber wahrscheinlich, daß man, je größer die Familien sind, desto mehr kranke Kinder in ihnen findet. Wenn man nicht nur diesen Irrtum korrigieren, sondern auch die Stellung des Ältesten in der Gruppe der Psychotiker sehen will, muß man diese statistischen Angaben einer speziellen mathematischen Behandlung unterziehen. Wenn man die Familien mit einem Einzelkind, in denen der Kranke zwangsläufig der Erstgeborene ist, eliminiert und die Methode von Weinberg, Greenwood und Yule anwendet, kommt man zu folgenden Ergebnissen: Bei einer Familie von 3 Kindern erwartet man 17,3 und hat nur 16 usw. So kommen wir auf einem anderen Weg zu den früheren Schlußfolgerungen zurück, die besagen, daß die Ältesten den Jüngeren hinsichtlich ihrer geistigen Gesundheit überlegen sind[18]. Die in Frankreich von Mauco und Rambaud unternommenen Untersuchungen kommen zu entgegengesetzten Schlußfolgerungen. Freilich handelt es sich hier um Kinder, die wegen affektiver und charakterlicher Schwierigkeiten in Behandlung gebracht worden sind. Bei einer Testgruppe von 200 Kindern:

	Klinische Fälle	*Volkszählung (auf 100 Kinder unter 21 Jahren)*
	–	–
Einzelkinder	33 %	18 %
Älteste	27 %	21 %
Mittlere	20 %	51 %
Jüngste	19 %	51 %

Findet also, wenn man von den Psychosen zu den Problemkindern übergeht, eine Umkehrung statt? Oder muß man diese gegensätzlichen Werte den kulturellen Gegensätzen zuschreiben, die sich im Verhalten der amerikanischen und französischen Eltern gegenüber ihren Kindern, je nachdem welche Stellung sie in der Geschwisterreihe haben, bemerkbar machen? Jedenfalls erklären Rambaud und Mauco diese Zahlen beim einzigen Sohn durch die besitzergreifende Mutter (spätere Entwöhnung, das Kind schläft im Schlafzimmer der Eltern zwei- oder dreimal öfter als in den kinderreicheren Familien, usw.) – beim ältesten Sohn durch die Schwierigkeit, die für ihn dadurch entsteht, daß er zunächst von der Mutter verhätschelt wird und dann sehen muß, wie seine Mutter ihn verläßt, um sich mehr mit dem Neugebore-

18. B. Malzberg, o. c. Kap. X.

nen zu beschäftigen. Bei ihm aber auch durch die Tatsache, daß man ihn zu früh für einen Erwachsenen hält (starker Anteil von Ödipuskomplexen und brüderlicher Eifersucht)[19] – bei den mittleren und den Jüngsten durch den Wunsch, die Großen einzuholen, die Aufmerksamkeit der Erwachsenen auf sich zu lenken und nicht mehr für »klein« gehalten zu werden. Wie man sieht, vermindert sich die Intensität der Traumata zunehmend und parallel dazu die Störungen des Charakters oder der Affektivität. Die Symptome in den einzelnen Kategorien sind verschieden: mangelnde Disziplin in der Schule bei den einzigen Söhnen, Unbeständigkeit bei den Ältesten, Sprechstörungen bei den Mittleren, Nervosität bei den Jüngsten[20].

Man muß andere Studien abwarten, um zu sehen, ob bei den Psychosen die Stellung in der Geschwisterreihe eine andere Rolle spielt, und ob die statistischen Ergebnisse unserer Hospitäler dann nicht denen der Vereinigten Staaten nahe kommen. Man muß feststellen, daß Mauco und Rambaud die Kinder unter 21 Jahren untersuchen, während die Statistiken in den Vereinigten Staaten sich auf die familiären Ursachen beziehen, die für die Entstehung von Psychosen bei den Erwachsenen verantwortlich sind. Wir sind jedenfalls, ohne es zu merken, mit diesen letzten Untersuchungen, der Interpretation der Fakten, von der Familie als sozialer Institution zu der Familie als Gruppe von Interrelationen übergegangen. In dem letzten Teil unserer Psychiatrie der Familie wollen wir die Familie unter diesem Gesichtspunkt betrachten.

2. DIE PSYCHIATRIE DER FAMILIE UNTER DEM GESICHTSPUNKT DER INTERRELATIONEN

Wir verfügen über einige Untersuchungen der Relationen zwischen den Ehegatten und ihre Pathologie[21]. Aber unter dem Einfluß der Psychoanalyse sowie der besonderen Eigenart der amerikanischen Soziologie, die eine Soziologie der Relationen ist, war Gegenstand der meisten Analysen der Psychiater vor allem die Beziehung zwischen Eltern und Kindern.

Die psychoanalytische Soziologie, die von dem Freudschen Postulat ausgeht, hat sich darum bemüht, zu zeigen, daß das menschliche Schicksal in den ersten Lebensjahren besiegelt ist, daß jede Kultur die Kinder auf ihre eigene Weise aufzieht, und

19. F. Alexander hat ebenfalls auf die Störungen beim ältesten Sohn hingewiesen, aber er tat es bei der zweiten Ausländergeneration. Die Mutter opfert sich, damit er sein Glück versuchen kann, und der Vater wird entthront bei diesem Rennen nach dem Erfolg, der in der ersten Generation schwer zu erreichen ist (»Educative influence of personality factors in the environment«, in C. Kluckhohn und H. A. Murray, *Personality in Nature, Society and Culture*, New York, 1948).

20. Georges Mauco und Paule Rambaud, »Le rang de l'enfant dans la famille« (*Rev. fr. de Psychan.*, 2, 1951).

21. Zum Beispiel in Frankreich Dublineau und Follin, »Le bourreau domestique et le couple conjugal, bases cliniques d'une méthodologie gestaltiste en caractérologie« (*Am. Med. Psych.*, I, 1944).

daß, je nachdem, ob die Frustrationen oraler, analer oder sexueller Art sind, man bei den Erwachsenen verschiedene Formen von psychischen Störungen findet[22]. Aber in unserer eigenen Zivilisation hat jede soziale Klasse auch ihre eigene Kultur. Man hat besonders betont, daß die Unterschicht sehr viel toleranter, die Mittelschicht puritanischer ist – daß die Frustrationen in der Unterschicht vor allem oraler Art sind (determiniert durch den Lebensstandard) und in der Mittelschicht anale Frustrationen vorherrschen (bedingt durch die Bedeutung, die in dieser Klasse der Sauberkeit beigemessen wird)[23]. Das würde sich, wie wir in unserem Kapitel über die Ökologie gesehen haben, auch darauf auswirken, daß in den beiden Klassen verschiedene Geisteskrankheiten auftreten. Natürlich können diese Interpretationen, je nachdem, um welche Autoren es sich handelt, einen vorwiegend psychoanalytischen Charakter haben. In ihnen wird vor allem nach den Entwicklungsphasen der Libido gefragt, nach den Gründen, die diese Entwicklung in dem einen oder anderen Milieu hemmen, nach den Regressionen ebenso wie nach dem Ödipuskomplex, der in den einzelnen Klassen mehr oder weniger schwer aufzulösen ist. Oder aber es handelt sich, wie bei Fromm, um mehr soziologische Interpretationen. Nach ihm sieht das Kind in den Verboten der Eltern mehr Regeln als sexuelle Konflikte, auch wenn sie unbewußt sind[24]. Schließlich muß man mit Ruth Benedict Kontinuitäten oder Diskontinuitäten mit einbeziehen, die zwischen der Kindheit und dem Jugendalter bestehen. Charakteristisch für unsere westliche Zivilisation ist der übertriebene Schutz, der dem Kind zuteil wird und die im Gegensatz dazu stehende Freiheit, die dem Jugendlichen gewährt wird. Die die Sexualität betreffenden Verbote stehen im Gegensatz zur späteren Apologie der sexuellen Virilität[25].

Es versteht sich von selbst, daß selbst, wenn diese Feststellungen fundiert sind, die Soziologie der Geisteskrankheiten aus ihnen keinen großen Gewinn ziehen kann. Sie kann lediglich Tendenzen in Richtung auf die eine oder andere Form mentaler Pathologie erkennen. Sind sie aber wirklich fundiert? Beim Vergleich der Untersuchungen über die Kindererziehung nach sozialen Klassen in Chicago und Harvard hat man festgestellt, daß es einige gemeinsame Punkte, aber doch sehr große Unterschiede gibt. Man kann also nicht unbesorgt von einem begrenzten Ergebnis auf eine ganze nationale Klasse allgemeine Schlüsse ziehen. Die regionalen und religiösen Unterschiede sowie die, die mit der ethnischen Zusammensetzung der Bevölkerung zusammenhängen, führen Variable ein, die man kontrollieren muß. Wir werden übrigens feststellen, daß von den Schlüssen, die den beiden Untersuchungen gemeinsam sind, einige den Schlüssen, die wir vorher genannt haben, ent-

22. Vgl. Erick H. Erickson, *Childhood and Society*, New York, 1950, für die allgemeine Theorie und für die pathologischen Auswirkungen A. Kardiner und Linton, *The Individual and his Society*, New York, 1936.

23. Vgl. z. B. Allison Faris und R. J. Havighurst, »Social class and color Differences in child-rearing«, in Kluckhohn und Murray, o. c.

24. E. Fromm, »Individual and social origins of neurosis«, in Kluckhohn und Murray, o. c.

25. Ruth Benedict, »Continuities and Discontinuities in cultural conditioning«, in Kluckhohn und Murray, o. c.

gegenstehen. So scheint die Unterschicht bei der Sauberkeitserziehung strenger zu sein und mehr zu strafen. Und die Kinder der Mittelschicht haben am Tage mehr Bewegungsfreiheit außerhalb des Hauses als die Kinder der Unterschicht[26]. Vor allem aber müssen wir feststellen, daß der den Kindern aufgezwungene Erziehungsstil eine »Konstante« ist, die Störungen aber glücklicherweise nur in einigen Familien auftreten. Wichtig sind nicht so sehr die allgemeinen Normen dieser oder jener Klasse, sondern vielmehr die besonderen familiären Bedingungen, unter denen dieses oder jenes Kind gelebt hat. Kurz gesagt, unsere Methode besteht nicht darin, daß man vom sozialen Milieu ausgeht, um so auf die Neurosen und Psychosen zu kommen, sondern vielmehr darin, daß man von den Neurose- oder Psychosefällen ausgeht, um auf die Strukturen der familiären Beziehungen zurückzugehen, die die Störungen verursacht haben können. Cameron hat darauf aufmerksam gemacht, daß die Zwangsneurose sich in Familien entwickelt, die gegenüber dem Kind besonders tyrannisch sind. Wenn das Individuum erwachsen geworden ist, ist es gespalten in die Rolle des unterdrückten Kindes, das es gewesen ist, und die Rolle der grausamen Eltern, die es verinnerlicht hat. Es »wechselt in seinen eigenen Reaktionen gegenüber sich selbst zwischen der kulturell bedingten Rolle der überkritischen, rachsüchtigen, dominierenden Eltern und der entsprechenden sozialen Rolle des ängstlichen, schuldigen, reumütigen Kindes[27].« Am weitesten voran sind die Untersuchungen über das soziale Milieu geführt worden, in dem die Schizophrenie sich entwickelt[28]. Weil sich die Mutter mit dem Kleinkind beschäftigt, hat die Aufmerksamkeit sich vor allem auf die Mutter gerichtet . . . auf eine Mutter, die entweder überprotektionierend oder aggressiv, dominierend ist und das Kind ablehnt. Man hat den Vorschlag gemacht, eine solche Mutter »schizophrenogen« zu nennen[29]. Kohn und Clausen berücksichtigen beide Eltern. Zweifellos ist einerseits eine autoritäre und kastrierende Mutter nötig, andererseits aber auch die Gegenwart eines unscheinbaren, untertänigen Vaters, der gleichgültig oder nachlässig ist (den das Kind nicht verinnerlichen kann, um sein Über-Ich zu formen[30]. Frazee dagegen findet bei den Kranken, die er untersucht hat, daß die meisten »Väter streng, grausam und ablehnend sind«. Diese Entdeckung, so fährt er fort, ist deshalb interessant, weil sie wider alles Erwarten in Gegensatz zu der Vorstellung von einem passiven, unfähigen Vater steht, wie er der allgemeinen Vorstellung der psychiatrischen »Literatur« entspricht[31]. In Frankreich wollen Sivadon und Mises

26. R. J. Havighurst und A. Davis, »A comparison of the Chicago and Harvard studies of social class differences in child rearing« (*Amer. Soc. Rev.*, XX, 44, 1955, S. 438–442).

27. N. Cameron, »Role concepts in behavior pathology« (*Amer. Journ. of Sociol.*, 55, 1950, S. 464–467).

28. G. Bateson, D. D. Jackson, J. Haley, J. Weakland, »Toward a theory of schizophrenia« (*Behavior Sciences*, 1956, 1, S. 251–264).

29. Frieda Fromm-Reschmann, »Notes on the development of treatment of schizophrenia by psychoanalytic psychotherapy« (*Psychiatry*, 11, 1948, S. 263–273).

30. M. L. Kohn und J. A. Clausen, »Parental authority behavior and schizophrenia« (*Amer. Journ. Orthopsychiat.*, 1956, 26, S. 297–313).

31. Helen E. Frazee, o. c.

vor allem die Rolle der autoritären Mutter als Auslöser für die Schizophrenie sehen[32]. Andere Autoren dagegen denken, daß die Gegenwart eines unfähigen oder passiven Vaters ein viel wichtigerer Faktor als die Existenz einer autoritären Mutter ist[33].

Würden aber nicht alle diese Widersprüche verschwinden, wenn man, anstatt von Schizophrenie im allgemeinen zu sprechen, deren verschiedene Typen unterscheiden würde? Nach Arieti »tadelt die Mutter des paranoiden Schizophrenen ihr Kind nicht wegen seiner Handlungen, sondern klagt es wegen seiner schlechten Absichten an ...« Dadurch entwickelt sich in ihm die Tendenz zur Rationalisierung, mit deren Hilfe es sich vor den Verdächtigungen und Anklagen schützen will ... Der katatone Kranke andererseits ist nicht befähigt worden, in sich die Fähigkeit zu entwickeln, sich selbst zu entscheiden. Der Grund dafür ist, daß seine Eltern ihm ihren Willen aufgezwungen haben, als er Kind war. Die katatone Verteidigung bedeutet so den Kampf zwischen dem einverleibten Bild der Eltern und den eigenen Wünschen des Kranken. Diesen Konflikt löst er, indem er die vollkommene Inaktivität wählt[34]. »Man kann auf Grund dieser Hypothesen schließen, daß der paranoide Typ sich vorzugsweise in den Familien entwickelt, in denen das Kind von seinen Eltern abgelehnt wird, und der katatone Typ eher in den überprotektionierenden Familien. Hitson und Funkenstein, die den paranoiden Typ in zwei so verschiedenen kulturellen Milieus wie Boston und Burma verglichen haben, betonen die Wichtigkeit der »sozialen Distanz« bei der Kommunikation zwischen Eltern und Kindern. Um bei Boston zu bleiben – wir haben ja aus diesem Buch die Ethnopsychiatrie ausgeklammert – so scheint es, daß der Vater in Familien von Paranoiden die einzige Quelle der Autorität, die Mutter die einzige Quelle der Zuneigung ist. Das Kind sieht also, daß es ihm unmöglich ist, das soziale Milieu zu kontrollieren und daß seine Handlungen denen, die es umgeben, als nicht vorhersehbar erscheinen. Auf Tadel des Vaters und die Trauer der Mutter reagiert es, indem es seine Handlungen vor sich selbst dadurch rechtfertigt, daß es Geschichten erzählt und so nachträglich rationalisiert, was Resultat seiner eigenen Spontaneität war. So entwickelt es in sich eine paranoide Tendenz. Die Kranken dagegen, die an Depression leiden, haben in Familien gelebt, in denen ihre Wünsche von den Eltern immer erfüllt worden sind, in denen das Kind ein von anderen manipuliertes Objekt wurde, um in der häuslichen Gruppe ein Klima der Harmonie und des Glücks aufrechtzuerhalten. Später aber wird dieses behütete und verhätschelte Kind sehr schnell merken, daß die anderen Leute sich aus ihm, seinen Wünschen und seinen Ansprüchen gar nichts machen, daß die Gesellschaft keine große Familie ist. Daraus entstehen

32. P. Sivadon, R. und J. Mises, »Le milieu familial du schizophrène« (*Evol. psychiatr.*, 1, 1954, S. 145–157).

33. T. Lidz, »The role of the father in the familiy environment of the schizophrenic patients« (*Amer. Journ. of Psychiat.*, 1951, 113, S. 126–132).

34. S. Arieti, »Interpretation of schizophrenia«, New York, 1955, (nach der Zusammenfassung von Sanua, o. c.).

seine depressiven Krisen[35]. Diese Schlüsse, Ablehnung einerseits, übertriebene Liebe auf der anderen Seite, knüpfen wieder an die Schlüsse von Arieti an. Die empirischen Untersuchungen von Sanua, auf die wir bereits im Zusammenhang mit den religiösen Gruppen verwiesen haben, bestätigen, daß in den Familien von paranoiden Kranken die Ablehnung zwei- oder dreimal so häufig wie in Familien mit katatonen Kranken auftritt[36].

So hängen die Diskussionen zwischen den Psychiatern vor allem damit zusammen, daß sie die Typen der Schizophrenie nicht berücksichtigen. Wenn Wahl behauptet, daß die Ablehnung sie hervorruft, so liegt das daran, daß es in seiner Versuchsgruppe nur 15 % Katatone gab (so blieb die Rolle der Überprotektion verborgen). Wenn für andere Autoren wie Gérard und Siegel die Überprotektion der dominierende Faktor ist, so deshalb, weil ihre Versuchsgruppe ungefähr 50 % Katatone umfaßt[37]. Man kann natürlich mehr Familien des einen oder anderen Typs in einer bestimmten Klasse, einer bestimmten ethnischen oder religiösen Gruppe finden. Das würde auf gewisse soziologische Prädominanzen schließen lassen. In jeder Klasse, in jeder ethnischen und in jeder religiösen Gruppe aber gibt es Eltern, die ihre Kinder verwöhnen, und andere, die sie ablehnen. Daher kommt es, daß man innerhalb derselben Gruppe immer paranoide und katatone Kranke findet.

Die psychoanalytische Soziologie befindet sich seit einigen Jahren in den Vereinigten Staaten in einer Krise. Die Kritik aber, die an ihr zum Beispiel durch Lindesmith und Strauss[38] oder Sewell[39] geübt wurde, bezieht sich vor allem auf die oralen oder analen Frustrationen und ihre möglichen Folgen für die geistige Gesundheit der Individuen. Letztere, der 162 kleine amerikanische Landbesitzer untersucht hat, konnte zeigen, daß die Anpassungsfähigkeit sich nicht nach den verschiedenen Erziehungserfahrungen unterschied. Die Kinder, die an der Brust ernährt worden waren, unterschieden sich nicht von denen, die nicht gestillt worden waren, die allmählich Entwöhnten nicht von denen, die brutal abgestillt worden waren, die, die bestraft wurden, wenn sie sich vergaßen, nicht von denen, die nicht getadelt wurden. Der einzige feststellbare Unterschied bestand zwischen denen, die anale Frustrationen früh oder in fortgeschrittenerem Alter erlebt hatten. Dasselbe gilt für Ablehnung oder Überprotektion. Auch hier hat Sewell keine bedeutenden Unterschiede zwischen den Kindern festgestellt, die sehr an die Mutter gebunden waren, und denen, die es nicht waren, zwischen denen, die in einem Milieu affektiver Sicherheit gelebt hatten und denen, die so etwas nicht gekannt hatten. Trotzdem zog er daraus nicht den Schluß, daß die Kindheit keine bedeutende Periode für ein aus-

35. H. M. Hitson und D. H. Funkestein, »Family pattern and paranoidal personality structure in Boston and Burma« (*The Int. Journ. of Soc. Psychiat.*, V, 3, 1960).

36. V. D. Sanua, o. c., pp. 37–44.

37. D. L. Gerard and J. Siegel, »The Familiy background of schizophrenia« (Psychiat. Quart., 1950).

38. Lindesmith und A. L. Strauss, »Critique of culture-personality writings« (*Amer. Soc. Rev.*, XV, 1950).

39. W. H. Sewell, »Infant training and personality of the child«, in A. M. Rose, Hrsg., o. c.

geglichenes Verhalten ist. Am wichtigsten aber sind nicht die Praktiken der Ernährung oder die Sauberkeitserziehung, sondern die Gesamtsituationen, in denen sie auftreten, besonders das Verhalten und Benehmen der Mutter. Daraus ergibt sich immerhin, daß Arbeiten wie die von Arieti unbehelligt durch Kritiken bleiben, die besonders in der Schule »Culture et Personnalité« immer zahlreicher werden. Diese Schule ist immer mehr darauf bedacht, den Einfluß familiärer Praktiken zu verringern.

*

In jedem Kapitel, das wir geschrieben haben, hätten wir die empirischen oder klinischen, die statistischen oder interpretatorischen Untersuchungen vervielfachen können. Wir haben uns darauf beschränkt, diejenigen zu zitieren und zu resümieren, die uns am bezeichnendsten erscheinen.

Wir können jetzt auf die Frage zurückkommen, die wir bereits in Kapitel III gestellt und dort nicht gelöst haben. Wir hatten uns darauf beschränkt, die widersprechenden Doktrinen einander gegenüberzustellen und uns vorbehalten, erst eine Lösung zu bringen, nachdem wir unsere Untersuchung über die verschiedenen sozialen Faktoren abgeschlossen haben, die zur Erklärung der Geisteskrankheiten angeführt worden sind. Es handelt sich um die Frage nach der Gültigkeit der Soziogenese für die sogenannten reaktionellen Psychosen wie für die Neurosen.

Neuntes Kapitel

Pause am Ende eines Weges

Der Leser, der uns durch diese unübersehbare Fülle von Monographien über Gruppen Geisteskranker gefolgt ist, läuft Gefahr, sich entmutigt zu fühlen. Man steht wie vor einem Puzzle, von dem viele Stücke fehlen und dessen fehlende Stücke durch Teile anderer Puzzles ersetzt worden sind. Bildteile, die einander nicht entsprechen, Windungen, die sich nicht immer ineinander einfügen lassen. Vergeblich unternimmt man den Versuch, das Bild zusammenzusetzen, selbst lückenhaft gelingt es nicht. Alles, was man erreichen kann, bleibt ein geordnetes Chaos, denn man verfügt nur über Fragmente verschiener Puzzles.

Die Zählungen liefern uns manchmal die Gesamtzahl der hospitalisierten Kranken. Man kann aber nicht, von diesen Gesamtzahlen ausgehend, einen Embryo der Soziologie der geistigen Störungen aufbauen. Man muß die verschiedenen Variablen kontrollieren und folglich eine begrenzte Gruppe wählen. In den vorhergehenden Kapiteln haben wir gesehen, wie sehr sich die Psychiater und die Soziologen, die oft zusammenarbeiten, bemüht haben, ihre statistischen Methoden zu verfeinern, ihre quantitativen Untersuchungen durch Falluntersuchungen zu vervollständigen. Zwangsläufig aber verliert man an Umfang, was man an Genauigkeit gewinnt. Wir verfügen über gute Arbeiten über die Kranken von diesem oder jenem Hospital. Wie aber sollen wir von diesen Mikrosoziologien her auf das kommen, was wir erreichen wollten, zu einer Makrosoziologie? Wir haben Sterne, von denen einige besonders glänzend sind. Aber selbst von ferne betrachtet, bilden sie zusammen nicht die Milchstraße unserer Träume.

Die Folgerungen aus diesen Teiluntersuchungen kann man tatsächlich schwer miteinander vergleichen, und sie ergänzen einander auch schwerlich. Denn um diese Untersuchungen auszuführen, hat man verschiedene Techniken angewandt. Und bekanntlich ist die Technik ja Teil des Objekts. Das heißt, die Objekte sind weniger bekannte Tatsachen als Konstruktionen des Geistes. Und so kommen wir wieder auf unser Bild der vermischten Puzzles zurück. Die mit verschiedenen Methoden konstruierten Objekte lassen sich nicht miteinander vergleichen, weil sie methodologisch zu verschiedenen Welten gehören. Deshalb ist es nicht erstaunlich, wenn wir manchmal feststellen mußten, daß die Ergebnisse mehrerer Untersuchungen, weit davon entfernt, einander gegenseitig zu stützen, sich widersprochen haben. Gestehen wir aber trotz unserer Kritik ein, daß diese Untersuchungen uns objektive Ergebnisse liefern können. Vom Standpunkt der Soziologie der Geisteskrankheiten aus enthalten sie, wenn man sie vergleichen will, einen inneren Widerspruch. Tatsächlich hat jedes Gebiet seine eigene Kultur oder, genauer gesagt, seine eigene Subkultur. Die sozialen Strukturen weisen bemerkenswerte Unterschiede auf, die ökologischen Unterschiede liegen offen zu Tage. Wenn also – und das ist schlechthin das

Postulat unserer Soziologie – die Geistesstörungen die Einflüsse der Kultur, der Organisation der Gesellschaft und des menschlichen Milieus ausdrücken, sind wir dazu verurteilt, die Kranken aus einer kleinen Stadt im Süden der Vereinigten Staaten nicht mit denen eines New Yorker Viertels zu vergleichen. Wir sind gefangen im Besonderen und können keine gemeinsamen Gesetze entdecken. Schlimmer noch ist, daß es psychiatrische Schulen gibt, daß die Diagnosen durch Universitätstraditionen gestellt werden und daß die Typen der unterschiedenen Psychosen voneinander abweichen. Auf diese Schwierigkeit sind wir selber in Brasilien gestoßen, als wir im Zusammenhang mit den »Ambulatorien« feststellten, daß, je nachdem, welcher Psychiater Dienst tut, die Prozentsätze der Typen verschieden sind, daß selbst die Relationen zwischen Neurosen und Psychosen nicht dieselben waren. So kommt es, daß wir über ein Ensemble von Arbeiten verfügen, die wir nicht einer Beweiskritik unterziehen können, um so ihre Ergebnisse miteinander vergleichbar zu machen.

Deshalb müssen wir einen Moment verweilen, einen gewissen Abstand von dieser unübersehbaren Fülle heterogener Untersuchungen gewinnen, um zu sehen, ob wir nicht doch aus dieser Ansammlung einige Schlüsse auf die Stellung der soziologischen Faktoren in der Ätiologie der Geisteskrankheiten ziehen können.

Beginnen wir mit dem Einfachsten, das heißt mit dem Problem der Neurosen. Wir sind zwei Theorien begegnet. Die erste erklärt sie, indem sie von der Soziologie der Familie ausgeht, und die zweite, indem sie von der Soziologie der westlichen Gesellschaft ausgeht. Was ruft die Neurose hervor? Sind es die Relationen zwischen Kindern und Eltern, die Art und Weise, mit der sie von der Mutter oder dem Vater die elementare Disziplin erlernt haben? Oder sind es die Widersprüche der kapitalistischen Gesellschaft, die Ungeordnetheit oder die schwierigen Probleme des städtischen Lebens, die unaufhörlich wachsende Mannigfaltigkeit der Rollen, der bisweilen widersprüchlichen, die man spielen muß? Die Anhänger der traditionellen Psychoanalyse und die Anhänger der Neopsychoanalyse sind auf den vorhergehenden Seiten mehrfach aufeinandergeprallt. Wie in der Schule von Sullivan hat man manchmal versuchen wollen, die Debatte zu beenden, die Ergebnisse zu harmonisieren, indem man erklärte, daß die Kindheitserfahrungen zweifellos wichtig seien, daß man das Schicksal des Individuums aber nicht immobilisieren sollte. Denn jede Person entwickele sich, ändere sich, und zu dem Einfluß der Kindheitserfahrungen kämen die des Jugendlichen, der oft in eine Welt geworfen wird, auf die er nicht vorbereitet worden ist, die deshalb sogar traumatisch sein könnte. Der Psychoanalytiker versucht beim Neurotiker so weit wie möglich in die Vergangenheit zurückzugehen. Der Psychiater versucht, die ganze affektive und intellektuelle Biographie zu rekonstruieren, ohne dabei ein Moment höher als das andere zu bewerten. Wir könnten also, von dieser synthetischen Haltung ausgehend, eine Soziologie der Neurosen begründen, indem wir nacheinander, bei der Familie beginnend, die verschiedenen sozialen Traumata aufzählen, die sich im Laufe der Zeit aneinanderfügen[1].

1. H. B. Murphy und seine Mitarbeiter haben zum Beispiel überzeugend gezeigt, daß die mentalen Störungen bei den in einen anderen Ort versetzten und geflüchteten Personen

Ruth Benedicts Idee von den kulturellen »Kontinuitäten« oder »Diskontinuitäten«[2] würde uns unter diesem Gesichtspunkt sogar erlauben, besser zu verstehen, wie die Auswirkungen der ganzen Gesellschaft zu den früheren Auswirkungen der familiären Gesellschaft hinzukommen. Wir würden also eine im Grunde ekklektische Synthese überschreiten, um zu einer echten Theorie zu kommen. Wenn es zwischen dem, was vom Erwachsenen, und dem, was vom Kind verlangt wird, keine Dikontinuität gibt, wie das in einer großen Zahl primitiver Gesellschaften der Fall ist, tritt die Neurose nicht auf. Wenn man aber in den verschiedenen Altersgruppen gegensätzliche Verhaltensweisen verlangt, wie das in unserer westlichen Gesellschaft der Fall ist, treten Neurosen auf. Denn das Kind ist beschützt, aber auch gehemmt, während man vom Erwachsenen Initiative, Beweglichkeit und sexuelle Männlichkeit verlangt. Dasselbe Individuum ist gezwungen, zu Rollen überzugehen, die in der früheren Altersgruppe verboten waren, die aber in der neuen Gruppe obligatorisch werden: von der Nichtverantwortlichkeit zur Verantwortlichkeit – von der Unterwerfung zur Freiheit, ja sogar, wenn er Familienoberhaupt, Unternehmer, Geschäftsmann wird, ... zur Herrschaft – vom Verbot der Sexualität zur Ausübung seiner Männlichkeit. Für unsere Gesellschaft sind diese kulturellen Diskontinuitäten charakteristisch, und die Störungen kommen daher, daß manche Individuen auf die eine oder andere vor dem Erwachsensein liegende Ebene fixiert bleiben und den von unserer Zivilisation geforderten Sprung – in der Tat einen »gefährlichen« Sprung – nicht durchführen können. Wenn wir diesen Standpunkt akzeptieren, verstehen wir besser, daß man die Neurose gleichzeitig durch die familiären Einflüsse und die damit nicht in Zusammenhang stehenden Gesamtstrukturen unserer Gesellschaft erklären kann. Wenn K. Horney, deren Gedanken wir weiter oben zusammengefaßt haben, von »der Neurose unserer Zeit« spricht, so verinnerlicht sie nur im individuellen Bewußtsein diesen Konflikt zwischen den getrennten Forderungen von zwei Momenten des Lebens.

Man kann aber im Rahmen der Freudschen Orthodoxie bleiben und trotzdem die Bedeutung der gegenwärtigen sozialen Faktoren für die Auslösung der Neurosen anerkennen. Tatsächlich hat man den Aspekt des Entwicklungsstillstandes der Libido in archaischen Stadien überbetont und darüber einen anderen Aspekt des Freudschen Denkens vernachlässigt. Denn die Neurose rührt nicht von kindlichen Traumata her, sondern sie entsteht aus der Begegnung von zwei Traumata, einem alten und einem neuen. Damit eine Neurose entsteht, genügt es nicht, daß es in der frühen Kindheit einen Schock gegeben hat. Außerdem ist notwendig, daß dieser Schock durch die soziale Situation, in die der Erwachsene gestellt ist, zum Leben geweckt wird. Wir haben also ein ätiologisches Bild mit doppeltem Zugang, bei dem die Mikro- und die Makrosoziologie sich gegenseitig helfen. Die Theorie, die

ihre Ursachen in der Vergangenheit, nicht in den Schicksalsschlägen der Gegenwart hatten. Diese Störungen aber treten nur dann auf, wenn die Gemeinschaft sie schlecht aufnimmt oder gleichgültig bleibt. (*Flight and Resettlement,* Unesco, 1955).

2. Ruth Benedict, »Continuities and discontinuities in cultural conditionning«, in Kluckhohn und Murray, o. c.

man auf dieser Basis entwickeln könnte, wäre eine Theorie der Wiederholung. Wir können sie hier nur in großen Zügen entwerfen: Die sozialen Strukturen stellen formale Analogien dar, die unabhängig von ihren verschiedenen Inhalten in der Form von Konflikten, Niveaubrüchen, inneren Widersprüchen auftreten. Sie fordern dem Individuum Verhaltensweisen ab, die nach bestimmten reaktionellen Typen eingeteilt werden können. Wenn also die Gesamtgesellschaft einer Person eine Struktur bieten würde, die analog ist der, die in seiner frühen Kindheit auf ihn traumatisch gewirkt hat, die also eine ähnliches Verhalten von ihm fordert, so würde die Neurose sich einstellen. So kann der Tod des Ehepartners die schmerzliche Situation des Kindes »aufwecken«, dem die mütterliche Liebe entzogen worden ist. Die Härte der bürokratischen Organisation kann das Drama der harten väterlichen Erziehung wecken usw. Auch hier ist die Synthese zwischen familiären und sozialen Faktoren mehr als eine einfache Addition von Faktoren, denn beide Einflüsse werden in ein organisches Ganzes integriert.

Zweifellos wird man beanstanden, daß wir die konstituierenden Faktoren beiseite gelassen haben. Wir haben von den äußeren »Auslösern« der Neurose gesprochen und das Problem des »Terrains« scheinbar ignoriert. Muß aber nicht eine Ätiologie, die diesen Namen verdient, anerkennen, daß es »prädisponierte« Personen gibt? Wir müssen deshalb unsere Theorie vervollständigen, indem wir eine dritte Dimension einführen. Wir persönlich akzeptieren die Idee von Pierre Janet, die wir in dem Kapitel, das die historische Einleitung zu diesem Buch enthält, dargelegt haben, die Idee von der psychischen Energie oder »Spannung« (der eine nervliche oder zerebrale Energie entsprechen könnte), ebenso wie wir Vies Ideen von den psychischen »Schwellen« akzeptieren. Es liegt auf der Hand, daß unsere Gesellschaft uns immer kompliziertere Handlungen abverlangt, und daß die, die nicht über die notwendige Energie verfügen, um sie zu realisieren, eine niedrigere Realisationsschwelle für die geforderten Bemühungen haben:

»Wir haben zu zeigen versucht, wie sehr die einfache Verdauung sich von dem Akt unterscheidet, in der Stadt im schwarzen Anzug zu essen und sich dabei mit seiner Nachbarin zu unterhalten. Dasselbe gilt für die Geschlechtsakte, die eine sehr einfache und alte Grundlage haben, die sich aber dadurch unendlich komplizieren, daß soziale Tendenzen hinzukommen, ferner intellektuelle Akte im Hinblick auf die möglichen Folgen, außerdem moralkritische Tendenzen usw. Deshalb gibt es so leicht Störungen beim Essen in der Stadt, deshalb gibt es eine ganze Pathologie der Verlobung und der Hochzeitsreise ... Wenn ein Individuum veranlaßt wird, über eine Handlung nachzudenken, ihr mehr soziale oder moralische Bedeutung beizumessen, macht es die Handlung sehr viel schwieriger, ändert sie in Wirklichkeit und appelliert an andere, frühere Tendenzen. Das sieht man sehr gut bei der Pathologie der beruflichen und religiösen Handlungen. Umgekehrt kann man durch verschiedene Kunstgriffe diese Handlungen leichter machen, als sie eigentlich sind. Dieselbe Handlung, auf Rechnung eines anderen ausgeführt, wird manchmal leichter, als wenn wir sie auf eigene Rechnung ausführen, denn sie interessiert uns weniger. Es ist leichter, eine Handlung im Verborgenen als in der Öffentlichkeit durchzuführen. Schließlich ist es eigenartig zu beobachten, daß eine Handlung, die verspätet, wenn der Moment verstrichen ist, durchgeführt wird, immer leichter wird[3].«

Es gibt also »starke« und »schwache« Terrains. Man muß aber feststellen, daß das familiäre Milieu ein starkes Terrain zerbrechlich machen kann, daß die kindliche Erziehung die Widerstandsschwelle der Psyche für die künftigen Schwierigkeiten, denen der Erwachsene begegnet, erhöhen oder senken kann, und daß die »Prädispositionen« gleichzeitig konstitutionelle und soziologische Voraussetzungen integrieren. Man kann nicht die Elemente einer »Gestalt« herauslösen, auf die alles zurückgeht. Wir kommen in der Tat schließlich zu einem Modell im Sinne der Gestaltphilosophie, dessen verschiedene Teile, der persönliche, familiäre und soziale, voneinander abhängen, um ein einziges System von Interrelationen zu bilden, das man immer in seiner organischen Ganzheit erfassen muß.

Mit den Problemen der Therapie haben wir uns nicht beschäftigt. Das sind Probleme, die nur den Psychiater angehen. Die Therapie aber bildet eine Art Gegenprobe zur Bestätigung unserer Hypothesen. Deshalb können wir sie unter diesem Gesichtspunkt zumindest, und nur unter diesem Gesichtspunkt, nicht gänzlich außer acht lassen. Die Therapie besteht in der Tat in einer an der Pathologie orientierten Manipulation. Sie schafft ein provoziertes Experiment – genauso wie auf der Ebene der ganzen Gesellschaften die Planung erlaubt, das soziologische Experiment zu ersetzen. Wie kann man nun die sowjetische Psychiatrie definieren? Zunächst macht sie einen Wesensunterschied zwischen den Psychosen, die sich aus der geistigen oder biologischen Konstitution erklären, und den Neurosen, die sich durch Mechanismen der bedingten Reflexe (oder deren Hemmungen) bilden, die aber letzten Endes soziologisch, weil durch die Gruppen bedingt sind. Zweitens sind die Neurosen die Produkte der Widersprüche der Klassengesellschaft, und sie müssen infolgedessen mit den sozialen Klassen verschwinden. Was aber sehen wir tatsächlich? Die Neurosen verschwinden aus den Statistiken, um in den allgemeinen Krankenhäusern wieder in der Form somatischer Störungen aufzutauchen. Das heißt: Selbst wenn wir die Meinung der Gegner des Kommunismus nicht akzeptieren, nach der das alte Klassensystem in Rußland verschwunden ist, um einem neuen Platz zu machen (die bürokratische Klasse ersetzt die alte herrschende Klasse), selbst wenn wir innerhalb der kommunistischen Ideologie vom Verschwinden der Klassen bleiben, dürfen wir nicht vergessen, daß dieselbe Ideologie Widersprüche zwischen den Berufsgruppen gelten läßt. Wie wir weiter oben gesagt haben, interessieren uns nicht die Inhalte, sondern die Ähnlichkeit der strukturellen Formen. So bestätigt die Manipulation der Neurose in Sowjetrußland zwei unserer Hypothesen: daß man die Prädisposition des Individuums in Rechnung setzten muß (die Neurose ist mit dem Klassenkampf nicht verschwunden), sei diese Prädisposition nun konstitutionell bedingt oder Produkt des familiären Milieus – und auch, daß die ganze Gesellschaft

3. Pierre Janet, »La tension psychologique et ses oscillations«, in *Traité de Psychologie* in 2 Bänden von Dumas (S. 933–934).

interveniert. Hier interveniert sie, indem sie einen Druck ausübt, um die psychischen Störungen so zu lenken, daß sie somatische Formen annehmen anstelle anderer Aspekte, die der Linie der marxistisch-lenistischen Lehre widersprechen.

Wenn wir von der sowjetischen Psychiatrie zur westlichen übergehen, sehen wir, daß diese in einer Reorganisation der Persönlichkeit besteht, in einer Verwandlung eines zerstückelten oder verletzten »Ichs« in ein reicheres oder geeintes Ich. Rogers nun, der die verschiedenen Behandlungsphasen registrierte, hat festgestellt, daß ein Neurotiker oder »leidendes Ich« in seiner Konstitution eine bestimmte Zahl von Elementen hat, die vom Subjekt deshalb nicht gelebt worden sind, weil sie während der ersten Erziehungsphasen mit väterlichen Strafen verbunden waren. Diese Elemente haben deshalb einen »negativen Wert« angenommen, sie sind verdrängt worden und bilden »für die individuelle Wahrnehmung eine Zone der Bedrohung«. Die Psychotherapie überprüft diese nicht erprobten Werte erneut und leistet folglich eine neue Erziehung des Subjekts. Sie ist ein soziales Phänomen[4].

Kann all das, was wir soeben über die Neurosen gesagt haben, auch für die Psychosen gelten?

*

Wenn die Zahl der Psychotiker sich stärker als die Gesamtbevölkerung vermehren würde, könnte man bestimmt annehmen, daß das Soziale bedeutender als das Biologische ist. Wenn es bestimmte Geisteskrankheiten – wie die Schizophrenie oder die Paranoia (über diese beiden diskutieren die Ethnologen) – nicht in allen Kulturen gäbe (wir sagen nicht: den ethnischen Gruppen oder Rassen), ließe sich die Soziologie der Geisteskrankheiten als eine Ätiologie definieren. Wenn uns aber im Gegenteil die Statistiken zeigen, daß die sozialen Strukturen sich ändern, die Kulturen variieren können, und die Zahl der Psychosen doch konstant bleibt, dann liefert die Soziologie der Geisteskrankheiten nicht mehr eine gültige oder vollständige Erklärung der Geistesstörungen. »Die kulturellen Konflikte und die Gefühle der Frustration können, so sagt Clausen, zu Verhaltensstörungen führen, es ist aber nicht evident, daß sie zur Psychose führen.«

Die Statistiken verweisen uns tatsächlich weder in die eine noch in die andere Richtung. Wir aber nehmen absichtlich den Standpunkt der Hypothese ein, die den deutlichsten Gegensatz zur soziologischen Erklärung bildet. Sogar auf diese Weise haben wir eine Tatsache festgestellt, nämlich die, daß die Psychosen in bestimmten Sektoren der Gesellschaft gruppenweise auftreten. Es gibt pathogene Zonen. Erlauben diese Lokalisierungen auch nicht die Aufstellung einer erklärenden Theorie, so liefern sie doch zumindest eine Handlungsbasis für die mentale Gesundheitsfürsorge. Das Problem entspricht dem der Kriminalität, bei dem man auch die Frage der relativen Bedeutung der konstitutionellen und sozialen Faktoren mit derselben Härte diskutiert. Bevor diese Frage gelöst ist, hat man aber eine

4. Carl R. Rogers, »Some observations of the organization of personality« (*Amer. Psychologist.*, Bd. II, 1947, S. 358–364).

ganze Politik der Prävention entwickelt, die gerade auf der Existenz von Zonen der Kriminalität beruht. Und ich wüßte nicht, daß man Grund gehabt hätte, sich darüber zu beklagen.

Ein zweites Faktum liegt, wie wir gesehen haben, offen zutage, daß nämlich die Erscheinungsformen der Psychosen in den Milieus verschieden sind. Und wir können hinzufügen, daß sie in den einzelnen Epochen verschieden sind. Die amerikanischen Psychiater haben festgestellt, daß im Verlauf der letzten dreißig oder vierzig Jahre in den Formen der Schizophrenie Veränderungen aufgetreten sind. Besonders auffällig ist das Schwinden der Regressionssymptome, das auf mangelnde Aktivierung oraler und analer Faktoren in der heutigen Zivilisation zurückzuführen ist[5]. Wenn uns also die Soziologie auch keine Ätiologie liefert, so doch zumindest eine Epidemiologie. Wir können also annehmen, daß es krankhafte Konstitutionen gibt. Was aber bewirken diese krankhaften Konstitutionen? Zu welchem Krankheitstyp werden sie sich entwickeln? Wir wissen es nicht. Alles ist abhängig von den sozialen Situationen oder von dem kulturellen Druck. Wir haben tatsächlich den Eindruck, daß der Übergang vom latenten zum realen Kranksein in Kanälen verläuft, die durch die Strukturen der Gesellschaft und die Werte oder Normen der Zivilisation gegeben sind. Die Untersuchungen über die Rolle der kastrierenden Mutter oder des passiven Vaters sind unter diesem Gesichtspunkt durch die kontrollierten Fallstudien soweit gestützt, daß wir annehmen können, die Entwicklung zum katatonen oder paranoiden Typ ist durch das familiäre Milieu determiniert. Es sieht so aus, als kultiviere die Gesellschaft die krankhaften Persönlichkeiten, um ihnen eine spezifische Richtung zu geben und sie den einen oder anderen Psychosentyp produzieren zu lassen. Dieser Aspekt des Problems, die Existenz einer Soziologie der »Formen« der geistigen Störungen, wäre noch deutlicher geworden, wenn wir, statt in unserer Zivilisation zu bleiben, unsere Untersuchung auf andere Kulturen ausgedehnt und ein Buch über Ethnopsychiatrie geschrieben hätten.

Bekanntlich hatten vor einigen Jahren einige Autoren wie Delmas und Boll von der Existenz psychologischer Typen wie des affektiven, des lügenhaften, des zyklischen u. a. darauf geschlossen, daß die Geisteskrankheiten nur die »Vergröberung« oder die Karikatur dieser normalen Typen seien. Diese Auffassung wird heute heftig kritisiert. Sie fußt auf der alten Psychologie, deren typischster Vertreter Ribot ist, der die Auffassung vertritt, daß das Pathologische sich vom Normalen nur graduell unterscheidet und folglich versucht, das Normale vom Krankhaften her zu begreifen. Seit der Kritik von Ganguilhem an dieser Definition, die wir in einem früheren Kapitel dargelegt haben, stellt sich die Frage nicht mehr. Sie fußt auch auf der Theorie von der Existenz starrer psychiatrischer Typen, die ihre Glanzzeit gehabt hat, von der dynamischen Psychiatrie aber zerstört worden ist. Stellen wir uns trotzdem auf den Standpunkt von Delmas. Sogar dann behält die Soziologie der Geisteskrankheiten ihren Wert. Tatsächlich haben wir wiederholt

5. Diethelm, »The psychopathologic basis of psychotherapy of schizophreny« (*Symp. Amer. Journ. of Psychiat.*, 1954).

gesehen, zum Beispiel in unserer Analyse der »reaktionellen Psychosen« und der Bedeutung der »Ereignisse« für einen Psychotiker oder auch in unserer Untersuchung über die Rolle der Auswanderung und der Ortsveränderungen, daß nicht das Ereignis als solches oder die Auswanderung zählte, sondern daß die subjektive Stellungnahme und die Art und Weise ausschlaggebend waren, in der der Betreffende die soziale Situation erlebte, in die er hineingestellt worden war. Zweifellos ist also das Soziale nicht »Grund«, sondern »Rechtfertigung«, »Rationalisierung«. Wir haben es mit einer anderen Soziologie zu tun (darauf werden wir später noch ausführlich zurückkommen). Letzten Endes aber kommen wir doch zu einer Soziologie; zu der Soziologie der von den Geisteskranken erlebten Gesellschaft.

Grob gesagt, müssen wir entweder die Antezedenz einer undifferenzierten krankhaften Konstitution postulieren (diese Hypothese erscheint uns übrigens am richtigsten), und dann fällt der Gesellschaft die Rolle zu, sie zu »determinieren«, sie auf den einen oder anderen Typ von Störungen auszurichten. Oder wir postulieren im Gegensatz dazu die Existenz determinierter psychologischer Konstitutionen, wie schizoide, syntonische, epileptische, wie es zum Beispiel Bleuler und Minkowski tun[6]. Dann werden die sozialen Bedingungen mittels der psychologischen Konstitutionen neu durchdacht und beleuchtet. In diesem Falle wirken sie, wenn nicht als direkte Stimuli, so doch zumindest als Bilder der Situation. Hier aber tun wir nichts anderes, als einen Gemeinplatz zu wiederholen, denn es ist eine allgemeine Erfahrung, daß das Soziale immer nur über das Psychische wirkt. Was uns in diesem Buch wichtig ist, ist die Erkenntnis, daß es auf jeden Fall wirkt.

So kommen wir zu einer soziologischen Theorie der Geisteskrankheiten, die der vom »Schneeball« oder vom »Akkumulationsprinzip« entspricht, das Myrdal so deutlich gezeigt hat, zunächst auf ökonomischem Gebiet und später in der Untersuchung des Negerproblems, das uns einen Moment beschäftigen wird[7]. Myrdal ersetzt den Begriff des stabilen Gleichgewichts (den die Begriffe Nichtanpassung oder Anpassung usw. implizieren) durch den Begriff eines mobilen Systems, eines in ständiger Bewegung befindlichen Ganzen, wozu er durch die dynamische Wirtschaft inspiriert worden ist. Dieser Begriff erlaubt ihm, im Zusammenhang mit dem amerikanischen Schwarzen wiederholt von einem »circulus vitiosus« zu sprechen: Die soziale Situation des Negers ist umso schlimmer, je mehr die Vorurteile ihm gegenüber zunehmen. Umgekehrt aber nehmen die Vorurteile ihm gegenüber in demselben Maße zu, wie der Lebensstandard der Schwarzen dem der Weißen unterlegen ist. Es besteht zwischen den beiden Variablen eine wechselseitige Interaktion. Aus dem daraus sich ergebenden kumulativen Prozeß resultiert, daß wir nicht mehr von einer mechanischen Kausalität sprechen können. Auch können wir kein einfaches Erklärungsmodell bieten. Denn die Veränderung einer dieser Kräfte wirkt auf das System (selbst wenn die Veränderung nicht in derselben Richtung wirkt wie

6. E. Minkowski, *La schizophrénie, psychopathologie des schizoides et des schizophrênes,* Desclée de Brouwer, nouvelle edition, 1953.

7. Gunnar Myrdal, *An american dilemma,* Bd. II (Appendix 3: »A methodological note on the principles of cumulation« (S. 1065–1070), New York, 1944.

die anderen), das durch die kumulierenden Wirkungen des gesamten Systems in Bewegung versetzt wird. Kurz, die kausalen Relationen können nicht durch eine abstrakte Vorstellung wiedergegeben werden, die das statisch machen würde, was sich in ständiger Verwandlung befindet. Es scheint uns, daß dieses System sozialer dynamischer Kausalität, das im »amerikanischen Dilemma« dargestellt worden ist, auf die Theorie von den Psychosen anwendbar ist, die tatsächlich dieselben zirkulären Wirkungen wie die aufweisen, die Myrdal zwischen dem Lebensstandard der Schwarzen und dem rassistischen Vorurteil gefunden hat. Man braucht nur, wenn man mir diese Formulierung gestattet, die statische Theorie von Delmas zu »dynamisieren«, damit wir zum erstenmal seit Beginn dieses Abschnitts über die Psychosen ahnen – genau da, wo wir von einer soziologischen Auffassung der Ätiologie der Geisteskrankheiten am weitesten entfernt zu sein schienen –, daß der soziale Faktor ein kausaler (und nicht nur ein semiologischer) ist.

Der Fehler, gegen den man ankämpfen muß, besteht darin, daß man dazu neigt, von den menschlichen Phänomenen ein mechanisches Modell zu geben. Beide Aspekte sind gleich falsch: der erste, der Ursache und Wirkung in der Zeit trennt, ein »vor« (sei dieses »vor« die krankhafte Konstitution oder ein sozialer Faktor) und ein »danach« (die ausgebildete Psychose) – der zweite, der unser Aspekt und der der Soziologie ist. Niemand hat mehr getan als G. Gurvitch, um diesen mechanischen Kausalitätsbegriff zu zerstören[8]. Zunächst mit seinem Prinzip von »der Reziprozität der Perspektiven«, das die Gesellschaft als in der Psyche angelegt und das Bewußtsein seinerseits als der Gesellschaft immanent betrachtet. Diese Betrachtungsweise erlaubt es, den Parallelismus oder die Symmetrie der Perspektiven an die Stelle einer mechanischen Kausalität zu setzen. Wir haben so auch einen Ausweg aus dem Dilemma, das wir in unserem Kapitel über die Ökologie hervorgehoben hatten, dem Dilemma zwischen Faris, der in den Zonen mit sozialer Auflösung und individueller Atomisierung den erklärenden Faktor für das Vorherrschen von Geisteskrankheiten in diesem Gebiet sieht – und Park, der denkt, daß sich die bereits Erkrankten oder Menschen mit psychogener Disposition in diese Zonen der Isolierung flüchten. Tatsächlich ist die Frage schlecht gestellt. Beide Umstände, die soziale Desorganisation und die individuelle Desorganisation, sind nur die beiden Aspekte derselben Realität, die aus zwei verschiedenen, aber reziproken Perspektiven gesehen wird. Die Reziprozität der Perspektiven ist nicht der einzige dialektische Vorgang, denn wenn das Psychische und das Soziale sich einander in dem Maße implizieren, daß sie als reziproke Perspektiven gelten können, so können sie auch in Widerspruch zueinander treten. Die Psychiater hatten sogar Gefallen daran, auf diesem Element der Opposition, der Krankheit als Abbruch der Kommunikation, zu insistieren. Wir müssen hier auf den Vorgang der dialektischen Komplementarität der gegenseitigen Implikation zu sprechen kommen, den Gurvitch

8. Man müßte hier sein ganzes Werk zitieren seit seiner Denkschrift in *L'Année sociologique* über die elementaren Formen der Soziabilität. Nennen wir vor allem: *Déterminismes sociaux et liberté humaine*, Presses Universitaires, 1955, und *Dialectique et Sociologie*, Flammarion, 1962.

definiert: »Es handelt sich um Gegensätze, die sich innerhalb eines Ganzen durch eine doppelte Bewegung ergänzen, die darin besteht, zu wachsen und sich dank dem Spiel der Kompensationen bald in derselben, bald in entgegengesetzten Richtungen zu intensivieren.«

Verfolgen wir diese doppelte Bewegung durch die Analysen unserer früheren Kapitel. Wenn man in bestimmten ökologischen Zonen mehr Psychosen findet, so liegt das, wie wir gesehen haben, am Typ des Wohnsitzes. Die Ökologie verwies uns also auf die soziale Klasse, auf die ethnische Gruppe (bei den Einwanderern) und auf die Religion. Als wir aber die Untersuchung fortsetzten, haben wir gesehen, daß diese soziologischen Variablen nur durch die in der Familie erfahrene Erziehung, die Relationen zwischen Eltern und Kindern, selbst durch die Stellung in der Geschwisterreihe wirkten. Aber umgekehrt haben wir bemerkt, daß das Privileg eines Ranges von kollektiven, von der ganzen Gesellschaft gegebenen Werten herrührte, daß die familiäre Erziehung in den Klassen, der Arbeiter- oder der bürgerlichen Klasse, in den ethnischen Gruppen (mehr patriarchalisch oder mehr egalitär) und den religiösen Konfessionen (mehr puritanisch oder mehr tolerant) unterschiedlich war. So kam es, daß wir zu einem doppelten Umweg gezwungen wurden, der dem Anschein nach widersprüchlich war, der, wie das Aufprallen und Zurückbranden der Woge, uns vom Allgemeinen zum Besonderen und vom Besonderen zum Allgemeinen zurückwarf. Hier gewinnt das Myrdalsche Prinzip seine ganze methodologische Bedeutung, und hier gilt der erste Teil des Satzes von Gurvitch: »... die darin besteht, zu wachsen und sich in derselben Richtung zu intensivieren«. Man darf die verschiedenen Variablen nicht auffassen wie in der Mechanik, das heißt als Ganzes isolierter Faktoren, die getrennt wirken, sich addieren oder subtrahieren und sich schließlich in einem »Lehrsatz von der Komposition der Kräfte« ausdrükken lassen. Man muß sie dynamisch auffassen, als ein ganzes, in Bewegung befindliches System, bei dem es unmöglich ist, analytisch die Wirkung der psychischen Konstitution, der Mikro- und der Makrogruppen voneinander zu trennen, ein Davor und Danach zu unterscheiden. Denn alles hängt miteinander zusammen und ist voneinander abhängig, wobei das Psychische als »Filter« wirkt, der vom Sozialen nur das durchläßt, was seiner Krankheit Nahrung geben kann, oder als ein Resonanzkörper, der die Traumata der sozialen Kontakte verstärkt. Umgekehrt bearbeitet das Soziale die kranke Persönlichkeit, indem es ihr, wie wir es schon einmal ausgedrückt haben, den für die Verbrennung notwendigen Sauerstoff liefert. – Es ist aber unmöglich, einen »Nullpunkt« aufzustellen, von dem aus man eine Chronologie der Einflüsse herstellen könnte. Denn der zukünftige Kranke ist von Geburt an in den familiären Relationen gefangen. Und diese familiären Relationen werden determiniert durch die Stellung dieser Familie in der Klasse, der ethnischen Herkunft und der religiösen Konfession.

Folgen wir nun der zweiten Bewegung, von der Gurvitchs Satz spricht, den »entgegengesetzten Richtungen«, die uns zu einem polaren Gegensatz zwischen krankem Individuum und normaler Gesellschaft führt. In dem Maße, wie die Gesellschaft die Anzahl der Rollen, die wir zu spielen haben, vermehrt, in dem

Maße, wie die Geschwindigkeit der sozialen und kulturellen Veränderungen, an die wir uns anzupassen haben, zunimmt, in dem Maße, wie die Ausbeutung einer sozialen Klasse durch eine andere immer bedrohlicher wird, finden sich die entsprechend disponierten Individuen in sozialen Situationen, die sie nicht meistern können. Muß man in diesem Fall aber sagen, daß Erbgut oder Konstitution die »Gründe« sind? Oder die Kompliziertheit des modernen Lebens? Die Gründe für das, was Soziologen wie Psychiater als »Kluft« zwischen der Persönlichkeit und dem Milieu bezeichnen? Will man um jeden Preis, wenn die psychische und soziale Bewegung in einander entgegengesetzten Richtungen verlaufen, einen »vorherrschenden Faktor« feststellen, kommt man zurück zum Mechanismus. Die Persönlichkeit kann sich nicht anpassen, weil der Kranke und zugleich die soziale Situation zu traumatisch sind. Die Kluft zwischen den beiden (die ein »soziales Faktum« ist) entsteht aus der wechselseitigen Verstrickung in ein dynamisches Ganzes, das auf Auflösung und nicht auf Kommunikation ausgerichtet ist. Der Vorgang aber ist derselbe, die Dialektik von derselben Natur. Myrdals Modell läßt sich immer anwenden (wenn auch in widersprechenden Erscheinungsformen).

Im Grunde mag es scheinen, daß wir nicht weit entfernt von der alten Sozialpsychiatrie sind, die einerseits erklärte, daß die soziokulturellen Faktoren nur über Erbgut und Physiologie wirken, und andererseits, daß das Soziale als »Gelegenheit« für die Krankheit wirke und die Störungen »auslöse«. Denkt man darüber nach, sieht man, wie weit wir uns im Gegenteil von einer solchen Erklärung entfernt haben. Diese ist in ihren Begriffen und ihrem Geist nach im wesentlichen aristotelisch geblieben, während wir es mit in Bewegung befindlichen Systemen zu tun haben, mit sich orientierenden Variablen und im Fluß befindlichen Realitäten. Unter diesem Gesichtspunkt und unter diesem allein kann man von einer Ätiologie der Geisteskrankheiten mit soziologischem Charakter sprechen. Aber passen die Begriffe noch? Müßte man nicht besser sagen: »Der Wahnsinn ist ein soziales Phänomen«, anstatt zu sagen: »Der Wahnsinn hat soziale Ursachen.«

Bevor wir schließen, müssen wir uns für die Psychosen wie für die Neurosen noch einer Gegenprobe stellen. Wir haben gesagt, daß die Therapie insofern, als sie Manipulation ist, ein regelrechtes Experiment darstellt. Damit unsere Gegenprobe möglichst sicher ist, wählen wir die Therapie, wo sie uns am weitesten vom Soziologischen entfernt zu sein scheint, nämlich die, die mit »psychischen Medikamenten« arbeitet (oder, wie man manchmal sagt, mit »chemischen Zwangsjacken«). Wir beziehen uns hier auf zwei neue Dissertationen, die beide aus dem Jahr 1964 stammen. Zunächst die Dissertation von F. Dagonet, *La raison et les remèdes* (Der Verstand und die Heilmittel), die hervorhebt, daß die Medikamente die groben und sichtbaren Zeichen zeitweilig zum Verschwinden bringen, daß sie das unterdrücken, »worauf die Krankheit zu beruhen schien (die Maßlosigkeit)«, daß sie die reaktionelle Aggressivität vermindern oder auslöschen, ohne jedoch dadurch irgend etwas von der Geisteskrankheit aufzudecken: »Man soll nicht an den Zaubertrank glauben, der ein Schicksal ändern könnte.« Dann die medizinische Dissertation von Michel Niqué *La Psychopharmacologie*, die sehr viel aufschlußreicher ist für unser

Thema, denn sie steht im klaren Gegensatz zu der mechanistischen Auffassung: »Wir wissen also, daß die Behandlung nur eine symptomatische Therapie und nicht eine kausale Behandlung ist.« Diese ganze These beweist, daß die Pharmakologie weniger chemisch oder mechanisch, als vielmehr psychotherapeutisch wirkt, als Gratifikation für den Kranken oder als Aggression des Psychiaters gegen ihn, folglich als »symbolische Durchführung«[9]. Der Autor kommt in der Tat zu einigen Schlüssen: Wenn das Medikament oral, wie vom Säugling das Fläschchen eingenommen wird, wirkt es nur unter der Bedingung, daß der Arzt sich um den Kranken wie eine Mutter kümmert. Er muß ein dynamisches Element einführen, das allein in Verbindung mit dem statischen Effekt des Heilmittels eine günstige Entwicklung erlaubt[10]. In dem Maße aber, wie die Beziehung eine sadomasochistische Form annimmt, wie das Heilmittel unter Anwendung von Zwang in einem Klima der Aggressivität verabreicht wird, ist die Therapie zum Scheitern verurteilt, denn sie determiniert den Kranken dazu, sich auf eine geschlossene Welt zurückzuziehen. Daraus ergibt sich letzten Endes, daß die sogenannte psychologische Pharmazeutik nur dann gültig ist, wenn sie es erlaubt, die zwischen zwei Individuen sich bildende soziologische Relation zu erleichtern und anders zu strukturieren. Das Medikament stellt sich der Psycho- oder Soziotherapie nicht entgegen. Hier finden wir wieder, in gewisser Weise von unserer Gegenprobe bestätigt, die Dialektik der gegenseitigen Komplementarität:

»Die Beziehungen der Person zum Anderen gehen in der Tat durch den Körper, und sie drücken sich durch ihn aus. Indem das Medikament pharmakologisch die ›Körperlichkeit‹ verändert, verändert es folglich die davon abhängigen Fähigkeiten. Das Medikament ist aber auch ein gegebenes und empfangenes Objekt. Aus diesem Grund ist es ein Mittel zur Veränderung dieser besonderen Situation, die die psychotherapeutische Beziehung darstellt. Denn sie vermittelt, repräsentiert und investiert einen Teil der gelebten psychotherapeutischen Beziehung[11].«

*

Wir hoffen, daß das dynamische Schema, das wir vom Problem der Ätiologie der Geisteskrankheiten gegeben haben, eine bessere Zusammenarbeit zwischen Psychiatern, Psychologen und Soziologen ermöglicht. Ferner hoffen wir, daß es erlaubt, die Gesamtheit aller zuvor erörterten und zusammengefaßten soziologischen For-

9. Die Psychopharmakologie ist in der Tat nicht immer erfolgreich, in 60 % der Fälle Verbesserung, in 40 % Mißerfolg.

10. Man muß betonen, daß diese Bedeutung der »Bemutterung«, das heißt das Inkrafttreten von mütterlichen Gefühlen gegenüber dem Kranken, außerhalb der Pharmakologie von P. R. Récamier sehr betont worden ist (»Etude clinique des frustrations affectives précoces«) in *Rev. fr. de Psychanal.*, von Courchet in seiner Soziotherapie, von Le Guillant für die Krankenschwestern, usw. Wir aber wollen bei dem bleiben, was von unseren Gedanken am weitesten entfernt ist, das heißt bei der Psychopharmakologie.

11. In der angelsächsischen Literatur würden wir ähnliche Schlüsse finden. Vgl. G. J. Sarver-Toner, »Transferance and no specific drug effects in the use of tranquillising drugs« (*Amer. Psychiat. Ass. Res. Report*, Nr. 8, Dez. 1957).

schungen zu integrieren, indem es sie von den Störungen der zerebralen Physiologie befreit. Wenn man sich aber um jeden Preis an den Primat des Physischen über das Geistige und Soziale klammern will, bleibt der Wahnsinn weiterhin wie der Selbstmord eine seinem Wesen nach »soziale Sache«. Wir haben also zum Schluß noch eine strukturalistische Untersuchung der Geisteskrankheiten vorzunehmen. Diese unterscheidet sich von der ersten Soziologie, auf die wir uns bisher beschränkt haben und die trotz der Arbeiten einiger Franzosen vor allem amerikanisch bleibt, durch die Tatsache, daß sie sich für das Problem der Gründe nicht interessiert. Es wird ausgeklammert.

Der Strukturalismus beginnt mit Durkheim. Dieser ist von einer »physischen« Konzeption der Kausalität, der Kausalität der »Règles« zu einer symbolischen Auffassung von der sozialen Realität übergegangen, die in *Formes élémentaires de la vie religieuse* behandelt wird. Bei den Individuen drückt die Gesellschaft sich symbolisch aus in der Form des Glaubens und der Religionspraktiken. Man kann nicht sagen, daß die Religion das Produkt der Gesellschaft ist, in dem Sinne, wie eine Ursache eine Wirkung hervorruft, wie eine Folge etwas Vorausgehendes ist, vielmehr nimmt das kollektive Bewußtsein in Momenten der Leidenschaft für die Individuen, die es erleben, eine religiöse »Bedeutung« an. So wird der Begriff Symbol zum Schlüsselbegriff der neuen Soziologie.

M. Mauss führt uns einen Schritt weiter, wenn er sich an die Psychologen und Psychiater wendet und ihnen sagt: »Schon lange lehren Durkheim und wir, daß Menschen nur durch Symbole sich mitteilen und miteinander kommunizieren können. Die Symbole sind gemeinsame permanente Zeichen, liegen außerhalb der individuellen geistigen Zustände, die einfach Folgen sind, Gruppenzeichen von einem Zustand, der dann als Realität angesehen wird ... Schon lange denken wir, daß eines der Merkmale des sozialen Faktums gerade sein symbolischer Aspekt ist. In den meisten kollektiven Vorstellungen handelt es sich nicht um eine einzige Vorstellung von einer einzigen Sache, sondern um eine mehr oder weniger willkürlich gewählte Vorstellung, die eine andere bedeutet und die Praxis beherrscht. Durch die Tatsache, daß wir mit Ihnen übereinstimmen, sind wir jetzt unserer Theorie sicher.«

Und er fährt fort:

»Es mag zunächst so scheinen, als könne die Soziologie kaum neue Fakten zur psychologischen und zur psychophysiologischen Symbolisierung beitragen. Denn (und das betonen wir) *die mentalen Mechanismen des kollektiven Lebens des Individuums sind als solche nicht unterschieden von den Mechanismen des bewußten individuellen Lebens*. Während Sie aber diese Fälle von Symbolismus nur ziemlich selten und oft in Reihen anormaler Fakten erfassen, erfassen wir sie konstant sehr zahlreich und in ungeheuren Reihen normaler Fakten ... Auf allen Gebieten der Soziologie können wir eine Menge von Symbolen ernten und Ihnen die Ernte zu Füßen legen[12].«

12. Marcel Mauss, »Rapports réels et pratiques de la psychologie et de la sociologie« (*Journ. de psychol. normale et pathologique*, 1924), neu gedruckt in *Sociologie et Anthropologie*, Presses Universitaires, 1950, S. 294–295 und S. 299–300.

Während also Durkheim sich damit begnügte, den symbolischen Charakter des sozialen Lebens zu definieren, leitete Mauss eine Annäherung zwischen der Untersuchung des krankhaften (auf den gerade die Psychoanalyse die Aufmerksamkeit gelenkt hatte) und der des soziologischen Symbolismus ein. Er bezog sich dabei auf die Idee, daß der Prozeß der Symbolisierung in beiden Fällen derselbe ist und man infolgedessen eine allgemeine Theorie ins Auge fassen kann, die er so erklärt (und hier fahre ich fort, Mauss zu zitieren): »wichtige Elemente von Mythen, Riten, Glaubensformen, vom Glauben in seiner Effektivität, von Illusion, von religiöser, ästhetischer Halluzination, von Lüge und kollektivem Wahn und seinen Korrekturen«.

Wie aber soll man diese beiden Arten von Symbolismus in ein Ganzes integrieren? Denn beide sind offenbar einander entgegengesetzt, der der Kranken ist »persönlich«, nicht kommunikabel, der andere dagegen ist kollektiv und begründet die Gemeinschaft oder zumindest die Gemeinsamkeit. Auf diese Frage antwortet Lévi-Strauss. Denn er nimmt an, daß beide nicht willkürlich, Produkte des reinen Zufalls sind, sondern daß sie Strukturen des Imaginären bilden und daß man durch die Gesetze der Transformation von einer Struktur zur anderen gelangen kann. Der Text, den wir jetzt zitieren, bezieht sich auf die kulturellen Werke des Menschen und versucht, innerhalb dieser kulturellen Werke pathologische Untersysteme zu sehen:

»Die Gesamtheit der Verhaltensweisen eines Volkes ist immer durch einen Stil gekennzeichnet. Sie bilden Systeme. Ich bin davon überzeugt, daß diese Systeme nicht in unbegrenzter Zahl vorhanden sind und daß die menschliche Gesellschaft ebenso wie die Individuen niemals auf absolute Weise schaffen, sondern sich auf bestimmte Kombinationen in einem idealen Repertoir beschränken, das wiederhergestellt werden kann. Wenn wir das Inventar all dieser Gebräuche, alles dessen, was in den Mythen vorgestellt, im Spiel der Kinder und Erwachsenen, in den Träumen der gesunden und kranken Individuen und in den psychopathologischen Verhaltensweisen beschworen wurde, zusammenstellten, würde es uns gelingen, eine Art periodischer Tafel, der der chemischen Elemente vergleichbar, aufzustellen, auf der alle realen oder einfach möglichen Gebräuche in Familien gruppiert erscheinen würden und wo wir nur noch die zu erkennen hätten, die die Gesellschaften tatsächlich adoptiert hat[13].«

Dieser letzte Text bringt uns einen neuen Schritt voran. In seiner Rede an die Psychologen betrachtete M. Mauss die Symbole noch als konkrete Realitäten (Totem, Fahne, usw.), während Lévi-Strauss eine menschliche Aktivität untersucht. Wir gehen wohl von den kulturellen Werken aus, aber um dahinter die symbolische Aktivität im weiteren Sinn des Wortes zu entdecken, die darin besteht, den Dingen einen Sinn zu geben, die Objekte in Bedeutungen zu verwandeln. Vor allem aber: Wenn man bei der klassischen Psychiatrie oder der Psychoanalyse vom Pathologischen ausgeht, um zum Normalen zu kommen, ist hier das Pathologische mit dem

13. Claude Lévi-Strauss, *Tristes Tropiques,* Plon, Paris 1955, S. 183.

Normalen gleichzeitig in ein umfassendes System integriert. Das Gesetz dieses Systems ist wichtiger als der Vergleich zwischen der Normalität und der mentalen Gesundheit. Der Strukturalismus würde uns also, falls man dieser Richtung folgen will, vorschlagen, eine Untersuchung vorzunehmen, die sich auf die Stellung, die Lokalisierung und die folgenden Relationen des Pathologischen und des Normalen in organisierten Ganzheiten bezieht. – Das sind zweifellos formale Ganzheiten, gehören aber trotzdem deutlich zur Soziologie.

So gesehen, ist es nicht wichtig, ob die Geistesstörungen physiologischen Ursprungs sind oder nicht. Denn der Soziologe will die symbolische Aktivität in ihnen erfassen und ihre Stellung innerhalb der Gesamtstrukturen kollektiver symbolischer Systeme. In einem Text der *Anthropologie structurale* (*Strukturelle Anthropologie*) vermutet Lévi-Strauss, daß der Sieg einer biochemischen Auffassung der Psychosen und Neurosen möglich sei. Er schloß daraus nicht, daß in diesem Fall die Soziologie keinen Zugang zum Pathologischen haben würde, sondern sich damit im Gegenteil mehr integrieren würde. Denn dann würden die schamanistische und die psychoanalytische Behandlung im strengen Sinne gleich und in beiden Fällen in einer herbeigeführten organischen Transformation bestehen oder sich durch einen Mythos ausdrücken.

Es gibt aber im Werk von Lévi-Strauss neben diesem Text andere, die uns auf andere Wege führen. Da handelt es sich nicht mehr um mentale Strukturen, um die Begründung sozialer Strukturen, sondern um die Strukturen selbst. In diesem Text zum Beispiel:

»Eine beliebige Gesellschaft ist ... einem Universum vergleichbar, in dem nur diskrete Massen hoch strukturiert sind. Es wäre also in jeder Gesellschaft unvermeidlich, daß ein (übrigens variabler)[14] Prozentsatz von Individuen, wenn man so sagen kann, außerhalb des Systems steht oder zwischen ein, zwei oder mehreren nicht reduzierbaren Systemen. Von ihnen verlangt die Gruppe, sie erlegt es ihnen sogar auf, bestimmte Formen von Kompromissen, die auf der kollektiven Ebene nicht zu verwirklichen sind, zu bilden, imaginäre Übergänge vorzugeben, unvereinbare Synthesen zu verkörpern. Bei diesen dem Anschein nach abweichenden Verhaltensweisen tun diese »Kranken« nichts anderes, als daß sie einen Zustand der Gruppe umschreiben und die eine oder andere ihrer Konstanten offenbar machen. Ihre in bezug zu einem lokalen System periphere Position hindert nicht, daß sie mit demselben Recht wie diese ein integrierender Bestandteil des Gesamtsystems sind. Genauer gesagt, wären sie nicht diese folgsamen Zeugen, würde das gesamte System Gefahr laufen, sich in seine lokalen Systeme aufzulösen[15].«

Auch hier sieht man wieder, daß es uns nicht darauf ankommt, zu erfahren, welchen Ursprungs die Störungen sind, ob sie aus dem Körper, dem Geist oder aus sozialen Spannungen entstehen. Es kommt uns darauf an, die Geisteskranken in die

14. Diese Variabilität würde die Gesamtheit der statistischen Untersuchungen rechtfertigen, die wir, wenn auch in anderem Zusammenhang, dargestellt haben.

15. Lévi-Strauss, »Introduction à l'oeuvre de Mauss«, in M. Mauss, *Sociologie et Anthropologie*, o. c., S. XX und XXI.

kollektiven Ganzheiten zu stellen, ihre strukturelle Situation zu bestimmen. Lévi-Strauss übernimmt ein Beispiel von Nadel, das des Schamanismus. Der Schamane kann pathologische Störungen aufweisen, aber er ist trotzdem ein Element sozialen Gleichgewichts. Die vergleichende Untersuchung von Gesellschaften mit und ohne Schamanen führt zu dem Schluß, daß unter dem Einfluß des Kontakts von Zivilisationen die Frequenz der Psychosen und Neurosen in den letzteren zur Zunahme neigt, während in den ersteren sich der Schamanismus entwickelt, dies aber ohne Zunahme der Geisteskrankheiten[16]. Das genannte Beispiel interessiert die Ethnopsychiatrie mehr als die Soziologie. Wir werden aber sehen, daß die westliche Gesellschaft uns analoge Phänomene liefert.

So ahnen wir zwei Wege, denen man folgen kann, wenn man außerhalb jedes ätiologischen Problems eine Soziologie der Geisteskrankheiten begründen will. Der eine geht von der Komplementarität der symbolischen Aktivität der Kranken und Nichtkranken in den Strukturen der kollektiven Mentalität aus – der andere von der Komplementarität der kranken und nicht kranken Personen in den Strukturen der Gesamtgesellschaft. Die beiden bilden nicht notwendigerweise zwei verschiedene Welten, sondern (wie wir schon angedeutet haben, als wir von »Wegen« sprachen) eher zwei Annäherungsmethoden. Mit ihnen kann man zeigen, daß die sozialen Strukturen nur der realisierte Ausdruck der mentalen Strukturen sind (dies scheint uns der letzte Gedanke von Lévi-Strauss zu sein), oder auch, daß die mentalen Strukturen die Reflexe der sozialen Strukturen sind, (dies könnte der Standpunkt eines gewissen Marxismus sein, der über den Inhalt der Ideologien hinausgeht, um sich für die ideologische Aktivität an sich zu interessieren). Was ist schon getan worden, das uns erlaubt, auf diesen beiden Wegen voranzuschreiten? Welche Elemente der früheren Arbeiten von Psychiatern und Soziologen eignen sich dafür, diese strukturelle Soziologie der Geisteskrankheiten aufzubauen? Wie kann man sie koordinieren und sie möglichst weiter entwickeln, um die Grundlagen einer systematischeren Theorie zu schaffen? Dies sind einige der Fragen, auf die wir jetzt antworten müssen.

16. Nach S. F. Nadel, »Shamanism in the Nuba Mountains« (*Journ. of the Royal Anthropologie Institute*, LXXVI, Teil I, 1946.

Zehntes Kapitel

«Der Wahnsinnige» und die Gesellschaft

I

Wenn sie auch nicht genau in unsere Perspektive am Ende dieses Werkes passen: wir verfügen über drei wichtige Untersuchungsreihen, die die Stellung des Geisteskranken in unserer Gesellschaft zum Gegenstand haben:

1. Historische Untersuchungen über die Begriffe, die man sich im Laufe der Zeit von der Geisteskrankheit gebildet hat. Sie werden ergänzt durch das Studium der zur Zeit auf dem Gebiet der Psychiatrie gängigen Begriffe.

2. Untersuchungen über die sozialen Beziehungen zwischen dem Arzt, dem Kranken und der psychiatrischen Klinik, insofern sie soziale Institution oder Einheit der Interrelationen zwischen Kranken, Krankenpflegern, Ärzten und Verwaltern ist.

3. Schließlich Untersuchungen über die Wiedereingliederung der sogenannten »stabilisierten« Kranken in die Gesellschaft nach ihrer Entlassung aus dem Krankenhaus.

Die wichtigsten Schlußfolgerungen, die sich aus diesem Ensemble von Untersuchungen ergeben, müssen wir schnell zusammenfassen, um sie dann in unsere Perspektive zu integrieren.

1. Wir wissen, daß nach primitiven Begriffen der Wahnsinn eine Kategorie des Heiligen ist, des religiösen oder des dämonischen Heiligen. Noch im Neuen Testament sehen wir, daß der Wahnsinn als Besessenheit von bösen Geistern betrachtet wird, die man aus dem Körper des Kranken verjagen muß, wenn man ihn heilen will. Mit den Griechen wird die Medizin eine Wissenschaft. Während aber die Medizin von den körperlichen Erkrankungen rationale Erklärungen gibt und diese Erklärungen einhellig akzeptiert werden, gibt es bei den Geisteskrankheiten hartnäckigen Widerstand gegen rationale Deutungen. Letztere scheinen für wissenschaftliche Erkenntnis unzugänglich zu sein, und für sie gilt weiterhin die alte mystische Auffassung. Die Römer haben sich zwar sehr darum bemüht, die Typen der Geisteskrankheiten zu unterscheiden, sie sind aber vor allem an den sozialen Folgen des Wahnsinns interessiert, an den Störungen, die er für die Gruppe bedeutet, und nicht an seinem Ursprung. Der Sieg des Christentums systematisiert lediglich noch stärker den archaischen Begriff und liefert den Ärzten (ebenso wie den Theologen) ein manichäisches Schema vom Wahnsinn und den ungewöhnlichen Handlungen, die Frucht der Sünde sind und beim Menschen vom Kampf Satans gegen Gott um die Weltherrschaft zeugen. Seit der Renaissance beginnt, wie die Amerikaner sagen, die Säkularisierung. Die Wahnsinnigen werden ebenso wie die Verbrecher, die Wüstlinge

und die vom Betteln lebenden Armen nur als gefährliche Personen betrachtet. Aus diesem Grunde werden sie aus der Gesellschaft ausgeschlossen und ebenso wie die anderen Kategorien Asozialer aus der Gesellschaft ausgeschlossen und »interniert«, oft am selben Ort. Gewiß bemühen sich barmherzige Seelen wie der Heilige Vincent von Paul darum, das Schicksal dieser Häftlinge zu verbessern. Aber die Liebe ist im Rahmen der Hospitalisierung tätig, sie sprengt ihn nicht. Und noch zu Anfang des XIX. Jahrhunderts konnte Maxime du Camp schreiben: »Man kann sich nicht vorstellen, was Bicêtre in dieser Epoche war. Es war das Verlies des Mittelalters in seiner abscheulichsten Form, gleichzeitig ein Gefängnis, eine Besserungsanstalt, eine Bußstätte, ein Hospital: Mörder, Wüstlinge, Kranke, Bedürftige, Unsaubere lebten miteinander in der abstoßendsten Promiskuität. Mit einem Wort, es war eine Kloake[1].«

Ey hat versucht, die Ideologie abzuleiten, die dieser »Entfremdung« der Wahnsinnigen zugrundeliegt. Der Geisteskranke, sagt er, ist ein Mensch, der in unserer Welt als Fremder wirkt. »Er ist der Mensch aus einer anderen Welt.« Daher wurde der Kranke, solange die Gesellschaftsideologien religiöse Ideologien gewesen sind, da er nicht mehr in unsere Gesellschaft gehörte, in die Welt des Übernatürlichen eingeordnet. Seit der Reformation und der Aufklärungsphilosophie des XVIII. Jahrhunderts aber hat sich eine neue Ideologie entwickelt, die endgültig mit der Französischen Revolution siegte: die Ideologie von der Freiheit der menschlichen Person. Der Geisteskranke ist ein Individuum, das die Freiheit verloren hat. So versteht man also, wie der Arzt und die Gesellschaft dazu gebracht wurden, den Kranken zu »entfremden«, das heißt, ihn aus einer Gesellschaft auszustoßen, in der alles auf der Freiheit und der persönlichen Verantwortlichkeit beruht[2]. Man hat im Zusammenhang mit Pinel, Tuke oder J. Daquin von einer echten Revolution in der Behandlung der Kranken gesprochen. Und tatsächlich zerreißt man die Ketten, die sie fesseln, und stellt die Würde der menschlichen Person wieder her. Es handelt sich in Wirklichkeit aber nur um eine philanthropische Bewegung. Gegen diese wendet sich schließlich die wissenschaftliche Auffassung vom Wahnsinn, die sich zur selben Zeit entwickelt, denn diese wissenschaftliche Auffassung tendiert dazu, den Wahnsinnigen als ein abgesondertes Wesen zu zeigen. Folglich verschwindet die Entfremdung nicht, sondern wird im Gegenteil durch diese neue Strömung nur noch verstärkt. Die Rechtfertigung der Isolierung nimmt nur neue Formen an. Es handelt sich, wie zum Beispiel Esquirol sagt, darum, den »Verrückten von allen seinen Gewohnheiten zu lösen, durch Entfernung vom Wohnort, durch Trennung von seiner Familie, durch Veränderung seiner ganzen Lebensweise«. In der ersten Hälfte des XX. Jahrhunderts erst bricht die von H. Ey so genannte »zweite psychiatrische

1. Über diese Geschichte des Wahnsinns gibt es sehr viel Literatur. Zitieren wir nur J. Fillozat, *Magie et Médecine*, P. U. F., 1943. – M. Foucault, *Histoire de la folie à l'âge classique*, Plon, 1961. – Y. Pélicier, o. c., Kap. II. – P. Vallery-Radot, *Deux siècles d'histoire hospitalière*, Dupont, 1947.

2. H. Ey, »Etudes psychiatriques«, o. c. Zusammenfassung seiner Gedanken in »Anthropologie du malade mental« (*Esprit*, XX, 12, 1952).

Revolution« aus. Sie ist verbunden mit der Entdeckung der Neurosen, der verschiedenen Schweregrade der Psychosen, mit der Verlagerung des Interesses von der Krankheit auf den Kranken. Die Psychiater beginnen nun, dafür zu sorgen, daß es »offene« Heime gibt. Sie pflegen die von Geisteskrankheit befallenen Individuen nicht mehr als für immer von der Gesellschaft abgeschnittene Menschen, sondern als Menschen, die mit den anderen zusammenleben.

Ist nun die öffentliche Meinung der Entwicklung der Psychiatrie immer gefolgt? Y. Pélicier, der diese Frage stellt, versucht alle Kollektivvorstellungen zu definieren, die die Masse sich vom Wahnsinn macht, wenn er sagt: Der Wahnsinn ist ein Fest, das Erasmus und Cervantes feiern (die Narren, die Verzückten, die Dorfidioten, die Ritter mit dem langen Gesicht ...) – der Wahnsinn ist ein Mysterium (Trance, das heilige Böse) – der Wahnsinn ist eine schicksalhafte, weil erblich bedingte Drohung, die für das Kollektiv ebenso gefährlich wie für das Individuum ist. Weiter sagt er:

»Der Wahnsinn, zugleich Fest, Mysterium und Bedrohung, hat die Gesellschaft immer behindert. Behinderung und Ungeschicklichkeit rechtfertigen das ständige Schwanken der kollektiven Haltung zwischen Toleranz und Tadel, zwischen Liberalismus und mangelnder Aufgeschlossenheit. Der Psychiater hat hier oft den entgegengesetzten Standpunkt eingenommen: Er ist streng und leugnet das Fest, er ist gewappnet mit Wissenschaft und leugnet das Mysterium, er ist Philanthrop und leugnet die Gefahr. Die dialektische Beziehung zwischen dem kollektiven Verhalten und dem des Psychiaters ist mehr als evident.«

Es trifft zu, daß der Psychiater, obwohl er sich dagegen wehrt, von den umgebenden Ideen beeinflussen läßt. Das aber ist der andere Aspekt der Dialektik, die uns heute am wichtigsten zu sein scheint. In welchem Maße haben die Meinungen der Psychiater, die durch die Massenmedien Radio, Fernsehen, Presse verbreitet wurden, die Meinungen des Publikums verändert? Welche Vorstellung hat heute die Masse vom Wahnsinn und von dem Menschen, der ihn behandelt? Das ist das Wichtigste für eine strukturalistische Untersuchung, die die Stellung der Geisteskranken innerhalb unseres sozialen Systems berücksichtigen will. Die Untersuchungen, die wir über das Thema haben, sind vor allem in den Vereinigten Staaten angestellt worden[3]. Daraus scheint sich zu ergeben, daß der wissenschaftliche Gesichtspunkt immer mehr tendiert, über den alten Glauben zu dominieren. Gleichwohl begegnet der Kranke (oder seine Umgebung) noch großen Schwierigkeiten bei der Erkennung oder verbalen Beschreibung der schweren Symptome. Auch die negativen Reaktionen der älteren Generation gegenüber dem Psychiater nehmen ab ... Man darf aber nicht zu optimistisch sein. Einmal sind die Untersuchungsergebnisse in den ethnischen Milieus unterschiedlich. Sie sind nicht identisch bei der

3. Nennen wir zum Beispiel Benjamin D. Paul, Hrsg., *Health, Culture and Community*, New York, 1955. – J. C. Nunnally Jr., *Popular Conception of Mental Health, Their Development and Change*, New York, 1961, und zahlreiche Artikel, wie der von J. L. Woodward, »Changing ideas on mental illness and its treatment« (*Amer. Soc. Rev.*, XVI, 4, 1951, S. 443–454).

angelsächsischen Bevölkerung von Boston und den franko-indianischen Mestizen von Kanada. Letztere fahren fort, gegenüber der Krankheit dieselben Angst- oder gar Schuldgefühle wie früher zu empfinden. Viele pathologische Züge werden als »normal«, manchmal sogar als wertvoll angesehen, so die Depression, der Alkoholismus, die paranoide Form der Schizophrenie. Außerdem unterscheiden sich die Untersuchungsergebnisse bei den Geschlechtern: die Frauen neigen dazu, die organischen Ursachen zugunsten der Rolle des Milieus zurückzuweisen. Bei den Männern ist es umgekehrt. Die Männer haben angesichts der Geisteskrankheit Gefühle der Panik, die Frauen nehmen eine karitative Haltung ein. Die Ärzte der Allgemeinmedizin selbst nehmen gegenüber der psychiatrischen Behandlung dieselbe negative Haltung ein wie das Publikum im allgemeinen. Sie betrachten die Geisteskranken als gefährliche Menschen, die jede intellektuelle Fähigkeit verloren haben und deren Verhaltensweise unberechenbar ist. Die Untersuchungen haben sogar ergeben, daß sich alle Mühe, die man für die Verbreitung moderner Ideen über den Wahnsinn mit Hilfe der Massenmedien aufgewendet hat, sich gegen die Intentionen ihrer Urheber wenden kann, indem sie die Leute nur noch ängstlicher machten. Und diese Ängstlichkeit hatte für die geistige Gesundheit eine nachteilige Wirkung.

Insgesamt scheint es so zu sein, daß die Information nicht hochstrukturiert ist. Sogar innerhalb einer Gemeinschaft sind die Antworten auf die Fragen außerordentlich heterogen – und auch nicht kristallisiert, weil die Individuen ihre Meinungen ändern – und obwohl es bei den Intellektuellen und der jüngeren Generation immerhin eine Neigung zur besseren Information gibt, überlebten auch alte Begriffe, einander entgegengesetzte Meinungen und Konflikte. Vor allem gibt es einen Widerspruch zwischen Informationen, die nicht wirklich schlecht sind, und Verhaltensweisen, die relativ negativ geblieben sind. Man betrachtet den Geisteskranken weiterhin mit Angst und Ekel, als ein gefährliches Wesen oder als einen Lügner, als ein abgesondertes Wesen. Der Wahnsinn bleibt wie der Krebs für das Volk »ein schlechtes Leiden«, das man verbirgt ...

II. So anregend manche Bücher, wie in Frankreich das von J.-P. Valabrega über *La Relation thérapeutique*[4] und manche Artikel wie der von P.-C. Récamier über »die Hysterie und das Theater«[5] auch sein mögen, wir können sie hier nicht verwenden, weil sie sich mit den Beziehungen zwischen Individuen beschäftigen, während wir es in diesem Buch, einem soziologischen Buch, mit den Strukturen der Gesamtgesellschaft zu tun haben.

Auch Versuche wie die von Jane Philips – die übrigens, wie es scheint, schlecht angekommen sind – die offensichtlich aufgeschlossener sind für die Strukturen und Werte der Gesamtgesellschaft, bringen für uns sehr wenig. Sie versuchte, Heilungs-

4. Flammarion, 1961. Vgl. vom selben Autor »Quelques aspects de la relation »malade-médicin« observés au cours de deux examens successifs de la même maladie en clinique psychiatrique« (*Evol. psychiatr.*, VI, 5, 1953).

5. *Evol. psychiatr.*, II, 1952.

modelle in den verschiedenen Zivilisationen in einer symbolischen Sprache zu konstruieren, und drückte sie aus in der Formel:

$$\mathrm{TS}\ [f(p + c)] = \mathrm{VS}\frac{r}{s}$$

(Dabei bezeichnet T die Technologie, *f* den Glauben, *p* die materiellen Heilungstechniken physikalischer Natur, *c* chemischer Natur, V das System der kulturellen oder moralischen Werte, *r* die Gesamtheit der Rollen und *s* die Sozialstruktur[6].)

In dieser ersten Gruppe von Arbeiten interessiert uns nur die relationelle Definition, die Valabrega von der Krankheit gibt: »Die Krankheit ist etwas, das sich zwischen dem Kranken und dem Arzt ereignet.« Das bedeutet, daß die Krankheit nicht ein Wesen an sich ist, sondern daß sie aus der Konfrontation von zwei Individuen entsteht. Der eine bringt das Mysterium seiner Störungen, der andere schlägt eine Erklärung vor, die das Subjektive in die Objektivität eines theoretischen Systems eintreten läßt. Aus einer solchen sehr allgemeinen Definition der Krankheit verstehen wir, daß der »Wahnsinn« nicht existiert, daß er eine Konstruktion am Ende eines Dialoges ist, eine Konstruktion aber, die über den Dialog hinauswächst, denn hinter dem Kranken stehen die ganzen Kollektivvorstellungen, die man sich (er oder seine Umgebung) von den Geistesstörungen macht, und hinter dem Arzt stehen die Systeme, die er aus Büchern und in Schulen gelernt hat. Der therapeutische Dialog ist also mehr ein Dialog zwischen zwei Segmenten der Gesellschaft als ein Dialog zwischen zwei Wesen. Daß in der Psychoanalyse von J. Lacan die Ordnung der Sprache an die Stelle der Ordnung der Sachen tritt, führt uns zu demselben Schluß[7]. Das Unbewußte des Kranken wird nicht mehr als ein Behälter für die verdrängten Wünsche betrachtet, sondern als Teilhaber an einem Gespräch, das verborgen bleibt, dessen Worte aber mehr oder weniger gut erhalten bleiben. Dadurch bekommt der Analytiker eine Rolle, die der des Historikers ähnelt, der ein Sprachdenkmal entziffert oder Archivdokumente übersetzt. Jedenfalls analysiert man streng genommen niemals Symptome, sondern Worte eines Subjekts. Mit dem Wort aber, sogar mit dem verzerrten und subjektivistischen, tritt die Gesellschaft in den Dialog ein. Und die ganze Psychoanalyse muß vom soziologischen Standpunkt als eine Untersuchung der Sprache in einer Situation zu zweit aufgefaßt werden. Wir meinen, daß J. Lacan dadurch, daß er diesen sprachlichen Aspekt der Psychoanalyse betonte, auf den Fortschritt hingewiesen hat, den diese Wissenschaft für die Erkenntnis der Geisteskrankheit bedeutet. Sie hat gezeigt, daß sie ein Kommunikationsprozeß ist, der sich von den anderen, normal genannten, vielleicht unterscheidet, aber von derselben Natur ist.

Die Gruppentherapie kompliziert das Schema. Dadurch aber, daß sie die Partner

6. J. Philips, »Psychodynamique de la santé et de la guérison dans les civilisations« (*VI.e Congrès int. des. Sc. anthrop. et ethno.*, II, 2e Bd., Musée de l'Homme, 1964, S. 549–557).

7. Sur la parole et le langage, *La Psychanalyse*, n° 1, 1956.

vervielfältigt, hebt sie noch besser die Bedeutung der Kommunikation hervor. Die therapeutische Gruppe ist zunächst ein Netz sozialer Beziehungen *in statu nascendi.* Mit ihr aber gelingt es, zumindest bei manchen Autoren oder in bestimmten Formen, »einen Gruppengeist« zu bilden. Das wird besonders deutlich, wenn man einen Kranken von einer Gruppe in eine andere übernimmt. Tatsächlich hat sich jede ihr eigenes System der Dramatisierung, der Symbolisierung, ihr Über-Ich (das nichts anderes ist als Bewußtsein, das die Gruppe von sich selbst gewonnen hat) ebenso wie natürlich auch ihr eigenes Zensur- und Repressionssystem gegeben[8]. Der Therapeut allerdings manipuliert diese Kommunikationsnetze. Würden wir ihn aber ausklammern, so fänden wir hier endlich eine erste Form der »Gesellschaft von Geisteskranken«.

Natürlich ist dies eine künstliche Gesellschaft. Die Geisteskranken schließen sich nicht von selbst zusammen. Sie leben im Schoß der Gesamtgesellschaft. Sie haben Umgang oder bilden Verbindungsnetze mit als »normal« bezeichneten Personen. Weiter oben haben wir vom Wahn zu zweit oder von multiplem Wahn gesprochen. Mit diesen Begriffen bezeichnen die Psychiater Phänomene, die relativ selten auftreten. Von allgemeiner Bedeutung aber ist, daß die Krankheit sich durch die Kanäle der Kommunikation verzweigt, um in der einen oder anderen Form eine ganze Gruppe zu erfassen. Im allgemeinen ist es die familiäre Gruppe, es kann aber auch die nachbarschaftliche oder die industrielle Gruppe sein. Moreno hat das sehr gut verstanden. Im Psychodrama behandelt er in der Form von Hilfs-Ichs oder direkt den mit seiner Frau verheirateten Mann, seine Kinder, die Freunde oder die Freundinnen seiner Frau[9]. Unmerklich gehen wir also von der Idee eines abweichenden Wesens zu der Idee von Randgruppen über, die sich im Schoß der Gesamtgesellschaft oder, genauer gesagt, an ihrer Peripherie bilden. »Im Umgang mit einem Katatonen erstarrt die Umgebung«[10], und im Umgang mit einem Paranoiker wird die Umgebung aggressiv.

Wir sehen so, wie sich allmählich das Bild von einer pathologischen Gesellschaft abzeichnet. Natürlich haben wir in der psychiatrischen Klinik die beste Gelegenheit, seine Konturen deutlicher zu machen. Die Internierungspolitik, die sich aus dem vorigen Abschnitt ergab, in Verbindung mit den Kollektivvorstellungen über den Wahnsinn besteht darin, daß man den Geisteskranken von seiner Gesellschaft trennt, ihn in eine abgeschlossene Welt einsperrt, um ihn zu »isolieren«. Die soziologische Untersuchung der Krankenhausinstitutionen ist bestimmt eines der Kapitel der heutigen Soziologie, das in der Praxis am meisten Anwendung findet. Die Gründe dafür sind leicht zu verstehen: Da es sich um auf einen geschlossenen Raum konzentrierte, um von der übrigen Welt getrennte Kranke handelt, ist die Zahl der Variablen in Beziehung zu der normalen Gesellschaft sehr eingeschränkt. Und die möglichen Aktivitäten der Kranken bleiben sehr beschränkt und immer unter dem Auge des

8. S. H. Foulkes und E. J. Anthony, *Group Psychotherapy,* Penguin Books, 1957.
9. J. L. Moreno, *Psychodrama I,* New York, 1946.
10. P. Balvet »Réflexions dépareillées sur la psychothérapie« (*La Raison,* 1961).

Beobachters. So kann man also ohne große Schwierigkeiten die sozialen Interaktionen prüfen, sie sogar variieren lassen. Da man in einer psychiatrischen Klinik toleriert, daß Gefühle und Haltungen direkt geäußert werden, ist es darüber hinaus möglich, diese in reinem Zustand, zumindest aber weniger verstellt, zu untersuchen[11]. Es interessiert uns hier nicht, ob das Krankenhaus dadurch, daß es den Kranken Sicherheit bietet und von seiner sozialen Verantwortlichkeit entbindet, wie Dévereux und Le Guillant meinen, ein effektives Instrument für die Therapie ist – oder ob es, wie Daumézon, Tosquelles, Paumelle und Hermann Simon meinen, ein Instrument der Degradierung ist und man zu Recht von einer »Soziopathologie der Unterbringung in der Klinik« sprechen kann[12]. Es ist Sache des Psychiaters, auf Grund seiner Erfahrung Werturteile zu fällen. Den Soziologen interessiert es, daß im Krankenhaus die gewohnten Prozesse der Interaktion wegfallen. Der Kranke hat keine familiären Beziehungen mehr, und ein Sexualleben zu führen, ist ihm theoretisch sogar verboten. Er hat keine beruflichen Beziehungen mehr. Und selbst, wenn er sich einer Ergotherapie unterzieht, bekommt er für seine Arbeit keinen Lohn. Außerdem kommt er in eine neue Gesellschaft mit ausgeprägt hierarchischer Gliederung, blockierter Mobilität und aufgezwungener Kommunikation. So vergleicht Caudill die Institution Klinik mit einem geologischen Bild. Danach würde sie aus zwei getrennten sozialen Schichten bestehen, und es gäbe nur informelle

11. Nach M. S. Schwartz, »Social research in the mental hospital«, in A. M. Rose, o. c. Wir benutzen für unsere Untersuchung des sozialen Lebens der hospitalisierten Kranken: W. Caudill, in Kroeber, *Anthropology Today*, Chicago, 1953. – Caudill, Redlich, Gilmore, H. R. und E. B. Brody, »Social structure and interaction processes on a psychiatric ward« (*Amer. Journ. of Orthopsychiat.*, XXII, 1952). – G. Dévereux, »The social structure of the hospital as a factor in total therapy« (*idem*, XIX, 1949). – H. Warren, Dunham und S. Kirson Weinberg, *The Culture of the State Mental Hospital*, Detroit 1960. – Erving Goffman, *Asylums*, New York, 1961. – R. W. Hyde und R. H. York, »A technique for investigating interpersonal relationship in an mental hospital« (*The Journ. of Abn. and Soc. Psycho.*, XLIII, 1948). – Jenkins und Curran, »The evolution and persistence of groups in a psychiatric observation ward« (*Journ. of Soc. Psycho.*, XII, 1940). – Osorio Cesar, »Aspectos da vida social entre os loucos« (*Rev. Arqu. Munic. de S. Paulo*, CV, 1946). H. Rowland, »Interaction processes in a State Mental Hospital« (*Psychiatry*, 1938), von dems. Verf. »*Friendship pattern in a State Mental Hospital*« (*idem*, 1939). – Schwartz, »The functions of sociology in the mental hospital« (*Social Problems*, 1960). – Scheimo, Payntor und Szurek, »Problems of staff interaction with spontaneous groups formations on a children's psychiatric ward« (*Amer. Journ. of Orthopsychiat.*, XIX, 1949). – Stanton und Schwartz, *The Mental Hospital*, New York, 1954, und A. T. Wilson, *Hospital Nursing, auxiliaries, notes on a background survey and job analysis*, London, 1951. In der französischen Literatur findet man außer der bereits zitierten Spezialnummer von *Esprit* und den noch unveröffentlichten Artikeln von Dr. Courchet auch wichtige Texte wie Delay, Maisonneuve, Benda, u. a. »Recherches psychosociologiques dans un service libre de malades mentaux« (*Ann. Méd. Psych.*, März 1958), oder P. C. Récamier, »Introduction à une sociopathologie des schizophrènes hospitalisés« (*Evol. psychiat.*, 1, 1957).

12. Schwartz hat besonders auf eine Wechselwirkung hingewiesen zwischen der Verhaltensunsicherheit des Kranken und der Unsicherheit des Personals beim Erteilen der Anweisungen. Indem wir in der Klinik einen »in Auflösung begriffenen sozialen Bereich« zeigen, nähern wir uns unserer strukturalistischen Perspektive.

Beziehungen zwischen Kranken, Ärzten, Verwaltern und Wärtern. Nur der Krankenpfleger kann, wenn er will und wenn er nicht überlastet ist, eine vermittelnde Rolle zwischen den beiden einander überlagernden Welten spielen. Wenn er diese Rolle nicht spielt, wird der emotionale Teil der Persönlichkeit gestört. Diese Störungen zeigen sich in individueller (Unruhe der Manischen, Flucht ins Imaginäre beim Schizophrenen, der sich in den Schutz einer immer härter werdenden Gleichgültigkeit zurückzieht) oder kollektiver Form (allgemeine Störungen in einem Klinikbetrieb). Gerade diese, was das soziale Leben betrifft, zweifellos negativen Aspekte sind den Psychiatern oder den Soziologen aufgefallen. Sie zeigen die Rolle der Stereotype, die diese zerbrochenen Existenzen ordnen, das Bild des Wahnsinnigen, das insgeheim die Verhaltensweisen beherrscht und dem man freiwillig nachlebt. Sie weisen hin auf den Ort, einen Raum, der von hohen Mauern eingeschlossen wird, verriegelte Türen hat, auf die mechanischen Gänge in einem grauen Hof, wie in einem Gefängnis. Schließlich zeigen sie die Bedeutung, die so etwas wie eine öffentliche Meinung in der Klinik spielt. Dort hat jeder seine »Reputation« zu wahren, das heißt, er muß sich so verhalten, wie es die anderen Patienten, Krankenschwestern oder der Arzt von ihm erwarten.

Die Gruppe der hospitalisierten Kranken könnte man so untersuchen, wie die Ethnologen es bei den kleinen traditionellen Gruppen tun. Denn in diesen Gesellschaften Geisteskranker findet man viele Prozesse wieder, die denen entsprechen, die Gluckman in Südafrika untersucht und als »Rebellionsrituale« bezeichnet hat. Das heißt Kompensationszeremonien, die dazu bestimmt sind, die durch Starrheit der sozialen Struktur hervorgerufenen Spannungen zu verringern. Zur Zeit der Feste, so beim Weihnachtsfest, wenn die Tanne oder ein erholsames Beisammensein vorbereitet wird, schwindet die Distanz zwischen den beiden Welten, der Welt der Verwalter und Ärzte einerseits und der der Kranken andererseits. »Die Trennungslinie der Kasten«, wenn man so will, wird aufgehoben. Wenn, wie wir gesagt haben, die vertikale Mobilität unmöglich ist, so gibt es doch, wie in den traditionellen Gesellschaften, Kanäle für einen halben Aufstieg. Für einen interessanten Kranken gehalten zu werden, bringt zum Beispiel die Protektion der Verwaltung ein. Auch die Teilnahme an einer psychotherapeutischen Behandlung gilt als eine Beförderung, weil sie tatsächlich meistens eine Behandlung für »Reiche« ist. Ebenso die Teilnahme an einer gruppentherapeutischen Behandlung, das heißt an einem demokratischen Zusammenwirken, bei dem die Kranken behandelt werden, ohne daß man die Unterschiede der ethnischen Herkunft, der sozialen Klasse, zwischen den zahlenden oder den finanziell unterstützten Kranken berücksichtigt. Es erübrigt sich zu sagen, daß die Psychiater in immer stärkerem Maße Lintons ethnologische Begriffe »Rolle« und »Status« verwenden. Récamier in Frankreich erkennt den Wert dieses Wandels in der Terminologie an, die Ersetzung des vagen Begriffs Soziabilität durch sozialer Status (so doppelsinnig der Status eines Kranken auch sein mag), wenn er zum Beispiel schreibt: »Der geistige Zustand und das Verhalten des Kranken ändern sich, wenn sein sozialer Status sich ändert oder sich ändern kann. Sie bleiben unverändert, wenn der soziale Status auch unverändert geblieben ist.«

Courchet seinerseits geht von der Lévi-Strauss'schen Vorstellung aus, daß es konstante unbewußte Strukturen gibt, die man entdeckt, wenn man »durch eine Art Filterung ... den lexikologischen Inhalt der Institutionen und Gebräuche« eliminiert, und findet die dualistische Organisation bei den behandelten Kranken wieder: Spaltung der Respektspersonen des Krankenhauses in »Freunde« und »Feinde« und Komplementarität der beiden Hälften (denn auch der Feind ist nur Feind, um besser zu heilen). Könnte man nicht schließlich sagen, daß ebenso wie man in den traditionellen Gesellschaften die mit den Lebenden verbundenen Toten findet, die mit ihnen nur dieselbe soziale Realität bilden, im Krankenhaus die Fantasmagorien der Kranken ein integrierender Bestandteil der Krankenhausrealität sind und in allen Netzen der Kommunikation mitspielen?

Die sozialen Beziehungen bleiben jedoch asymmetrisch, denn wir haben es mit einer aus einander überlagernden Schichten bestehenden Gesellschaft zu tun, und die Patienten sind mehr oder weniger ernst erkrankt. Zwar gibt es den Tausch von Geld, Zigaretten, hereingeschmuggelten oder in der Küche gestohlenen Gegenständen, aber in den Beziehungen zu zweit ist der weniger Kranke der Beschützer, der Führer des anderen. Er rollt ihm seine Zigaretten, und das eingeschränkte Leben schafft, wie die kleine Zahl von Personen oder Gruppen in den traditionalistischen Gesellschaften, Bedingungen, die diese auf Tausch beruhende Solidarität begünstigen. Der Dualismus vervielfältigt sich auch in der Klinik wie in einer Spiegelgalerie. Es gibt den Dualismus zwischen Männer- und Frauenbau, Dualismus zwischen dem überwachten und dem am Rande gelegenen Raum, in dem man sich der Kontrolle der Wärter mehr oder weniger entzieht, Dualismus der ärztlichen Verordnung (die für alle Kranken die gleiche ist, unabhängig vom Charakter seiner Störungen, den Unterschieden von Geschlecht, Alter, Familienstand oder Religion) und des privaten Lebens am Rande der Klinikgesetze, das aus Listen besteht, aus in den Waschräumen gerauchten Zigaretten, aus Flirt an verborgenem Ort, bei einer Umlegung usw. Man darf nicht davon ausgehen, daß das soziale Leben der Kranken nur durch den Rahmen der Institution bestimmt ist, sondern muß auch die Bildung spontaner Gruppen mit einbeziehen (auch wenn es sich wie bei Napoleon, der sich mit einem Hof von Marschällen umgab, um wahnsinnige Gruppen handelt). Das heißt, man muß das soziale Leben der Kranken aus der Perspektive dieses Dualismus betrachten, der übrigens für alle durch Anwendung von Zwang entstandenen Kollektive charakteristisch ist. Die Soziologie des Krankenhauses mündet ein in strukturelle Modelle ...

III. Nach Bierer, Tosquelles, Sivadon und Lambo öffnet sich diese Klinik jedoch in immer stärkerem Maße, baut ihre Kanäle der Kommunikation (wie die Stätten für eine Nachbehandlung) oder bedient sich schon existierender Realitäten, (Kranke werden in den Bauernhöfen des Dorfes untergebracht), um so die soziale Wiederanpassung der Geisteskranken zu ermöglichen. Wir haben so einen dritten Typ von Untersuchungen, die sich mit der Wiedereingliederung der ehemaligen Geisteskranken in die Berufsgruppen und die familiären Gruppen beschäftigen. Im allgemeinen wird die soziale Wiederanpassung vor allem durch den Erfolg im Beruf definiert. Es kommt sogar vor, daß die »stabilisierten« Psychotiker eine höhere Qualifikation als vor der Einweisung erreichen. Ehemalige O. S. können P_1 werden. Daß der Erfolg im Beruf an erster Stelle steht, liegt weitgehend daran, daß der Kranke nur dann seine Stellung in der Familie einnehmen kann, wenn er Lohn bekommt und seiner Umgebung beweist, daß er in der Lage ist, eine Tätigkeit auszuüben. Man muß aber unterscheiden zwischen den Familien, die auf Grund von Heirat, und denen, die auf Grund von Verwandtschaft bestehen. Nur erstere nehmen lediglich die Kranken auf, die Erfolg im Beruf haben. Letztere nehmen auch die auf, die nicht wieder in einem Beruf arbeiten können. Denn in diesen Familien ist die Rolle des abhängigen und auf Hilfe angewiesenen Kindes die einzige, die von der Mutter oder vom Vater erwartet wird[13]. Eine in Boston entstandene neuere Untersuchung, die sich aber nur auf die Männer bezieht, bestätigt, daß es notwendig ist, den Typ der Familie zu berücksichtigen, um über den »sozialen Erfolg« urteilen zu können:

RELATIONEN ZWISCHEN DEM NIVEAU DES BERUFLICH-SOZIALEN ERFOLGS UND DEM FAMILIENTYP

Niveau des Erfolgs		*Familientypen*	
Arbeit	Gesellschaft	Verwandt	Angeheiratet
Hoch	Hoch	19,0 %	26,5 %
Hoch	Niedrig	19,0 %	63,2 %
Niedrig	Hoch	8,0 %	2,9 %
Niedrig	Niedrig	54,0 %	7,4 % [14]

Um diesen Forschungskomplex abzuschließen, können wir uns auf die klassische Untersuchung von Parsons über die Beziehungen zwischen Kranken und Arzt beziehen, auf die wir schon am Ende unseres ersten, des historischen Kapitels hingewiesen haben[15]. Denn Parsons hat versucht, diese Beziehungen in die Struktur der Gesamtgesellschaft und in eine allgemeine Theorie der strukturellen Modelle einzuordnen. Nach seiner Hypothese ist der Kranke ein »Abweichler« und der Arzt ein Instrument der »sozialen Kontrolle«. Daraus ergibt sich, daß die Beziehungen zwischen Geisteskrankheit und Psychiatrie nur einen besonderen Sektor der allgemeinen Theorie von den Beziehungen bilden, die zwischen den Motivationen zur Abweichung und den Kontrollmechanismen bestehen:

Die Rolle des Kranken bildet unter diesem Gesichtspunkt einen Mechanismus, der die Abweichung so kanalisiert, daß zwei sehr gefährliche Virtualitäten abgewendet werden: die Bildung einer Gruppe von Abweichenden sowie deren Anspruch auf Anerkennung ihrer Legitimität. Die Kranken sind nicht mit anderen Abwei-

13. J. A. Davis, H. E. Freeman und O. G. Simmons »Rehospitalization and performance level of former mental patients« (*Social Problems*, 5, 1957, S. 37–44).

14. H. E. Freeman and O. G. Simmons, »Mental patients in the community, family settings and performance levels« (*Amer. Soc. Rev.*, 23, 2, 1958, S. 147–154).

15. Talcott Parsons, *The Social System*, The Free Press, 1951.

chenden verbunden, um mit diesen eine »Untergruppe« oder eine »Subkultur« zu bilden, sondern jeder Kranke ist an eine Gruppe Nichtkranker, an seine Freundes- und Familienkreise gebunden, und vor allem an seinen Arzt. So bilden die Kranken nur statistisch gesehen eine Gruppe. Ihnen ist aber nicht die Möglichkeit gegeben, eine solidarische Kollektivität zu bilden. Darüber hinaus ist die Lage des Kranken von vornherein wenig beneidenswert.

Parsons fährt fort, daß man unter diesem Gesichtspunkt auch »die herrschende Meinung in Frage stellen kann, daß die höhere Rate der Geisteskrankheiten ein gutes Indiz für zunehmende soziale Desorganisation ist ... Vielleicht hängt die Zunahme nur damit zusammen, daß der Krankheit abweichende Motivationen zugeordnet werden, die sich alternativ in anderen Rollen ausdrücken könnten. Für die Stabilität des sozialen Systems ist die Rolle des Kranken vielleicht weniger gefährlich als solch eine andere.«

Gerade unter diesem Gesichtspunkt müssen wir jetzt die Frage neu stellen. Wir müssen aber feststellen, daß die Rolle des Geisteskranken keinesfalls die »beiden gefährlichen Virtualitäten« beseitigt, von denen Parsons spricht. Zuerst erhebt der Geisteskranke den Anspruch darauf, daß seine Legitimität anerkannt wird. Er glaubt, daß die anderen wahnsinnig sind, nicht er. Zweitens stellt die psychiatrische Klinik die Gruppe der Abweichenden zusammen, um sie von der übrigen Gesellschaft zu trennen. Gewiß besteht die Rolle des Arztes immer darin, ein Instrument der sozialen Kontrolle zu sein, indem er dem Kranken seine Subjektivität (im Gegensatz zu seiner Legitimität) offenbart und ihm die Tore der Klinik öffnet oder ein wenig öffnet. Auf jeden Fall aber muß man das Parsonsche Modell komplizierter sehen. Wenn es außerdem wahr ist, daß die Abweichung sich in anderen Rollen wie Selbstmord, Prostitution oder Kriminalität ausdrücken kann, so ist es, zumindest im Bewußtsein der Kollektivität, nicht sicher, daß sie dann weniger gefährlich ist. Der Beweis dafür ist, daß sie darauf in der gleichen Weise reagiert. Durch Internierung (oder im Falle von Selbstmord durch eine Überwachung, die nichts anderes als ein Gefängnis ohne Gitter ist).

II

In einem früheren Kapitel haben wir uns die Frage gestellt: Was ist ein Fall? Wie kann man das Normale vom Pathologischen unterscheiden? Zweifellos erkennen wir jetzt besser, daß diese Frage sich deshalb gestellt hat, weil der Wahnsinn (diesen vagen Begriff, den die Psychiater am liebsten verbannen würden, verwenden wir absichtlich in diesem Kapital) im Grunde keine natürliche Gegebenheit, sondern eine reine Beziehung ist. Die Bücher der Historiker haben zu Recht den Wahnsinn von der Natur auf die Geschichte übertragen, indem sie ihn als den zwischen Vernunft und Unvernunft wechselnden Dialog definierten.

Folgende erste Schlußfolgerung interessiert den Strukturalismus: Wahnsinnig ist man nur in bezug auf eine gegebene Gesellschaft. Der soziale Konsensus begrenzt die fluktuierenden Zonen der Vernunft und der Unvernunft.

Foucault schreibt: »Eine Geschichte des Wahnsinns schreiben heißt: eine strukturale Geschichte vom historischen Ganzen – Begriffen, Institutionen, rechtlichen und Polizeimaßnahmen, wissenschaftlichen Begriffen – schreiben, die in sich einen Wahnsinn gefangenhalten, der im ursprünglichen Zustand niemals gefunden werden kann.« Ey, dessen Gedanken wir zusammengefaßt haben, klärt uns nur über einen Aspekt dieses strukturalen Ganzen, über die Begriffe auf, besonders über philosophische, politische oder moralische Begriffe wie Freiheit und Verantwortung. Die Institutionen, die rechtlichen Maßnahmen erscheinen dann als Konsequenzen dieser Ideologien, nicht als Elemente einer Struktur, zu deren konstituierenden Elementen auch die Wahnsinnigen gehören. Wir führen das Kausalitätsprinzip in die Geschichte ein und kommen auf die Frage zurück: Was ist das Wichtigste, die Welt der Gedanken oder die Infrastrukturen? Andere tendieren dazu, die ökonomischen Umwälzungen zu untersuchen, die auf dem Übergang von der Ständegesellschaft zur Gesellschaft der Fabriken folgen, mit der Entwicklung der Arbeitslosigkeit, der Landstreicherei, der Bildung einer urbanen Randschicht, zu der Gammler, Prostituierte, Kriminelle und Wahnsinnige gehören.

Es gibt einen zweiten Aspekt dieser strukturellen Ganzheiten, die wir jetzt zu erfassen suchen. Da die Wahnsinnigen auch dazu gehören, können sie von den anderen Abweichenden nicht getrennt werden. Die Abweichung kann in verschiedenen Richtungen erfolgen, die zweifellos von der individuellen Veranlagung, aber auch von den sozialen Sektoren der Bevölkerung abhängig sind[16]. Wie man aber oft bemerkt hat, stellen diese Manifestationen tiefgehende Analogien zum Determinismus und zu Stellvertretungsbeziehungen dar (so zeigen die Statistiken bei einer Gesellschaft oder einer bestimmten Gruppe den Gegensatz zwischen der Kurve der Selbstmorde und der der Verbrechen). In gewisser Weise sekretiert oder eliminiert jede Gesellschaft ihren Abfall. Ohne daß man auf die irreführenden Vergleiche zwischen dem sozialen Organismus und dem biologischen Organismus zurückkommen will, muß man doch erkennen, daß der soziale Organismus, der harmonisch funktionieren will, alles das ausscheiden muß, was er nicht innerhalb seines lebendigen Gewebes assimilieren kann. Vielleicht hat der Soziologe nicht genügend beobachtet, wie früh am Morgen in den Straßen der Stadt die Mülltonnen unaufhörlich geleert und unaufhörlich wieder neu gefüllt werden. Mit all dem, was jede Familie oder Wohneinheit unaufhörlich zur Vernichtung fortwirft. Doch würde es genügen, in einer alten Stadt spazieren zu gehen, um den großen Unterschied zwischen der römischen und der heutigen Stadt festzustellen. Die moderne Stadt wurde auf dem Schutt der früheren Städte gebaut. Uns fehlt noch eine Soziologie der Mülltonnen.

Diese Soziologie müßte heute auf der Feststellung aufbauen, daß unsere Gesellschaft eine Industriegesellschaft ist, daß unsere Ideologie eine Ideologie der Produktion ist, daß die Abweichung durch unsere Produktionsweise definiert wird, daß folglich der Wahnsinn zuerst eine Form der Unproduktivität ist. Sivadon ahnt es,

16. Die ökologische Untersuchung zeigt uns zweifellos, daß es Verfallszonen gibt, auf die die pathologischen Phänomene sich konzentrieren. In diesen Zonen aber gibt es Verbrecherviertel, die mit den Zonen der Geisteskrankheiten nicht zusammenfallen.

wenn er schreibt: »Der Wahnsinn ist der Preis für den Fortschritt, für die edle Bestimmung des Menschen.« Kein Schriftsteller, sondern ein Psychiater hat das am tiefsten empfunden. A. Béguin schreibt im Vorwort zu der Nummer von *Esprit*, die »dem Elend der Psychiatrie« gewidmet ist: »Der Spielraum der für normal gehaltenen Verhaltensweisen hat sich verengt zu einem Begriff von Nützlichkeit und Allgemeinwohl.« So gesehen, ist die Öffnung der Asyle weniger eine philanthropische Maßnahme – oder wie Ey sagt, aus einem ganz starken Gefühl für die Würde der menschlichen Person erfolgt – sondern vielmehr aus dem Wunsch, die Abweichenden in der riesigen Maschine, zu der die Gesellschaft geworden ist, zur Herstellung von Produkten einzusetzen. Es ist nicht von ungefähr, daß in der englischen Schule der Sozialpsychiatrie ebenso wie in manchen Veröffentlichungen der französischen Psychiatrie der soziale Erfolg im wesentlichen durch den beruflichen Erfolg definiert wird. Der Pharmakologie ist es (wie früher der Lobotomie) gelungen, Geisteskranke wieder »schüchtern« in die Produktionsprozesse einzugliedern, indem sie die aggressiven reaktionellen Formen zum Verschwinden brachte. Die Mode der Beruhigungsmittel oder der »chemischen Zwangsjacken« ist nicht nur und auch nicht, wie man gesagt hat, vor allem eine Folge der Überfüllung der psychiatrischen Kliniken, durch die echte Beziehungen zwischen Arzt und Patient nicht entstehen können. Auch ist sie für den Arzt kein Mittel zur Entschuldigung (er hat seinen Kranken nicht verlassen, und wenn er wahnsinnig bleibt, ist es sein Fehler, er hat sein Möglichstes getan). Wir glauben, daß als eigentliche Ursache dahinter ein Druck der Gesamtgesellschaft steckt, die sich für die Individuen nur insoweit interessiert, als sie produktiv sind. Es kümmert sie wenig, ob sie geheilt sind oder nicht, wenn sie nur »nützlich« sind. In dieser Soziologie der Mülltonnen scheint uns die Pharmakologie das Äquivalent zum Flohmarkt zu sein. Man muß im Abfall alles das zusammensuchen, was einen, wenn auch nur geringen industriellen (oder kommerziellen) Wert haben kann, um es wieder in den Kreislauf der Fabrik (oder in den geschäftlichen Kreislauf von Angebot und Nachfrage zurückzubringen). Uns hat zu dieser Einsicht geführt, daß die Pharmakologie nicht eine neue Erfindung ist. Die Schamanen und die Priester der Initiationsbrüderschaften verwenden in ihren Ritualen Pflanzen, aus denen die modernen Heilmittel gewonnen werden (oder andere mit der gleichen therapeutischen Eigenschaft) für »Kräuterbäder«, die die große ekstatische Krise hervorrufen. Bei ihnen aber geht es darum, die antisozialen Verhaltensweisen der Psychotiker unter Kontrolle zu bringen und sie in kooperative Elemente zu verwandeln. Das Allgemeinwohl im edelsten Wortsinn ist ihr höchstes Interesse: Sie wollen das gestörte Gleichgewicht der Gruppe wiederherstellen. Wenn die Psychiatrie heute wieder entdeckt, was bekannt war, so deshalb, weil unsere Gesellschaften, in denen jedermann arbeiten muß, nicht die Arbeitskraft verlieren will, die früher interniert worden wäre. »Die Nützlichkeit« hat die Nachfolge des »Allgemeinwohls« angetreten. Man kann uns mit Recht sagen, daß diese Wiedereingliederung der Kranken in die Berufsgruppen auch einen moralischen Wert hat. Hat aber dieser Wert den Prozeß ausgelöst? Die Abschaffung der Sklavenarbeit hatte auch einen moralischen Wert. Und die Philanthropen haben gegen die Sklaverei gekämpft. Die Sklaverei aber ist erst dann abgeschafft worden (vergessen wir nicht, durch einen freiwilligen Akt der Weißen, nicht infolge einer Revolte der Schwarzen), als die Entwicklung des Kapitalismus gezeigt hat, daß der Sklave teurer war als ein freier Arbeiter und ihm weniger einbrachte als dieser – und als der Überfluß der Produktion die Eliminierung des ganzen Bevölkerungssektors erforderte, der keinen Lohn hatte und auf den Märkten nichts kaufen konnte.

Die Definition vom Normalen und Pathologischen, die wir gegeben haben, entspricht dieser technokratischen Strömung. Die alte Definition, die der Anpassung, gehört in den Rahmen einer relativ stabilen Industriegesellschaft. Die neue, die der Normativität, paßt in den Rahmen unserer neuen Gesellschaft, in der die Geschwindigkeit der technischen Veränderungen so groß ist, daß das Überwechseln der Arbeiter von einem Industriezweig zum anderen oder von einem Produktionszweig zum anderen ohne Beziehung zum ersten mehr Anpassungsfähigkeit als Anpassung, oder wie die Psychologen sagen, menschliche Plastizität erfordert. Ziel des Psychiaters ist es, Zufluchtsorte für die stabilisierten Geisteskranken zu finden, angefangen bei der Werkstätte für geistig Behinderte oder Epileptiker, bis hin zu den verschiedenen Graden von Arbeitsfähigkeit. In unserer Welt, die von zunehmender Verstädterung, von Landflucht oder Industrialisierung der Landwirtschaft geprägt ist, spricht man aber nicht mehr viel von den »Landkolonien«, die vor einigen Jahren die psychiatrische Klinik für das Land, die Erde und die freundlichen Tiere öffneten.

Eine Soziologie des Wahnsinns soll ihn in die Gesamtheit unseres sozialen Systems eingliedern. Das Verdienst des Strukturalismus ist es, die Gesamtheit der Schlüsse unserer früheren Kapitel zu bewahren, indem er die Zusammenhänge der Kausalität, Diskussionsgegenstände zwischen Genetikern, Biologen und Soziologen, in Zusammenhänge von Korrelationen verwandelte. Diese Korrelationen aber haben einen Sinn. Denn die geistigen Störungen sind ebenso wie die normalen Formen Funktion einer kollektiven Ordnung, die, wie Lévi-Strauss sagt, sogar die Ausnahme nicht gleichgültig läßt. Von denen, die aus dem einen oder anderen Grund außerhalb des Systems stehen, verlangt die Gruppe, oder wie wir gesagt haben, sie »erzwingt es sogar«, daß Kompromisse oder imaginäre Synthesen zwischen den widersprüchlichen Elementen des Systems hergestellt werden. Denn immer »führt die Geschichte allogene Elemente in diese Systeme ein, determiniert das Gleiten von einer Gesellschaft zur anderen und Ungleichheiten im relativen Evolutionsrhythmus jedes einzelnen Systems.« So ist es nicht von ungefähr, daß die Wahnsinnigen ebenso wie die Kriminellen von den Spezialisten für »Sozialpathologie« unter die »Randexistenzen« eingeordnet worden sind.

Kommen wir auf unsere Gesellschaft zurück, die wir als eine Gesellschaft von *homines fabri* charakterisiert haben. Max Weber hat in bewundernswerter Weise gezeigt, daß im Gegensatz zu den antiken Gesellschaften charakteristisch die Bedeutung ist, die in immer stärkerem Maße der Rationalisierung zukommt. Mannheim seinerseits ist, obwohl er die menschlichen Werte retten will, zu der Feststellung gezwungen, daß die Ausbeutung der Natur, indem sie wissenschaftlich wird, zur totalitären Planung tendiert. So versinken wir allmählich in der Welt der Technik, der Maschine, der »funktionell« genannten Ganzheiten und der geplanten Freizeit ... In unserer Gesamtgesellschaft bleiben aber ganze Teile, die wir die Gesellschaften des Heiligen nennen könnten, zum Tode verurteilt. A. Béguin hat es in seinem Vorwort zur Sondernummer von *Esprit,* von der wir schon gesprochen haben, richtig ausgedrückt: von Nietzsche bis zu Antonin Artaud wird die Gesellschaft durch die Wahnsinnigen angeklagt. Als im Zeitalter der Renaissance der Rationalismus Wurzeln zu schlagen begann, konnte Erasmus sich damit begnügen, ein »Lob der Narrheit« zu schreiben. Heute muß man weiter gehen. Man muß wahnsinnig werden, um eine wahnsinnig gewordene Welt zu diskreditieren. Nietzsche versucht den Zirkel der technischen Existenz, das heißt die Bedingtheit von Mittel und Zweck zu durchbrechen, indem er zuerst die Umwertung der Werte predigt und sie dann an sich selbst durch das Modell des Wahnsinns verwirklicht. Gérard de Nerval und Antonin Artaud machten aus ihrem Wahnsinn einen Protest gegen eine Medizin, die »darüber wacht, daß man das Feld der Poesie nicht auf Kosten des öffentlichen Weges vergrößert«. Der »soziologische« Sinn der Geisteskrankheit besteht darin, offenbar zu machen, daß in unserer Gesamtgesellschaft zwei Systeme mit verschiedenen Daten, *tekne* und *poiesis,* aufeinanderprallen.

Bachelard, der Philosoph und kein Soziologe ist, versucht die beiden Systeme, den Rationalismus und die Poesie, zu retten, indem er jedem eine andere Sphäre unseres Lebens und unserer Person zuordnet. Der Soziologe ist zu der Feststellung gezwungen, daß die *poiesis* sich mit Entspannung, Yoga und Massenkultur in *techne* verwandelt. Denn aus der Poesie eine Gegentechnik machen, heißt auch, sie technisieren. Es gibt keine andere Lösung als das Absurde. Auch hier wieder ist es nicht von ungefähr, daß man die moderne Malerei mit den Zeichnungen der Wahnsinnigen, oder den Lettrismus mit der Sprache der Wahnsinnigen in Zusammenhang bringt. Wenn der Vergleich auf ästhetischer Ebene nicht gültig ist, so doch auf soziologischer: Es handelt sich um die gleichen Widerstandskerne des wieder »wild« gewordenen Heiligen, um die gleichen im Verhältnis zu unserem dominierenden System peripheren Zonen, um archaische Systeme, die plötzlich erbittert sind über das unaufhörliche Nagen der zentralen Zone, deren Objekt und Opfer sie sind. Die Wahnsinnigen verwirklichen die Unmöglichkeit, die darin besteht, zwei widersprüchliche Systeme mit verschiedenen Daten zu verbinden. Denn die *poiesis* muß durch Verunreinigung zur *techne* werden. Oder sie tritt als die Verdammende auf, in unnötiger Weise übrigens, weil die Kommunikationssysteme unterbrochen sind und die Kranken deshalb zu tauben Ohren sprechen. Wir können diese verzweifelte Lösung nur bewundern. Denn sie ist die einzige echte Lösung, die anderen Widerstandskerne, wie Surrealismus, Dadaismus, abstrakte Malerei, konkrete Poesie sind nur Scheinlösungen. Sie laufen nicht Gefahr, dem Wahnsinn zu verfallen. Gespielt werden sie von Bürgern oder Kandidaten der Bürgerlichkeit (und es sind Spiele, die etwas einbringen), von Leuten also, die dem System der geschäftlichen Produktivität dienen.

In diesem Gegensatz zwischen *poiesis* und *techne* erschöpft sich natürlich nicht das Problem der Randexistenz von Geisteskranken. Wir haben nur beispielhaft darüber gesprochen. Die Welt der Technik klammert auch andere Werte aus, wie die Affektivität[17], das Irrationale und das als »Subjektivität« aufgefaßte Individuum. Wir könnten also im Wahnsinn Inseln sehen, auf denen das Affektive, das Mythische und rein Subjektive Widerstand gegen das dominierende System leisten. Auch hätten wir uns anderer soziologischer Kategorien bedienen können, wie des Gegensatzes zwischen »Gemeinschaft« und »Gesellschaft«. Die Welt der Wahnsinnigen hätten wir dann als den Widerstand des Gemeinschaftlichen betrachten können. Denn der Wahnsinnige lebt niemals allein, sondern in dialektischer Beziehung zu den Gliedern seiner Familie oder der Nachbarschaft. Er wirkt auf sie und wird gleichzeitig von den anderen beeinflußt. Er erpreßt den anderen, er manipuliert seine Verwandten oder Freunde, er schließt sie in seine abgeschlossene Welt ein, er beunruhigt sie mit seiner ganzen eigenen Unruhe. Was vom gemeinschaftlichen System in unserer städtischen und Industriegesellschaft übrig bleibt, bekommt in einer vielrassigen Gesellschaft das Aussehen einer Minderheitengruppe, das heißt, es wird ihm vom umgebenden Milieu der »Stempel der Unterdrückung« aufgeprägt. Deshalb verschwinden diese gemeinschaftlichen Elemente aus dem Blickfeld, sie versteinern, hören auf, lebendig zu sein und werden zu Fossilien. Wir brauchen aber hierbei nicht länger zu verweilen. Aus dem zuerst genannten Beispiel erfährt man, was man unter diesen Kompromissen und fehlgeschlagenen Synthesen von Systemen zu verstehen hat. Die Isolierung, die für manche Psychiater die Welt des Geisteskranken definiert, ist nur die Übertragung dieses Marginalismus von Werten, die von der Gesamtgesellschaft zurückgewiesen und unterdrückt werden, auf die morphologische Ebene. Sie ist in einer im Raum ausgebreiteten Organisation die Suche nach Zufluchtsorten, wo diese Werte sich verstecken, kümmerlich leben und sich auch verteidigen können, indem sie einen Schutzschild absondern, der schließlich das, was man retten wollte, auf sein Existenzminimum reduziert.

Der Begriff Schizophrenie ist von den Psychiatern manchmal angegriffen worden. Ist er von nosologischem Wert? Wir wollen hier nicht darüber debattieren, sondern den Psychiatern diese Sorge überlassen. Wir können aber versichern, daß die Schizophrenie zumindest eine echte soziologische Kategorie ist. Sie definiert wunderbar die Menschen, die sich zurückgezogen haben sowie die Phänomene, die wir soeben mit der Absonderung eines Schutzschilds gegen die Aggressivität eines antagonistischen sozialen Systems verglichen haben, eines starren Schutzschilds, hinter dem andere Wertsysteme sich, wenn auch nur als Sparflamme, als Protoplasma des Lebens erhalten können.

Wir haben allmählich, im selben Maße, wie wir die Systeme in ihrem Verhältnis zueinander betrachtet haben, das Problem der Positionen hinter uns gelassen und wenden uns dem Problem der Werte und Bedeutungen zu, das im Mittelpunkt des folgenden Kapitels stehen wird. Wir werden also bald wieder auf die Punkte

17. Wenn ein soziales System gut funktionieren soll, muß es tatsächlich auf der affektiven Indifferenz aufbauen.

zurückkommen, die wir soeben unter dem Gesichtspunkt der Kommunikation zwischen diesen zentralen und marginalen Sektoren berührt haben. Die Anspielungen auf die Werte, die wir gemacht haben, waren aber notwendig. Denn durch sie versteht man, warum ein zentrales System zur Entstehung zerstreuter peripherer Kerne führt. Denn die Wahl eines Ideals führt zwangsläufig dazu, daß nicht integrierte Rückstände übrig bleiben, die schließlich wegen der Gefahr, die sie für die von der Masse akzeptierten Werte bilden, sogar abgestoßen werden. Vom Standpunkt der Sozialpsychiatrie ist der Wahnsinn eine Störung der Persönlichkeit oder des Verhaltens, deren Entstehung man erforscht (indem man die verschiedenen Faktoren untersucht, die bei dieser Entstehung mitspielen). Aus der Perspektive der strukturalistischen Soziologie ist der Wahnsinn eine »Institution«, die sich in einem institutionellen Rahmen abspielt. Die Aufgabe der Eltern oder der Gatten, des Richters oder des Arztes, die nach den gewohnten oder durch Gesetz festgelegten Regeln des Landes handeln, ist es (nach den variablen Kriterien, die für die soziale Klasse, das Familieneinkommen, die öffentlichen Interessen gelten), die Einordnung des Kranken in die eine oder andere soziologische Kategorie zu entscheiden und »Winkel« oder Plätze zur Verfügung zu stellen, angefangen bei der psychiatrischen Klinik, bis zur kleinen Werkstätte oder einem einsamen Bauernhof auf dem Land. Die Öffnung der Klinik ist nur ein Ersatz für die Winkel, sowohl für die, die vom zentralen Kern am weitesten entfernt sind, als auch für die, die ihm am nächsten sind. Die Rückfälle sind die genaue Entsprechung der Rückfallquote bei der Kriminalität. Ebenso sind die Einrichtungen zur Nachbehandlung wie die probeweise Überwachung der jungen Straffälligen Kriterien für eine adäquatere Lokalisierung in einem festgelegten sozialen System. Und da unser System das der rationellen Planung ist, handelt es sich kurz um die »Toleranz gegenüber dem Wahnsinn«.

Wir sehen also, daß man nur im Verhältnis zu einer gegebenen Gesellschaft wahnsinnig ist. Einer der interessantesten Schlüsse des Strukturalismus ist folgender: Er zeigt, daß sich jeder Dualismus, um verstanden zu werden, auf ein drittes Glied beziehen muß, das vielleicht latent ist, aber von der Analyse gesucht werden muß. So muß eine strukturelle Analyse der rassischen Beziehungen nicht nur wie früher das Ego mit seinen Vorurteilen und das *alter ego* des farbigen Menschen, sein Opfer berücksichtigen, sondern darüber hinaus die Öffentlichkeit, das heißt das, was die anderen Glieder der Gesellschaft vom Ego erwarten. In gleicher Weise bemerkt Lévi-Strauss im Zusammenhang mit dem Schamanismus, daß der von dem Schamanen behandelte Kranke vielleicht der am wenigsten bedeutende Aspekt des Systems ist, daß die wesentliche Beziehung zwischen dem Schamanen und der Gruppe besteht. Folglich geht jede Therapie über den Dualismus Arzt – Patient hinaus, und als vermittelndes Element tritt zwischen beide die soziale Gruppe. Es gibt keine wirkliche Behandlung ohne den kollektiven »Konsensus«. Das Kapitel, das wir soeben abgeschlossen haben, zeigt uns, daß es auch heute noch so ist, daß wir, wenn wir die psychopathologischen Systeme verstehen wollen, immer auf ein drittes Glied zurückgreifen müssen. Der Psychiater ist abhängig von der Gesellschaft, die ihm ihre Definition der Geisteskrankheit liefert, ihm ihr Ideal aufzwingt, dem gemäß er behandeln muß, die ihm die Forschungsziele setzt. Seine Verbindung mit dem Kranken ist also nicht das Wichtigste. Was Lévi-Strauss vom Schamanen sagt, können wir für den heutigen Psychiater wiederholen. Der kollektive *Konsensus* definiert den Wahnsinnigen und die Heilung des Wahnsinnigen. Der »Wahnsinnige« ist im System des Wahnsinns der unbedeutendste Aspekt.

Dafür könnten wir manches Beispiel anführen. Wir wollen nur eines nennen, das deshalb am aufschlußreichsten ist, weil es sich am Rande von zwei verschiedenen »Öffentlichkeiten« befindet. Man hat feststellen können, daß die Psychiater, die Afrikaner in Europa behandeln, in gewisser Weise eine »weiße Magie« gegen die »schwarze Magie« einsetzen, welche die Geisteskrankheit hervorruft. In dieser Gegen-Zauberei stützt sich der Psychiater auf eine ganze Öffentlichkeit, die weiße europäische Öffentlichkeit. Das bedeutet, daß seine weiße Magie einem sozialen Konsensus in bezug auf die sogenannte wissenschaftliche, rationelle Medizin entspricht, usw. Während diese Magie beim Weißen wirksam ist, so bleibt sie meistens beim Schwarzen ohne Erfolg (sogar die Pharmazeutik, die wirken müßte, weil der Afrikaner mit dem Europäer physiologisch identisch ist, bleibt erfolglos. Die neurotischen oder psychotischen Symptome kehren nach kurzer Zeit wieder.) Es genügt aber, daß der als »unheilbar« betrachtete Kranke nach Afrika zurückkehrt und sich von einem Zauberer behandeln läßt, damit seine Störungen endgültig verschwinden. Er hat hier wieder seine kollektive »Öffentlichkeit« gefunden, die ihn in den kollektiven »Konsensus« seiner Landsleute zurückführt. In Europa konnte er nicht geheilt werden, weil er sich wegen seiner angestammten Kultur nicht in einem Konsensus integrieren konnte, der auf andere als seine ethnischen Werte gegründet war. Daraus ergibt sich, daß das dritte, das verborgene Glied, die Öffentlichkeit, wichtiger ist als die beiden sichtbaren Glieder der Kette, Patient und Arzt.

Die Aufgabe der Soziologie der Geisteskrankheiten besteht, wie wir im zweiten Teil dieses Kapitels zu zeigen versucht haben, darin, Aufschluß zu geben über dieses dritte Glied, das heißt die »Wahnsinnigen« und die, die sie behandeln, mit dem Gesamtfeld zu verknüpfen, das gleichzeitig die Kriterien des Wahnsinns und die Kriterien der Heilung definiert.

Elftes Kapitel

Die Welt des «Wahnsinns»

I

Im vorigen Kapitel haben wir festgestellt, daß wir die Geisteskranken in der Gesamtgesellschaft nur unter der Bedingung lokalisieren konnten, daß wir die Strukturen der Systeme unterschieden, die von der Struktur des zentralen Systems abweichen. Von diesen abweichenden Systemen, die wir in ihrem Gegensatz zum zentralen System kennengelernt haben, haben wir bisher nur ein in gewisser Weise negatives Bild. Jetzt müssen wir als Soziologen in die »Welt des Wahnsinns« eindringen. Auch hierüber gibt es wieder ausgezeichnete Untersuchungen, deren Resultate wir zusammenfassen wollen, um dann zu sehen, wie sie sich integrieren oder ob sie Material für eine soziologische Synthese liefern.

Zwar gehört es in den psychiatrischen Kreisen, zumindest den französischen, zum guten Ton, die Thesen von Ch. Blondel in *La Conscience morbide* zu kritisieren. Aber er war der erste, der die Soziologie der Geisteskrankheiten nicht als Ätiologie, sondern als Strukturalismus aufgefaßt hat. Das heißt, er hat sich auf den Standpunkt gestellt, der hier der unsere ist: die Geisteskrankheit ist nicht eine Pathologie des Seins, sondern eine Pathologie der Kommunikation. Bevor diese Wahrheit aber endgültig an Boden gewann, war es notwendig, daß die Angelsachsen sie neu entdeckten[1]. Es ist richtig, daß die soziologische Theorie sich seitdem verändert hat. Es ist nicht unsere Aufgabe, an den Übergang von den kollektiven Vorstellungen (oder beim Wahnsinn von den privaten Vorstellungen, die dazu tendieren, sich dem Kollektiv anzuschließen) zur Erforschung dessen zu erinnern, was diese kollektiven Vorstellungen hervorruft: des Menschen, der durch seine symbolische Aktivität definiert wird. Es genügt uns, wenn wir darauf hinweisen, daß zu jeder Theorie des Symbolismus zwangsläufig eine Pathologie gehört. Diese Pathologie aber kann auf zwei Ebenen liegen, deren eine uns nicht interessiert (die Zeichen operieren nicht nur in der Weise, daß sie kooperative Verhaltensweisen hervorrufen, sondern sie schaffen auch auf Wettbewerb beruhende Verhaltensweisen, die Symbole vermehren die Konflikte, rechtfertigen die Sklaverei), wogegen die andere Mittelpunkt dieses Kapitels werden soll (die Symbole haben bei Normalen und Geisteskranken verschiedene Bedeutungen, im einen Fall lassen sie die Kommunikation zu, im anderen verhindern sie sie)[2]. Die Untersuchungen über die Schizophrenie sind am

1. Ruesch and Bateson, *Communication, Social Matrix of Psychiatry*, New York 1951. Wir kommen Ch. Blondel, ein halbes Jahrhundert nach seinem Tode, näher mit John Cumming and Eliane Cumming, »Affective Symbolism, Social Norms and Mental Illness« (*Psychiatry*, I, 1956).

2. Charles Morris, *Signs, Language and Behavior*, New York, 1946.

weitesten gediehen. Bleuler hatte sie als Verlust von vitalem Kontakt mit der Realität, das heißt als Autismus definiert. Es handelt sich aber nicht um eine absolute Isolierung. Während in manchen Fällen die äußere Welt neutralisiert wird, wird sie in anderen als feindlich empfunden. Récamier geht so weit, daß er, wie wir glauben, mit Recht sagt: Der Schizophrene erscheint auf den ersten Blick von der sozialen Gemeinschaft abgeschnitten. Es gibt aber vielleicht tatsächlich kein Wesen auf der Welt, das leichter durch die umgebenden menschlichen Fakten zu verletzen ist. »Die schizophrene Indifferenz wird zu einer wirklichen Indifferenz durch die Indifferenz, die das Milieu als Antwort auf die falsche defensive Indifferenz zeigt, die von dem Kranken ausgeht, der im Kampf mit den fundamentalen Erfahrungen seiner Psychose steht.« Denn die Angst vor der Welt ist bei ihm genauso groß wie das Verlangen, das er danach hat. Er verschmilzt mit ihr, verliert darüber seine eigene Individualität, so sehr, »daß der andere sich zurückzieht und ihm nichts bleibt«[3].

Auf der anderen Seite hat sich E. Minkowski zu zeigen bemüht, daß es neben dem armen Autismus (den man als Stereotypie und Starre der inneren Träume definieren könnte) auch einen reichen Autismus gibt (der sich wie im Traum als ein Strauß seltsamer Blumen in einer komplexen imaginären Welt entfaltet). An diese letztere Form des Autismus dachte Kretschmer, als er den Schizophrenen mit einem Haus verglich, dessen Wände kalt und weiß gekalkt, dessen Vorhänge hermetisch geschlossen sind, das also mit der Außenwelt keinen Kontakt hat, in dessen Inneren aber sich rauschende Feste abspielen[4]. Je näher wir aber dieses Fest kennenlernen, desto mehr überrascht uns der Rationalismus und die geometrische Gestalt des Wahnsinns. Der Kranke, der nicht mehr assimilieren kann, was Bewegung und Leben ist, neigt dazu, seine Innenwelt als eine räumliche Welt zu konstruieren, und zwar nach den Regeln, die bei uns nur für die Logik und und Mathematik gelten[5]. Die angelsächsischen Psychiater haben diesen Bruch mit der sozialen Welt betont (der weniger als eine Absonderung denn als Unvermögen betrachtet wird, die Rollen zu spielen oder sich auf sein eigenes Ich zu beziehen) und gleichzeitig auf die Symbole hingewiesen, die rein individuell, folglich nicht kommunikabel sind und den Wahnsinn des Schizophrenen definieren[6]. Besonders Cameron hat von der Schaffung einer asozialen Idiomatik (Metonymie) und von einer willkürlichen Syntax (Asyndesis) gesprochen. Die Gemeinschaft aber, vor der der Schizophrene in seine Innenwelt flieht, kann er – beim paranoiden Verhalten – wieder neu schaffen, und zwar indem er dem anderen zuschreibt, was er von sich selbst denkt, indem er die anderen in einer Gruppe mit imaginärem Verhalten organisiert, indem er die reale Gemeinschaft in eine funktionelle »Pseudo-Gemeinschaft« von Spöttern

3. P. C. Récamier, o. c.
4. Kretschmer, *Körperbau und Charakter*, Berlin, 1940.
5. E. Minkowski, *La Schizophrénie*, Desclée de Brouwer, 1953.
6. S. K. Weinberg zum Beispiel: »A sociological analysis of a schizophrenic type«, in Rose, Hrsg., o. c. – G. Dévereux, »A sociological theory of schizophrenia« (*Psychoan. Rev.*, 26, 1939).

und Verfolgern verwandelt[7]. Die Pseudogemeinschaft der Neurotiker dagegen kann aus Märchenprinzen oder Geliebten, aus königlichen oder göttlichen Vätern bestehen[8].

Alle diese Analysen aber, die immer mehr in Mode kommen, versuchen nur, Inhalte von Wahnsinnsbildern oder offenbar absurde Verhaltensweisen zu strukturieren. Wir müssen weiter gehen. Wir haben oben die Texte von Lévi-Strauss zitiert, in denen es heißt, daß die individuellen Mythen denselben formalen Gesetzen gehorchen, die auch für die kollektiven Mythen gelten. Der zweite Beitrag, den die gegenwärtige Wissenschaft unserer Soziologie der Geisteskrankheiten bringt, besteht darin, daß der Strukturalismus uns vom Inhalt zur Form führt. Die Mythen können zweifellos historisch, von sozialen Realitäten, Ritualen und Situationen her erklärt werden. In derselben Weise ist der Wahnsinn eines Geisteskranken immer mit der Geschichte eines Individuums verbunden. Was aber im einen wie im anderen Falle nicht verhindert, daß diese »Imaginären« autonome Realitäten bilden, die nach eigenen Regeln, nach Prinzipien aufgebaut sind, die die strukturelle Analyse entdecken soll. Wir müssen hier aber, so scheint uns, zwei wichtige Bemerkungen einschieben, die die Theorie von Lévi-Strauss einschränken. Die erste übernehmen wir von L. Sebag, der in der pathologischen individuellen Symbolisierung »eine permanente Zerrüttung von Syntax und Wortschatz sieht. Der Code für diese Botschaften wird in jedem Augenblick völlig verwandelt, denn die Sendungsbedingungen sind der Art, daß dieser Code nur von einem einzigen Sender benutzt werden kann. Außerdem ist die Plastizität der zu übermittelnden Botschaft so ausgeprägt, daß die benutzte Syntax praktisch von jeder beliebigen Ordnung sein kann ... Der individuelle Symbolismus reproduziert wie ein Mikrokosmos alle Varianten des kollektiven Symbolismus. Aber gleichzeitig läßt er sie einen Teil ihrer Besonderheit verlieren ... Die Syntax verwirrt sich, löst sich partiell wieder auf. Die vermittelte Botschaft ist so gestaltet, daß sie jeder beliebigen formalen Organisation nachgeben kann.«

Das will, wie man sieht, nicht heißen, daß die formale Organisation aufhört. Während aber die Mythen einer gewissen Stabilität unterworfen bleiben, die den Vergleich ermöglicht, spielt der Wahnsinn des Geisteskranken mit allen Meta-Sprachen. Dadurch wird der Vergleich schwieriger (wenn nicht beim gegenwärtigen Stand unserer Kenntnisse sogar unmöglich). Unsere zweite Bemerkung geht noch weiter. Eine bestimmte Anzahl von Psychiatern, wie Resnik in Argentinien, Bobon und Roumeguère in Frankreich[9], haben herausgearbeitet, wie bei den Geisteskran-

7. Norman Cameron, *The Psychology of Behavior Disorders; on biosocial interpretation*, Boston, 1947. – »The paranoid pseudo-community«, in Rose, Hrsg., o. c.

8. Vgl. Pierre Janet, *De l'Angoisse à l'Extase*, Alcan, 2 Bde., 1926 und 1928 (für die Märchenprinzen). – O. Rank, »Der Mythos von der Geburt des Helden« (Schr. zur Angewdt. Seelenkunde 5), Wien und Leipzig, 1909 (für die königlichen oder göttlichen Väter).

9. D. Resnik, communication personnelle. – J. Bobon et P. Roumeguère, »Du geste et du dessin magiques au néographisme conjuratoire« (*Acta Neur. et. Psychiat. Belgica*, 10, 1957, S. 815–829).

ken die geschriebenen oder gesprochenen Worte verwandelt, wie sie von Symbolen zu »Gegenständen« werden. Der Schizophrene drückt sich nicht durch Symbole aus. Im Grunde schafft der Psychiater die Symbole, indem er von den Wort-Gegenständen ausgeht: Genauso wie Kinder, die sich mit Worten amüsieren, bedient sich der Kranke ihrer als eines Spielzeugs, um eine Situation zu dramatisieren, oder er betrachtet sie als gefährliche Dinge: er stopft sich das Ohr mit dem Finger zu, denn hören bedeutet ein soziales Nahrungsmittel einverleiben, das man mit dem Ohr genießt oder einsaugt oder als eine Aggression magischer Kräfte, gegen die er sich wehrt. Eine solche Beobachtung aber tut nichts anderes, als das Problem zurückstellen, ohne es zu leugnen. Denn wenn die Sprache sich in Gegenständen verhärtet, muß man die »Zeichen« woanders, »jenseits der Rede«, suchen. Zum Beispiel im Schweigen. Denn auch das Schweigen ist Sprache, und der Psychiater muß lernen, die Worte zu lesen, die zu den verschiedenen möglichen Formen des Schweigens gehören. So gehen wir zu einer neuen Meta-Sprache über, die mit den subtilen, vom Körper ausgehenden Botschaften operiert (die die Mutter sehr gut verstehen kann, wenn sie von dem Baby, das sie in ihren Armen hält, eine Reihe von Informationen erhält). Sie gehorcht bestimmt auch strukturellen Prinzipien. Der Schizophrene, der Angst davor hat, seine Gedanken in Worte zu übertragen, weil diese Worte eng mit seinem Wesen verbunden, lebendige Teile seines Ichs sind, spricht wider Willen mit seinen Muskeln (Gesten). Und wenn er starr wird, so spricht er doch durch seine Starrheit und durch sein Schweigen weiter. Durch welche Analyse aber können wir die formellen Gesetze dieser neuen Meta-Sprachen aufdecken? Für die Wissenschaft von den Strukturen gibt es noch viel zu tun.

Der dritte wichtige Beitrag, den die moderne Wissenschaft für die Bildung unserer Soziologie der Geisteskrankheiten liefert, kommt aus der Geschichte und der Ethnologie. Die Geschichte zeigt uns tatsächlich deutlich, daß der geistige Wahn nicht reine Aktivität der Kranken ist, sondern daß es sich dabei um kollektive Konstruktionen handelt, an denen das umgebende Milieu zumindest ebenso stark wie der Kranke selbst beteiligt ist. Man erinnert sich, daß der Hexenwahn im Mittelalter in einem unaufhörlichen Dialog zwischen den Inquisitoren und den angeblichen Hexen entstanden ist. Ebenso ist am Ende des XIX. Jahrhunderts die große Hysterie von Charcot in stärkerem Maße eine Konstruktion der Ärzte als der Hysteriker gewesen. Daß die Ärzte nicht mehr daran glaubten, reichte übrigens dafür aus, daß die im Verlauf des Dialogs gebildeten Symptome seltener wurden oder verschwanden. Die Hysterie wurde eine Form von Pythiatismus. Ebenso enthüllte die Ethnologie, daß es »korrekte Formen des Wahnsinns« gibt und daß diese korrekten Formen von den Mythen oder Sitten der betrachteten Völker abhängen[10]. G. Dévereux hat auf diese vorgeprägten Begriffe hingewiesen, die sich die Gesellschaft vom Wahnsinn macht und die sie in gewisser Weise dem Kranken von außen aufzwingt. So kommt es, daß der Wahnsinn eine »soziale Sache« im Durkheimschen Sinne ist. Denn der Kranke ist wenn, er als Kranker

10. Ralph Linton, *The Study of Man*, New York, 1936.

anerkannt werden will, gezwungen, sein Verhalten dem traditionellen Verhalten anzupassen, das man vom Wahnsinnigen erwartet. Der Psychotiker neigt dazu, die Symptomatologie zu entwickeln, die dem Psychiater die Einordnung in die eine oder andere nosologische Kategorie erlaubt. Ebenso strebt er an, seine Störungen in sozial festgelegte Normen zu fassen[11]. Ein Chipewa entwickelt ein Windigo-Syndrom, ein Malaie eine Psychose vom Typ latah. Daraus ergibt sich, daß jeder Wahnsinn im Grenzfall »ein Wahnsinn zu zweit« ist, der des Psychiaters und des Kranken, wobei der Psychiater die Öffentlichkeit repräsentiert (die Gesamtheit der Kollektivurteile über den Wahnsinn) und der Kranke sich bemüht, dem Arzt bei der Diagnose zu helfen: indem er sich gegen das Verhalten der normalen Menschen wendet und aus der Gesamtheit seiner Störungen ein Rebellionsritual macht[12]. G. Dévereux hat zahlreiche traditionelle »Modelle« genannt, die es den Kranken ermöglichen, sich als Wahnsinnige zu definieren. Sie stammen aus der Bibel, aus Homer (*Odyssee,* Bücher IV und XIII) sowie aus Beobachtungen, die man bei den Mohave hat anstellen können. Zu fast allen Mythologien der Welt gehören in der Tat wahnsinnige Götter, deren abweichendes Verhalten die Lebenden kopieren, um den Schamanen oder den Arzt, die Familie oder das Tribunal auf ihre Randposition in der Gesamtgesellschaft hinzuweisen.

So kommen wir von einer anderen Seite her auf die Schlußfolgerung des vorigen Kapitels zurück. Die Dynamik der geistigen Unordnung liegt in einem System, in dem der Abweichende und die Gesellschaft kollaborieren. Von diesem Gesichtspunkt aus könnte man übrigens zeigen, daß nicht nur die Entstehung, sondern auch das Ende der Krankheit Teil des Systems sind: Die Heilung wird mit Hilfe von Kriterien »anerkannt«, die von einer Kultur zur andern verschieden sein können (wie wir schon gesagt haben, ist die Partizipation an der Produktivität der Gesamtgesellschaft heute in immer stärkerem Maße eines dieser Kriterien)[13].

Diese drei Beiträge sind offensichtlich widersprüchlich. Der erste betont den Abbruch der Kommunikationen und den Gegensatz zwischen dem öffentlichen Bereich (dem der normalen Leute) und einem privaten Bereich (dem der Symbolismen der Geisteskranken). Er ist Ausdruck des psychiatrischen Urteils, bildet die wissenschaftliche Definition von der Geisteskrankheit. Der zweite Beitrag aber zeigt uns, daß der private Bereich denselben formalen Gesetzen gehorcht, die für den öffentlichen Bereich gelten. Folglich ist er Ausdruck der Reaktion des Anthropologen auf den Psychiater. Solange aber, wie wir keine strukturelle Analyse der individuellen Mythen haben, die der analog ist, die für die kollektiven Mythen gemacht worden ist, die sich aber als viel schwieriger erweist, weil sie zahlreiche Meta-Sprachen und das diesseits der Sprache gelegene einbeziehen muß, wird dieser

11. G. Dévereux, »Normal and Abnormal«, aus *Some Uses of Anthropology,* Washington, 1956.

12. G. Dévereux, »Primitive psychiatric diagnosis: a general theory of the diagnostic process«, aus *Man's Image in Medicine and Anthropology.*

13. T. J. Schaff, »The role of the mentally ill and the dynamies of mental disorder: a research framework« (*Sociometry,* 1963, 4, S. 436–453).

zweite Beitrag eher ein Programm für künftige Forschungen als ein Beitrag zur Soziologie der Geisteskrankheiten bleiben. Der dritte Beitrag geht in Richtung des zweiten, denn er lehnt es ab, die Welt des Wahnsinns von der der normalen Menschen zu trennen. Die Kommunikationen werden im Grunde nur scheinbar abgebrochen. Sogar bei der schwersten Form von Schizophrenie ist eine Heilung möglich, wenn es gelingt, Wort-Gegenstand in Wort-Zeichen oder (wie Lacan sagt) das Imaginäre in Rede zu verwandeln[14]. Wenn aber das Imaginäre wirklich Rede werden kann, dann ist die Welt des Wahnsinns kurz gesagt integrierender Bestandteil der Welt der kollektiven Vorstellungen. Dann ist der private Symbolismus im einen oder anderen Punkt mit den Netzen des öffentlichen Symbolismus verbunden. Privat ist im Grunde weniger der Symbolismus an sich als vielmehr der Gebrauch, den der Geisteskranke davon macht. Der dritte Beitrag also führt uns auf den zweiten zurück. Er ist aber viel leichter anwendbar. Besser noch, er führt uns wirklich (während der zweite uns in die Anthropologie einführt) auf den Boden, der der unsere bleiben soll, auf den der Soziologie, das heißt nicht auf den Boden der Analytik des Imaginären, sondern den des Dialoges zwischen der Gesellschaft und dem Wahnsinnigen. Behalten wir deshalb in diesem Kapitel die letztgenannte Perspektive bei.

II

Es sei uns hier ein Exkurs über den Funktionalismus gestattet. Damit enfernen wir uns nicht von unserem Gegenstand, sondern kommen ihm nur noch näher. Die Psychiater haben die verschiedenen Funktionen der Geistesstörungen erklärt. Wenn man nicht in einer komplizierten Welt, die furchtbare Probleme stellt, leben kann, begibt man sich auf eine niedrigere Ebene, man geht mit seinen Gesten oder Worten sparsam um, man verengt die Wirklichkeit je nach seiner psychischen Schwäche. Unter diesem Gesichtspunkt betrachtet, stellen die Neurose oder Psychose Lösungen dar, die ihren Nutzen haben. Das ist jedoch ein rein psychologischer Funktionalismus, der uns nicht interessiert. Wir denken an einen anderen Funktionalismus, der von Freud und seinen Schülern behandelt wurde, die den Kranken wieder in das Feld der sozialen Beziehungen stellen. Das krankhafte Verhalten tritt dann auf als eine Form von Erpressung, als Mittel zur Einschüchterung, als Manipulation der Umgebung. Die Krise ist immer gegenwärtig, immer zum Ausbruch bereit, wenn das Milieu versucht, sich den Wünschen oder dem Willen des Neurotikers zu widersetzen. »Niemand ist intelligenter als ein Wahnsinniger«, sagen die Leute aus dem Volk. Die Psychoanalyse hat in den obsessionellen Riten einer Hysterikerin den Wunsch entdecken können, den Vater dadurch an der Wiederheirat zu hindern, daß sie ihn zwang, die Gesten seiner Tochter zu überwachen – oder im Schlafzere-

14. Das schönste in der psychiatrischen Literatur bekannte Beispiel ist sicherlich das von M. A. Sèchehaye, *La réalisation symbolique*, Bern, 1947 (*Suppl. der Revue suisse de psycho et de psycho appliquée*).

moniell eines jungfräulichen Mädchens, in ihrer Angst, die sie im Moment des Einschlafens quält, der Wunsch, die Eltern daran zu hindern, sexuelle Beziehungen zu haben. »Sie hatte die Angst simuliert oder eine vorhandene Angstneigung dahin ausgebeutet, daß die Verbindungstüre zwischen dem Schlafzimmer der Eltern und dem Kinderzimmer nicht geschlossen werden dürfte[15].«

Die krankhaften Symptome können jedoch auf den anderen nur unter der Bedingung wirken, daß sie sich in Botschaften verwandeln. Der Wahnsinnige oder der Neurotiker teilt sich dem anderen in einer offenbar paradoxen Sprache mit. Der Text einer Nicole genannten Kranken ist besonders befremdlich: »Ich bin jetzt in der Welt der geistig Klaren. Die Dinge aber, die ich zu sagen habe, lassen sich im Wortschatz und in der Syntax der geistig Klaren gar nicht oder schlecht mitteilen ... Wenn die klare und zusammenhängende Sprache sich auflöst ... wenn die verzweifeltsten rasenden Bewegungen und die im tragischsten Sinne menschliche Pantomime durch die Zwangsjacke oder die Narkose bezwungen werden, wie soll man dann flehen, lästern oder fluchen?

– Letzten Endes bleibt der Anus.

– Nein, alles unter sich gehen zu lassen, ist nicht nur Wahnsinn oder Verlust der kortikalen Kontrolle. Es ist plastischer Ausdruck. Es ist der plastische Ausdruck in seiner häßlichen, ungestalten Form, der von Körper und Instinkt, die sich befreien und erleichtern, ausgestoßen wird[16].«

Der mit Exkrementen besudelte Körper ist noch Ruf (wie flehen?) oder Verurteilung (wie lästern?). Er bedeutet nicht Rückkehr zur Natur, sondern den Ausdruck einer Kultur, das heißt Rückkehr zu einem Dialog mit dem Anderen. Selbst dann, wenn dieser Dialog eine Verdammung, ein Akt der Rebellion gegen die verfremdende Gesellschaft ist, der Wunsch, innerhalb einer Gruppe von Außenseitern den »Ruf« zu bekommen, »ein vollkommener Wahnsinniger« zu sein, ein Wahnsinniger, der die Absurdität bis auf die Spitze zu treiben wagt ... selbst dann ist der Wahnsinn nicht Isolierung, sondern eine Form des In-der-Welt-Seins. Übrigens überwiegen bei den krankhaften Verhaltensweisen im allgemeinen die einfachsten Lösungen, nämlich die Umkehrung des normalen Verhaltens: Die Kranken schreien, zerreißen ihre Kleider, sprechen unaufhörlich, versinken in absolutem Schweigen, bewegen sich nicht mehr, usw., kurz, sie beantworten alle von außen kommenden Reize genau umgekehrt, wie man es vom geistig gesunden Menschen erwarten würde. Und auf diese Weise will er dem Anderen seinen Wahnsinn zeigen. Andererseits hat jede Kultur ihr Bild (oder ihre Bilder) vom Wahnsinnigen, vom Schwachsinnigen, vom Epileptiker, vom Neurastheniker, vom Depressiven. Deshalb gibt es diese stereotypen Verhaltensweisen. Es gibt tatsächlich nichts, das banaler, konformistischer, starrer in Rahmen gepreßt wäre als diese krankhaften Verhaltensweisen, als ob die Gesellschaft da am sichersten den Sieg davontrüge, wo sie eigentlich

15. Freud, *Vorlesungen zur Einführung in die Psychoanalyse, Gesammelte Schriften,* Leipzig, Wien, Zürich 1924, S. 275 f.

16. Text aus der Sondernummer von *Esprit,* o. c., S. 829.

aufhören sollte zu wirken. Diese Stereotypie aber (des Wahnsinns und der Gesten) erlaubt der Umgebung, den Kranken »einzuordnen«, ruft bei dem umgebenden Milieu entsprechende Reaktionen hervor: Man ruft den Psychiater oder die Polizei, sorgt beim Patienten für »Luftveränderung«, oder man sperrt den Tobenden in ein Krankenhaus ein. Vielleicht ist die Sprache des Wahnsinnigen eine fremde Sprache, trotzdem aber eine wohlbekannte Sprache, die man durch die »Irrengeschichten« erlernt hat. Und auf beiden Seiten weicht man von ihr nur so wenig wie möglich ab. Das Interesse des Psychiaters für den einen oder anderen Kranken, der ihm »interessant« erscheint, kann den Kranken dazu veranlassen, seinen Wahnsinn zu komplizieren, zu verschönen, ihn also gemäß den »Interessen« des Arztes von der ursprünglichen Stereotypie zu entfernen, was der Eitelkeit des Kranken schmeichelt. Wenn wir das analysieren, was wir den anderen Typ des »Wahnsinns zu zweit« genannt haben, sehen wir zur Genüge, daß der Schizophrene immer darauf bedacht bleibt, nicht den Kontakt zu verlieren, daß er die ihm zugewiesene Austauschpersönlichkeit (oder die er sich selbst gegeben hat, die aber vom Anderen akzeptiert worden ist) zwar kompliziert, aber behält, und in wie starkem Maße er die mindesten Veränderungen des umgebenden Milieus empfindet, daß er darauf nach den logischen Regeln seines Wahns reagiert und auf diese Weise die Konstruktion des Dialogs möglich macht.

Diese wenigen Bemerkungen, die den Geisteskranken in die Welt der Sprache und der Gesellschaft zurückversetzen wollen, insofern als diese Welt ständiger Austausch von Informationen ist, behandeln den Gegenstand jedoch nicht erschöpfend. Denn jede Gesellschaft hat ihren räumlichen und zeitlichen Rahmen. Und die Geisteskrankheit äußert sich mehr oder weniger auf unbewußte Weise (jeder soziale Zwang aber wirkt unbewußt) durch den Rahmen, der ihr ebenso wie dem normalen Leben von außen angelegt wird. Der alte Begriff »Mondsüchtige«, den man auf Kranke anwendete, bei denen das Auftreten und Schwinden von Krisen den Phasen des Mondes folgt, weist auf ein ziemlich eigenartiges Merkmal des Wahnsinns, auf seine regelmäßige Wiederkehr hin. Damals aber suchte man (und auch heute noch tut man es auf dem Lande) den Grund dafür in einem meteorologischen, nicht in einem sozialen Problem. Eigentlich aber handelt es sich schon um eine soziale Meteorologie, denn sie schöpft aus den Mondmythen, besonders aus der Vorstellung, daß der Mond (Hecate, die Mondzauberin) mit allen für die Gesellschaft gefährlichen Phänomen verbunden ist, mit der Springflut, dem Menstruationsblut, mit den dämonischen Krisen, daß er die Momente des Lebens kennzeichnet, in denen die Unordnung in die Welt einbricht, in denen das Weibchen menstruiert und das Männchen vergiftet, in denen der Wahnsinnige in den geheimnisvollen Bereich des Fremden eintritt. Unter diesen Umständen kann man sich fragen, ob der Mond nicht mehr als mythischer denn als realer Mond wirkt, ob der wirkliche Mond nicht nur ein Stimulans ist, das die alten magischen Bilder aufweckt.

Es gibt aber bei den psychosomatischen Störungen andere Fälle von regelmäßiger Wiederkehr, die noch erstaunlicher sind (man spricht dann lieber von »bizarrer« Koinzidenz als von Kausalität). Der Arzt W. S. Inman schreibt:

»Die Krankheiten, die Weihnachten beginnen, oder die, die zu Ostern beginnen oder sich dann verschlimmern, sind schon immer Material für die Spekulation gewesen. Eines Tages werden auch die Kirche und der Ärztestand feststellen, welch eine enorme Menge klinischen Materials diese beiden religiösen Feste liefern, von denen das eine in Beziehung zur jungfräulichen Geburt und das andere in Beziehung zu einem ebenso erstaunlichen Phänomen, Tod und Auferstehung, steht.«

Außerdem nennt er eine bestimmte Anzahl von Störungen, die mit der Feier von Kirchenfesten verbunden sind. Besonders spricht er über die Personen, die am Karfreitag sterben (dies ist die christliche Form des Todeswahns, der, gründlicher erforscht, ein unveröffentlichtes Kapitel bilden würde, das man dem berühmten Essay von M. Mauss anschließen müßte) oder über die Kranken, bei denen der Karfreitag, der Tag, an dem der Sohn gestorben ist, um den erzürnten Vater zu beruhigen, ein Schuldgefühl erweckt und eine somatische Krise nach sich zieht, für die die einzig mögliche Erklärung psychischen Ursprungs, der Wunsch nach Selbst-Bestrafung, ist. Zum Abschluß sagt er:

»Oft fragt man sich, ob die regelmäßige Wiederkehr nicht nur bei bestimmten Typen von Individuen auftritt. Das ist ein umfassendes Thema, das ausgedehnte wissenschaftliche Untersuchungen, besonders auf statistischem Gebiet, erfordert. Ich muß mich mit Eindrücken begnügen, die ich im Laufe dieser letzten dreißig Jahre aus Einzelerfahrungen abgeleitet habe. Die Zeit ist eine fundamentale vitale Struktur. Was sein Geist auch immer tun mag, der Mensch kann diesem Einfluß nicht entrinnen ... Es hat den Anschein, daß die regelmäßige Wiederkehr ein ebenso verbreitetes Phänomen wie der Ödipuskomplex ist, mit dem sie allgemein verbunden wird. Der Komplex kann aber auf manchen Individuen schwerer als auf anderen lasten. Die Individuen jedoch, auf denen er schwerer lastet, sind nun gerade die Besessenen, die Hysteriker, die krankhaft Ängstlichen oder die Manisch-Depressiven[17].«

Die Kirche liefert also mythische Modelle, die auf die Individuen in der Weise einwirken, daß sie ihr psychisches Leben in vorgegebene Rahmen bringen, wobei die mythischen Modelle sich bis auf das Körperliche auswirken. Analoges könnte man über den räumlichen Rahmen sagen, der den Geisteskranken ebenso selbstverständlich wie der zeitliche Rahmen auferlegt wird. Natürlich vollzieht sich die Strukturierung des Raumes bei dem Schizophrenen nicht auf dieselbe Weise wie beim Normalen. Denn der Schizophrene verwendet lieber die mit Kontakt (Tastsinn, Geschmack) und Nähe (Geruchssinn) arbeitenden Sinne als die auf Distanz arbeitenden Sinne (Gesichtssinn, Gehör)[18]. Er rekonstruiert aber den Raum nach einem neuen Plan, der den Ideen der Symmetrie, der Wiederholung und der absoluten Homogenität folgt. Es gibt eine ganze Logik des Schizophrenen, die nur deshalb absurd ist, weil wir selbst keine logischen Wesen sind. Man könnte leicht

17. W. S. Inman, »Observations cliniques sur la périodicité morbide« (*Psyché*, 51, Januar, 51, S. 21–37).
18. E. H. Knight, »Some considerations regarding the concept antism« (*Dis. Nerv. System*, 1965, 4, S. 224–229).

zeigen, daß die wahnsinnigen Konstruktionen des Schizophrenen denselben fundamentalen Gesetzen gehorchen, die für unsere mathematischen Konstruktionen gelten: symmetrische, homothetische Figuren, die im Verhältnis zu einer Achse verändert werden, usw. Es ist nicht zufällig, wenn Minkowski im Zusammenhang mit ihnen von »Geometrismus« spricht. Man könnte auch zeigen (und einige Psychiater haben nicht versäumt, es zu tun), daß die magischen Gesten, die sich in den krankhaften Raum einprägen, an bestimmte Archetypen der Religionen anknüpfen. Antoine läuft mit nach hinten gewendeten Handflächen, »er macht einen Schirm«, oder er läuft mit dem Körper zugewendeten Handflächen. Mit gespreizten Fingern, »um Substanz abtröpfeln zu lassen«. Er läuft wie der afrikanische Bauer bei der Feldbestellung in einer Spirale, um »gegen die Elementaren« zu kämpfen, oder er sieht ein Katharsisverfahren darin, daß er wieder zu der kosmischen Bewegung zurückfindet[19]. Es handelt sich hier aber um Rationalisierungen (das heißt um nachträglich vorgenommene Rechtfertigungen) von Bewegungen, die durch eine bestimmte Strukturierung des Raumes auferlegt werden, die genauso durch das tatsächliche Milieu wie durch die mentale Aktivität des Kranken entstanden sein können. Die Klinik mit ihrem geschlossenen Hof, ihren hohen Mauern ohne offene Türen zwingt zu einem Gehen in Spirale oder Kreis mit unendlich oft wiederholten Wegen, die zwangsläufig in das strenge Rechteck der Klinik den geschlossenen Ring zeichnen, der ohne Schwierigkeiten an den magischen Verteidigungsring (der Stadt, des Individuums oder des Landes) erinnern kann, den Saintyves so gut in der jüdischen Religion und Folklore erforscht hat. Jede Strukturierung des Raumes geht von einem Mittelpunkt aus. Es ist deshalb nicht erstaunlich, wenn wir in bestimmten Ausformungen des Wahnsinns Ideen wiederfinden, die denen entsprechen, die Mircea Eliade bei den Primitiven findet: die Existenz eines Weltmittelpunktes, der Schnittpunkt der kosmischen Ebenen ist, die Existenz eines Weltnabels, der Herz der Wirklichkeit und der Heiligkeit ist und irgendwo in der Klinik oder im Körper des Kranken liegt. Mircea Eliade drückt sich sehr verständlich aus, wenn er »das Bedürfnis des Menschen betont, ständig die Archetypen bis hinunter zu den häßlichsten und unreinsten Ebenen zu realisieren«. Aber auch hier noch sind die mythischen Bilder nur die Ideologien von Kranken, die durch eine von außen auferlegte Gegebenheit verursacht werden. Man sieht das im Fall der an Psychosen oder Neurosen erkrankten Einwanderer oder der Zugezogenen, deren ganze Aktivität (die sich meistens in Rationalisierungen *a posteriori* manifestiert) darin besteht, das »Zentrum« in ihrer neuen Behausung neu zu schaffen, das heißt, in einem neuen, also in ihren Augen nicht strukturierten und folglich bedrohlichen Raum die alte, beruhigende, weil zentrierte Struktur zu konstruieren: zentriert auf den Herd, das geschlossene Zimmer, das Phantasiegebilde der Mutterbrust[20].

Der »Wahnsinnige« mag auf den normalen Menschen überraschend wirken. Und

19. J. Bolon et P. Roumeguère, o. c.

20. Über die krankhaften Strukturen des Raumes siehe außer Minkowski und Gabel (c. o.), A. Arthus, *Le Village*, P. Hartmann, 1949. – J. Binswanger, *Le Rêve et l'existence*, Desclée de Brouwer, 1954. – G. Bachelard, *La poétique de l'espace*, P. U. F., 1957, usw.

doch lebt er in derselben geistigen Welt wie er. Er fügt sich in denselben strukturellen Rahmen ein und schickt dem Anderen, um sich im Verhältnis zu ihm zu definieren, genau die Botschaften, die er gerade vom »Wahnsinnigen« erwartet. Die geistige Welt aber, an der wir alle partizipieren, ändert sich mit der Zeit. Wir müssen deshalb jetzt die Gesetze dieser Veränderungen verfolgen, um festzustellen, daß sie für den Kranken wir für den normalen Menschen dieselben sind. Eines dieser Gesetze, auf das bestimmte Ethnologen wie Redfield oder bestimmte Soziologen wie Becker hingewiesen haben, ist der Übergang vom Heiligen zum Profanen, das heißt das Gesetz der »Säkularisierung«. Es ist eine banale Feststellung, daß der Wahnsinn mystischen Ursprungs wie zum Beispiel die Lycanthropie oder die Identifizierung mit Jesus oder der Jungfrau Maria immer seltener werden und von Wahnsinn wissenschaftlichen Typs ersetzt werden: Von den Organen gehen elektrische Entladungen, innere Radiosendungen, elektronische Botschaften aus. An die Stelle der Messiasgestalten, die früher unsere Asyle überfüllten, treten Utopisten, wütende Rationalisten, Konstrukteure von Systemen ewigen Friedens. Und zweifellos werden bald die Planer der Weltökonomie auftauchen ...

Dagegen haben wir in Brasilien noch einen bedeutenden Anteil von religiösem Wahn gefunden. Er tritt je nach Ursprungsmilieu unter verschiedener Färbung auf: der volkstümliche oder katholische des *folk* bei den Leuten auf dem Lande, der spiritistische bei kleinbürgerlichen Weißen in der Stadt, der afrikanische bei den mehr oder weniger mit dem *candomblé* verbundenen Schwarzen. In Paris finden wir bei den internierten Antillenbewohnern eine Übergangssituation zwischen den alten und den neuen Modellen, einen seltsamen Synkretismus zwischen der Elektrizität und der mittelalterlichen Zauberei der Loswerfer. In allen diesen Fällen spielen vielleicht, um in der Sprache von Blondel zu sprechen, die tiefgehenden Störungen der Koinästhesie mit, sie drücken sich aber in verschiedenen Vokabularen aus, die dem Vokabular der Normalen entlehnt sind, so daß sie nicht die Kommunikation zwischen den am Rande gelegenen Zonen und der zentralen Zone abbrechen.

Wie wir bereits gesagt haben, ist die soeben getroffene Feststellung banal. Aber können wir nicht, von ihr ausgehend, tiefer in das Problem eindringen? Säkularisierung ist nicht völlig identisch mit Profanisierung. Sie löst von den heiligen Gegenständen bestimmte Emotionen, um sie in andere Gegenstände einzubauen, ohne aber die Natur der Emotion zu verändern. Der Totenkult findet seine Fortsetzung in der Huldigung für den unbekannten Soldaten, an die Stelle des Maibaumes tritt der Baum der Freiheit. Der Held der Revolution wird nach Ritualen heilig gesprochen, die denen der katholischen Heiligen nahestehen. Wir müssen also bei unseren Geisteskranken in ihrem Säkularisierungsprozeß ein analoges Phänomen finden. Nietzsche sagte: Früher floh man in das Kloster. Heute bleibt uns nur noch der Wahnsinn als Zuflucht. So wird das Irrenhaus zum säkularisierten Kloster, in dem die neuen Liturgien einer Welt gefeiert werden, die den großen Pan verjagt und danach Gott getötet hat. In einem großen Ausmaß ist der Wahnsinn eine Krankheit des Heiligen. Nicht nur dadurch, daß er das geistige Niveau der Kranken senkt, indem er nach dem berühmten Gesetz der Regression (das vielleicht nicht von so großem Wert ist, wie manche geglaubt haben) die neuesten Gedankenschichten abbaut, sie so auf die Bilder der primitiven Magie oder der totemistischen Religionen zurückführt und die schlafenden Archetypen aus dem Purpurmantel heraustreten läßt, in dem die zurückgewiesenen Gottheiten schlummern – sondern auch in dem Sinne, daß die Säkularisierung des Wahnsinns, die parallel zu der Säkularisierung unseres Verhaltens erfolgt, vom »Heiligen« die religiöse Emotion ablöst, um sie in das »Profane« zurückzustellen. Es gibt in der krankhaften Welt ebenso wie in unserer sogenannten normalen Welt nicht Destruktion, sondern Substitution. Der einzige Unterschied besteht darin, daß sich die Substitution in der normalen Gesellschaft außen vollzieht, während sie in der krankhaften Welt in den dunklen Abgründen der Persönlichkeit erfolgt.

Beim Vergleich einer primitiven mit einer modernen Gemeinschaft überrascht den Beobachter, daß in der primitiven Gemeinschaft die Verbindungen zwischen den Lebendigen, den Toten und den Göttern nicht abgebrochen sind. Die Ahnen spuken in den Dörfern, teilen sich ihren Nachkommen durch Träume mit, oder sie mischen sich als maskierte Tänzer unter die Lebenden. Auch die Götter steigen vom Himmel herab, reiten auf denen, die an sie glauben, sprechen durch deren Mund, oder sie schaffen sich, um sich mit den Nicht-Göttern unterhalten zu können, eine besondere Sprache. Sie sprechen aus den Tierspuren im Sand, aus offenen oder geschlossenen Muscheln, aus Vorzeichen und Ahnungen. Die Wege, die das Natürliche mit dem Übernatürlichen verbanden, sind allmählich für den Verkehr gesperrt worden. Aber zumindest an bestimmten Tagen des Jahres, wie an Allerheiligen, Karneval oder Palmsonntag, sollte sich die Heerschar der Toten und der Geister für einen Moment wieder unter die alltäglichen Menschen mischen. Die Säkularisierung besteht darin, daß man auch diese allerletzten Tore schließt. Die Toten und die Götter rächen sich aber. Sie haben andere Wege entdeckt, auf denen sie sich auf diese Erde schleichen, die sie zurückweist. Sie haben andere Masken angelegt, damit man sie nicht erkennen und fortjagen kann. Sie kommen wieder, aber in Form von »Phantasiegebilden«[21]. Die Toten und die Götter waren nicht gefährlich, denn ihr Kommen wurde durch die Kollektivität kontrolliert, verlief nach strengen und traditionellen Regeln. Ihre Rückkehr als Phantasiegebilde auf heimlichen Wegen, durch die Nacht des Unbewußten, nicht mehr beim hellen Licht des öffentlichen Festes, stellt für die geistige Gesundheit eine große Gefahr dar.

Wenn wir die Dinge richtig sehen, würde sich auf der Ebene der Krankheit die Säkularisierung mit dem Übergang vom »heiligen Bösen« zum Zorn der Phantasiegebilde vollziehen. Die »Triebrepräsentanz«, sagt Freud, »wuchert dann sozusagen im Dunkeln und findet extreme Ausdrucksformen, welche, wenn sie dem Neurotiker übersetzt und vorgehalten werden, ihm nicht nur fremd erscheinen müssen, sondern ihn auch durch die Vorspiegelung einer außerordentlichen und gefährlichen Triebstärke schrecken[22].« Freud bleibt aber bei diesem Text noch in der Einsamkeit

21. A. Lagache: communication orale.
22. Freud, »Die Verdrängung«, *Gesammelte Werke* Bd. 10, Frankfurt 1946, S. 251.

der Libido. Das Phantasiegebilde erscheint dann, wenn die imaginäre Aktivität an die Stelle der wirklichen Wesen, zu denen wir in Wechselbeziehung stehen, ein geträumtes Wesen stellt. Melanie Klein, die das Phantasiegebilde in bewunderns-werter Weise beim Kind untersucht hat, definiert es als ein System von stark mit Affektivität geladenen Vorstellungen (extrem gute oder extrem böse Personen). Sie beginnt mit den anonymen aggressiven Bildern der ersten Lebensjahre und behandelt das Problem bis zu den konkreteren Bildern der Eltern oder ihrer Ersatz-personen in der genitalen Phase. Vor allem hat sie das Phantasiebild vom Gefres-senwerden gedeutet. »Ein etwa ein Jahr altes Kind fürchtet, gefressen und vernich-tet zu werden. Das Kind selbst wünscht, das geliebte Objekt durch Beißen, Verschlingen und Schneiden zu zerstören.« Das ist die Säkularisierung des Menschen-fressers oder des kannibalischen Ungeheuers[23].

Andere Wissenschaftler haben komplexere Phantasiegebilde analysiert, so zum Beispiel das sexuelle Phantasiegebilde eines Zwitters, das äußere männliche Details (umgestülpte Stulpenhandschuhe) mit der Silhouette der Frau-Mutter verbindet. Es ist gleichzeitig Auswirkung der Verinnerlichung der väterlichen Kastrationsdrohung und der symbolischen Projektion der Virilität auf den weiblichen Partner, führt schließlich zu einer irrealen Sexualität, die aus den visuellen Materialien einer normativen Identifizierung mit dem Vater konstruiert, aber destrukturiert ist[24]. Oder das Phantasiegebilde vom »Ritter, der das junge Mädchen vom Drachen befreit«, das das von der Gesellschaft für die Beziehung zwischen Mann und Frau vorgeschriebene Modell durch ein imaginäres Modell und eine »Als-ob«-Rolle des Befreiers, Rächers oder Weltverbesserers ersetzt[25]. Man denkt an das Wort des Dich-ters, der den Mut besaß, in die Abgründe zu stürzen: »Beim Wahnsinn kommt alles vor, weil es kein Zurück gibt. Eine Idee geht mit einem nur einen Weg[26].«

Für uns ist wichtig, daß diese Phantasiegebilde als private Produktionen auf das sozialisierte Leben der Kranken genauso wirken wie die Ahnen oder die Götter in den primitiven Gesellschaften, die nicht aufhörten, zu den Lebenden reale Bezie-hungen aufrechtzuerhalten, die mit demselben Recht wie die Männer, die Frauen, die Kinder und das Vieh ein integrierender Bestandteil der dörflichen Gemeinschaft waren. Die Phantasiegebilde von heute sind die säkularisierte Form der maskierten Priester. Und ebenso wie der Ethnologe in einer archaischen Kollektivität die Kommunikationskanäle zwischen der Natur und Übernatur beschreiben kann, ver-mag auch der Psychiater, das Spiel der Inter-Kommunikationen zwischen dem Phantasiegebilde und dem Kranken zu beschreiben. So können die Zensur, die Verbote, die Hemmungen, die von der Gesellschaft auferlegt werden, manchmal als Kastration erlebt werden. Der Kranke wehrt sich dann dagegen mit dem mehr oder weniger bewußten Phantasiegebilde der Zerstückelung (Lebovici und Diatkine),

23. M. Klein, *The Psychoanalysis of Children*, London, 1932.
24. A. Hesnard, *Psychanalyse du lien interhumain*, P. U. F., 1957, S. 210–211.
25. A. Lagache, »Contribution à la psychologie de la conduite criminelle« (*Rev. fr. de Psychanalyse*, 1949, 4, S. 541–570).
26. Henri Michaux, *Misérable miracle*, S. 23.

und in diesem Fall besteht die Behandlung darin, daß man in einer Gruppentherapie die Erscheinung eines Alter-Ego herbeiführt (diesmal die Säkularisierung des Doppelgängers oder des mythischen Zwillings)[27].

Die Säkularisierung kann auch auf eine andere Weise erfolgen, die dem Anschein nach antireligiöser ist und in der Somatisierung der psychischen Störungen besteht. Hier handelt es sich nicht mehr um Projektion auf imaginäre Wesen, sondern um Projektion auf bestimmte Organe des Körpers, besonders auf das endokrine System, das physiologische Substrat des Ich durch die Triebe und Affekte, und auf den Verdauungsapparat, den Ort der frühesten Sexualtriebe[28]. Die zunehmende Bedeutung, die Organpsychosen oder psychosomatische Erkrankungen im klinischen Bild der gegenwärtigen medizinischen Wissenschaft gewinnen, ist ein Hinweis darauf, daß sich heute eine Metamorphose der Symptome vollzieht, bei der das Ich sich immer mehr von der äußeren Welt abwendet, um sie in den Netzen des Imaginären wieder zu fangen, und sich auf den Körper zurückzieht, in den er seine Störungen investiert. In seinem Buch *Culture, Psychiatry and Human Values* unterstreicht Opler diese Somatisierung in der modernen im Gegensatz zur primitiven Gesellschaft. Im selben Werk weist er jedoch auf die Bedeutung der somatischen Systeme und der Konversionshysterie in den archaischen Kulturen hin. Bei uns dagegen treten die psychischen Erkrankungen eher in Form von Desorganisation des Geistes auf. Wie soll man diese beiden, auf den ersten Blick widersprüchlich erscheinenden Behauptungen miteinander vereinen? Hier liefert die Soziologie der Psychiatrie insofern einen Beitrag, als sie zeigt, daß dieselben Störungen verschiedene Bedeutungen haben. Bei den Völkern ohne Schrift gibt es in gewisser Weise ein Übermaß des Heiligen. Das heißt, bei ihnen können sich die Tendenzen, die bei uns krankhaft sind, objektivieren, sich in äußeren Dingen kristallisieren, besonders in den Riten (die Entwicklung der Magie zum Beispiel beschränkt das Feld möglicher obsessioneller Neurosen). Unter diesen Umständen tendiert alles, was sich nicht objektivieren läßt, dazu, sich auf die Organe zu verlagern. In unseren westlichen Kulturen dagegen, in denen sich durch die Presse, die audiovisuellen Mittel und Gesundheitskampagnen die wissenschaftlichen Erkenntnisse immer weiter verbreiten, schockieren die früheren Erscheinungsformen des Wahnsinns in immer stärkerem Maße. Diese Erscheinungsformen will man der Unterschicht überlassen. Aber gerade die Unterschicht schmilzt zugunsten der Mittelschicht immer stärker zusammen. Deshalb versteckt der Mensch der Mittelschicht seine Störungen da, wo sie am wenigsten in Erscheinung treten, in seinem *soma*. Auf diese Weise erreicht er zweierlei: er verbirgt sie nicht nur, sondern lenkt durch seine Paralysen, seine Herzkrämpfe, seine Magengeschwüre und sein Erbrechen die Aufmerksamkeit der anderen leichter auf sich, er manipuliert sie mit größerer Autorität. Die psychosomatischen Krankheiten sind also bei uns ein Zeichen für den Sieg der Medizin als rationaler Wissenschaft. Sie sind einer der Wege, auf denen der Prozeß der

27. P. B. Schneider, »Les thérapies psychanalytiques de groupe« (*Rev. fr. de Psychanalyse*, XXVIII, 6, 1963).

28. Dr. H. Meng, »Psychoses d'organe« (*Psyché*, 56, 1951, S. 335–349).

morbiden Säkularisierung verläuft. Im Gegensatz zu der Bedeutung, die sie bei den Primitiven haben, weisen die psychosomatischen Krankheiten bei uns auf eine Einschränkung des Heiligen hin.

Unter diesem Gesichtspunkt scheinen uns zwei Fakten sehr aufschlußreich zu sein. Als wir in Brasilien in einer Zone der Akkulturation und Industrialisierung die Träume der farbigen Personen untersucht haben, wurden wir dadurch überrascht, daß diese Träume – im Zusammenhang mit der Industrialisierung – anstelle der religiösen Symbole mechanische Symbole verwendeten. Der menschliche Körper (oder die Befürchtungen, die man im Zusammenhang mit diesem Körper hegte) zeigte sich nicht so sehr in kosmischen Bildern, wie Wasser und Zwilling, sondern vielmehr in unordentlichen Maschinen, in Maschinenunfällen, im schlechten Funktionieren der Werkzeuge. Der Körper wurde in Verbindung mit der triumphierenden Maschinengesellschaft neu gesehen. Die nächtlichen Träumereien hatten sich von den Mythen über die Erschaffung der Welt oder vom Universum des Heiligen gelöst. Die zweite Tatsache besteht darin, daß trotz der Unterschiedlichkeit der Ideologien dem klinischen Bild der kapitalistischen Vereinigten Staaten nichts ähnlicher ist als das klinische Bild des kommunistischen Rußland. Denn unter den antagonistischen Überstrukturen entdeckt man dieselbe Realität, die Realität der Industriegesellschaft. Der Nachweis, den R. Aron mit einer Analyse der beiden Wirtschaftsformen für diese tatsächlichen Ähnlichkeiten erbracht hat, würde sich also nach unserer Ansicht sogar auf den Krankheitsstand auswirken. In Rußland, wo der Atheismus in aller Offenheit als Dogma des Kommunismus bekannt wird, muß man zwangsläufig alles ablehnen, was nah oder entfernt an den heiligen Wahnsinn erinnern könnte. Sogar die psychosomatische Störung kann noch einen vagen Beigeschmack von Idealismus an sich haben. Deshalb wird die Somatisierung bis zum Extrem fortgesetzt (die Neurosen sind in Rußland nicht verschwunden, sondern finden sich in den allgemeinmedizinischen Krankenhäusern). In den Vereinigten Staaten, wo die Religion eine Sonntagsübung wird, erkennen die Psychiater, daß die Neurosen sich seit den letzten zwei Jahrzehnten verändert haben. Sie sind Organneurosen geworden, die einzigen Neurosen, die einer Mittelklassengesellschaft würdig sind (und in der der Arbeiter, nach seiner Meinung befragt, die Ansicht äußert, daß er selbst die Klasse gewechselt habe).

III

Die Welt des Wahnsinns nährt sich nicht nur von den Bildern und Zeichen, die sie der umgebenden Welt entliehen hat. Sie ist auch bereit, deren Bedeutung zu modifizieren, damit das Bild oder das Zeichen eine originale persönliche Erfahrung besser ausdrückt, als die Banalität einer in der alltäglichen Kommunikation neutralisierten Erfahrung es vermag. Aber noch bewahrt das Bild oder das Zeichen die Gesetze, die hauptsächlichen formalen Gesetze dieser Welt. Zweifellos hat man mit der Untersuchung dieser formalen Gesetze erst begonnen. Bekanntlich ist in Sainte-

Anne eine Gruppe von Linguisten, Psychologen und Psychiatern mit einem Forschungsauftrag über die aphasische Sprache beschäftigt. Man arbeitet dabei ohne Bezug auf Klassifizierung der klinischen Zeichen. Die Gesamtheit der erarbeiteten Begriffe wird nur einer deskriptiven Analyse von distributionellem Typ unterzogen[29]. Es ist bedauerlich, daß man eine auf Verletzung beruhende Erkrankung gewählt hat (gestörte Kybernetik) und nicht die Sprache der Schizophrenen (neuorientierte Kybernetik). Man muß jedoch einen Anfang machen. Im übrigen dürfen diese Programme nicht nur statistisch bleiben und nur die Verteilung von Worten bei der Bildung verbaler Sequenzen berücksichtigen, sondern sie müssen strukturell werden: Untersuchung der Ordnungen oder Klassen von Worten – und topologische Untersuchungen: Transformation der Worte in Relation zu ihrer Existenz im originalen sprachlichen Basisraum.

Die wenigen Bemerkungen, die wir im vorigen Abschnitt gemacht haben, zeigen uns zur Genüge, was wesentlich für uns ist: daß die Welt des Wahnsinns ein Teil des Gesamtsystems ist, und daß es immer möglich ist, sie durch Transformationsberechnungen damit zu verbinden. Uns bleibt jetzt zu zeigen übrig, daß die Umkehrung stimmt, das heißt, daß das System, das wir normale Mentalitäten nennen, integrierender Bestandteil der Welt des Wahnsinns ist. Zweifellos haben manche Psychiater die bipolare Auffassung vom Normalen und Pathologischen beibehalten. Die meisten aber stellen zwischen die beiden Pole die, die der Arzt Grasset aus Montpellier die »Halb-Wahnsinnigen« oder die »Halb-Verantwortlichen« genannt hat. Von daher konnten wir eine ganze Topographie mit wirklichen Kontaktphänomenen wie Assimilierung (morbide Ansteckung) und Akkulturation aufstellen. Es handelte sich um eine wirklich deskriptive Topografie, das heißt um eine Topografie, die Werturteile ausklammert, denn man diskutierte zu dieser Zeit über das Problem der Beziehungen zwischen dem Genie und dem Wahnsinn (Moreau, Tours, Lombroso) oder über die Beziehungen zwischen der Heiligkeit und dem Wahnsinn (Delacroix, Blondel).

Heute wissen wir, daß wir alle in uns den Abgrund tragen, der unseren (durch sozialen Konsensus definierten) Verstand verschlingen kann. Wir wissen, daß mit dem Wahnsinn in der Tiefe verborgene Tendenzen auftauchen, die in allen Menschen existieren. Oder man könnte auch sagen, daß mit dem Wahnsinn die Störungsfaktoren unserer Persönlichkeit auftauchen. Wir betrachten sie als Versuchungen, die zugleich gefürchtet und verleugnet werden. Und errichten gegen sie Verteidigungssysteme oder Kontrollmechanismen. Kurz, wir spüren, wie der finstere Doppelgänger unseres Wesens sich in uns regt. Die Schriftsteller, die sich mehr als die meisten anderen Sterblichen für das innere Leben interessieren, haben natürlich besonderes Gewicht auf diese dunkle Seite der Persönlichkeit gelegt. Sie haben aber nur deren Konstanz enthüllt. Stevenson hat sie unter den Namen Dr. Jekyll und M. Hyde symbolisiert. Conrad läßt in *The Secret Sharer* (*Der geheime Teilhaber*) den Mörder Leggatt auftreten, den nächtlichen, vogelfreien Gefährten des

29. Die ersten Ergebnisse sind erschienen in *Neuropsychologie*, I, 1963, S. 165–177).

erzählenden Kapitäns, der sich auf geheimnisvolle Weise solidarisch mit Leggatt fühlt. In *Ciascuno a suo modo* (*Jeder auf seine Weise*) spricht Pirandello von der Existenz »von Gedanken, die illegitim sind wie Bastardsöhne«, die »außerhalb des anständigen ehelichen Daches des Gewissens« uns erlauben, mit der Welt des Wahnsinns in den Kellern oder Souterrains unserer Behausung unerlaubte Beziehungen aufrechtzuerhalten. Man könnte bei diesen Schriftstellern sogar eine Soziologie dieser unerlaubten Beziehungen finden. Sie treten vor allem in Epochen des Übergangs auf, also bei Krisen der Wertvorstellungen oder in Reisesituationen, bei der Begegnung mit exotischen Ländern, unter Bedingungen, bei denen die Kontrolle durch die »Zivilisation« sich auflöst oder nachläßt (Conrad).

So kommt es, daß wir von innen her in den Bereich eintreten können, der, wie wir meinen, für unseren Verstand völlig fremd ist. Hier könnte man zitieren, was Durkheim und Mauss über die primitive Mentalität sagen: »Daraus ergibt sich, daß diese Mentalität ohne Beziehung zur unseren ist ... Zweifellos sind die Begriffe, die wir damit verbinden, nicht die, die der Australier heranzieht. Wir wählen sie nach anderen Kriterien und aus anderen Gründen. Aber das Verfahren, nach dem der Geist sie zueinander in Beziehung setzt, unterscheidet sich nicht wesentlich.« Oder man könnte auch Lévi-Strauß zitieren, der im Zusammenhang mit dem Totemismus von Bergson und Rousseau sagt: »Sie beweisen, daß jeder menschliche Geist ein Ort virtueller Erfahrung ist, um zu kontrollieren, was sich in den menschlichen Geistern ereignet, welche Entfernungen sie auch immer trennen[30].« Zweifellos wird in den beiden Texten, die wir soeben gesehen haben, die Affektivität beschworen. In den krankhaften Strukturen tritt sie dann dominierend auf. »Der Schizophrene und der Primitive«, sagt Bursztyn, »klassifizieren nicht die Dinge, sondern die Vorstellungen, die sie sich von ihnen machen. Das Kriterium, das sie anwenden, ergibt sich nicht aus dem Objekt, das bewertet werden soll, sondern es überträgt den Gesichtspunkt des Subjekts[31].« Daraus ergibt sich: 1. Daß die Klassifizierung eine logische Operation bleibt, die beim kranken wie beim gesunden Geist denselben formellen Regeln gehorcht. 2. Daß wir die Dinge weniger nach der Natur der Objekte als nach den Vorstellungen klassifizieren, die die Gesellschaft sich von den Objekten macht. Woraus sich ergibt, daß die Unterscheidung graduell bleibt. 3. Wenn man schließlich den »Standpunkt des Subjekts« bei der Schizophrenie einbeziehen muß, so können wir für die affektiven wie für die mentalen Strukturen in uns selbst die Gesetze für deren Störung oder die Prinzipien für ihre krankhaften Veränderungen finden.

Das Problem des Geisteskranken in der Gesellschaft ist also nicht nur das Problem des Kranken, sondern das Problem der Gemeinschaft selbst. Der Kranke stellt mit seiner Umgebung einen *modus vivendi* her. Und reziprok toleriert die Gemeinschaft bestimmte Formen von Exzentrizität. Sie verlangt vom Psychiater weniger, daß er

30. *Le totémisme aujourd'hui*, P. U. F., 1962, Kap. V (hier findet sich auch das Zitat von Durkheim und Mauss).

31. P. J. Bursztyn, *Schizophrénie et mentalité primitive*, Jouve, 1935.

heilt, sondern vielmehr, daß er »wilde« in akzeptable Symptome verwandelt[32]. Ebenso wie das vorige Kapitel uns von den sozialen Systemen zu den Systemen von Vorstellungen führte, führt uns dieses Kapitel von den Vorstellungen zu den sozialen Systemen. Die intramentalen Beziehungen kristallisieren sich in intersozialen Beziehungen. Der Wahnsinnige ist bis zu einem gewissen Grad ein Ausdruck unseres »schlechten Gewissens«, der veräußerlichte und in der Öffentlichkeit handelnde Doppelgänger, von dem Teil des Chaos, das wir in uns selbst verleugnen wollen. Deshalb betrachten wir ihn als einen »Vogelfreien«, als eine »Gefahr« für die Gesellschaft. Die Urteile, die wir über ihn fällen, sind nur der Reflex oder besser die Projektion des Urteils, das wir über einen Teil unserer selbst fällen. Der Wahnsinn hat also eine soziale Funktion, und zwar im Durkheimschen Sinne, wenn er davon spricht, daß das Verbrechen eine soziale Funktion hat. Sie erlaubt uns, daß wir uns von den Schrecken, die uns bedrohen, befreien, indem wir sie auf den anderen übertragen. Wenn der Wahnsinnige in sich die *conditio humana* trägt, dann trägt der Mensch in sich den Humus, auf dem der Wahnsinn Wurzeln schlagen kann.

*

Wir haben zu zeigen versucht, daß die Isolierung des Wahnsinnigen oder der private Charakter seiner symbolischen Aktivität nur einen und, wenn man nicht bei einer oberflächlichen Betrachtungsweise stehenbleiben will, nicht den wichtigsten Aspekt der Geisteskrankheit bilden. Wir haben wieder Brücken zwischen dem Kranken und der Gesellschaft gebaut. Die Krisen des Geistes übertragen die Einflüsse der Krisen der Gesellschaft oder auch der Familien, in der sich der Wahnsinn oder die Depression des Erwachsenen bildet. Die Traumata oder die Widersprüche der religiösen, ethnischen, ökonomischen Gruppen dringen in die psychischen Mechanismen ein und stören sie (wenn sie auch Störungen nicht eigentlich hervorrufen). Ebenso wie der gesunde Mensch kann der Neurotiker und der Psychotiker den subtilen, unbewußten Einflüssen, dem aus dem umgebenden Milieu kommenden Druck und Zwang nicht entrinnen. Selbst wenn man ablehnt (was man manchmal tut), als einziges Kriterium für Geisteskrankheit die Einlieferung in eine psychiatrische Klinik anzugeben, scheint uns die Definition des Wahnsinns immer noch eine soziale Sache zu sein, die sich mit Ort und Zeit ändert. Die Kollektivität stellt nach den in ihr herrschenden Wertvorstellungen die Unterscheidung zwischen dem Normalen und dem Pathologischen her (wir haben ein paar Kriterien für diese wechselnde Unterscheidung genannt, »die Anpassung« zur Zeit des stabilen industriellen Kapitalismus, »die Möglichkeit, sich selbst Normen zu geben«, heute, wo das Überwechseln von einem Beruf zum anderen oder von einer Gegend in eine entfernte andere sich in der Gesellschaft mit intensiver Produktivität vervielfacht).

Wir haben schließlich in unserem strukturalen Teil die Grundelemente eines

32. Vgl. zu diesem Punkt, aber nur für die Wiedereingliederung der stabilisierten Kranken, G. M. Carstairs, »The social limits of eccentricity: an english study«, in M. K. Opler, *Culture and Mental Health*, New York, 1959, S. 373–389).

allgemeinen »sozialen Systems« zu umreißen versucht, in dem der »Wahnsinn« seinen Platz an den Bruchstellen zwischen den »Subsystemen« oder in den Randzonen hat. Daraus ergibt sich, daß wir immer strukturierte Ganzheiten betrachten müssen, in denen das Verhalten des Kranken auf die sozialen Einheiten wirkt, zu denen er gehört und in denen auch die Charakteristika der Struktur dieser Einheiten die Antworten des Kranken determinieren (Isolierung, Rebellion, Unruhe, usw.)[33].

Wir haben sogar zu zeigen versucht, daß die Netze der Kommunikation weiter bestehen. Den Störungen zum Trotz, die sie überlagern, und vor allem uns zum Trotz, die wir uns als »Andere« zeigen wollen (man denke an den hochmütigen Ausruf Descartes: »Aber was! Das sind Wahnsinnige«). Kurz, wir glauben mit allen diesen konvergierenden Aussagen, die von verschiedenen, ätiologischen oder strukturellen, statistischen oder qualifikativen Gesichtspunkten ausgegangen sind, bewiesen zu haben, daß der Wahnsinn seinem Wesen nach eine soziale Sache ist, daß er also ebenso einer soziologischen wie psychiatrischen Analyse bedarf.

33. M. Hanner, »Influence of small networks as factors on mental hospital admission« (*Human Organiz.*, 22, 4, 1963–1964, S. 243–251).

Sach- und Namensregister